Nikt nie musi wiedzieć

SERIA KRYMINALNA
Z HUBERTEM MEYEREM

Sprawa Niny Frank

Tylko martwi nie kłamią

Florystka

Nikt nie musi wiedzieć

Projekt okładki: *Paweł Panczakiewicz/Panczakiewicz Art.Design*
Redaktor prowadzący: *Ewa Orzeszek-Szmytko*
Redakcja: *Irma Iwaszko*
Redakcja techniczna: *Robert Fritzkowski*
Korekta: *Lilianna Mieszczańska*

Fotografie na okładce:
© Surachai/Shutterstock.com
© Valeriya21/iStockphoto.com
© efks/iStockphoto.com

ISBN 978-83-287-1738-1

Warszawskie Wydawnictwo Literackie
MUZA SA
Wydanie I
Warszawa 2021

KATARZYNA
BONDA

Nikt nie musi wiedzieć

MUZA

WARSZAWSKIE WYDAWNICTWO LITERACKIE

Co do zbłąkanych dzieci, które w tych dniach krokiem bogów
Wyszły na brzeg z fal morza – każdego z nich jego własne demony
Wpędziły chyba skutecznie w obręb ludzkiego „ja";
Wszystkim – oprócz mnie – należy się ułaskawienie.

W.H. Auden, *Morze i zwierciadło*,
przeł. Stanisław Barańczak, Kraków 2016

Część 1
Dziecko Sroki

Erwin Długosz nie chciał brać tego zlecenia, jednak przez pandemię prawie nie miał pracy, dlatego dał się przekonać żonie.

Pałacowa winda nie działała od lat. Nikt nie wiedział dlaczego – wymieniono części mechanizmu, naoliwiono szyny, sprowadzono z Francji oryginalne silniczki Beckera, a zabytkowy dźwig stał w miejscu jak zaklęty. Śmiałków, którzy próbowali go wskrzesić, przewinęło się przez zamek wielu. Niektórzy przybywali z zagranicy, przywożąc rekomendacje i zestaw nadzwyczajnych narzędzi. Główkowali, rozbierali, składali, biegali po schodach. Robili zdjęcia i konsultowali się z inżynierami. Bezskutecznie. Pracownicy pałacu szeptali po kątach, że tak powinno zostać, bo jeśli winda ruszy – stanie się coś złego. Legenda głosiła, że windę zaklął sam hrabia Winckler, pierwszy właściciel zamku w Mosznej i śląski potentat. To za sprawą jego przedsiębiorczości wyrosło serce Górnego Śląska – Katowice. Jak dokładnie brzmiał urok – nikt nie pamiętał, a oficjalnie wszyscy się z tego śmiali. Najgłośniej zaś inżynier Erwin Długosz, który wiarę w przeczucia, znaki i zbiegi okoliczności tolerował wyłącznie u przystojnych kobiet. Tak było do dzisiejszego ranka, kiedy o piątej trzydzieści wyrwał go z łóżka telefon z pałacu.

– Bardzo powoli, skrzypiąc, ale sunie w górę i w dół! – Głos dziewczyny drżał z ekscytacji. – Jest pan cudotwórcą!

Erwin ubrał się pośpiesznie, chwycił kluczyki do auta i spojrzał na śpiącą córkę. Zabrał Amelię na jej prośbę, bo liczyła na darmową wycieczkę. Zakwaterowano ich w dawnym kompleksie dla służby, oddzielonym od zamku lasem. Asfaltowa droga wiła się wokół dawnych posiadłości Wincklerów jak trzynasto-kilometrowa nitka. Gdyby Długosz z córką mieli więcej czasu, przespacerowaliby się do pałacu leśnymi dróżkami, jak kiedyś chodzili parobkowie, i zajęłoby to im ledwie kwadrans. Autem trzeba było znacznie nadłożyć drogi, ale w bagażniku Erwin miał wszystkie narzędzia.

Amelka spała czujnie jak pies. Kiedy ojciec wkładał buty, podniosła powieki i zaraz zmrużyła je z udawaną złością.

– Idziesz zapalić?

– W żadnym razie, rekinku. Od wczoraj nie puściłem ani jednego dymka.

– I tak powinno zostać.

Poderwała się, przysunęła głowę do twarzy ojca i zaczęła węszyć.

– Mówię prawdę – roześmiał się Erwin. Otoczył córkę ramionami, mocno przytulił. – Wyspałaś się?

– Która godzina? – ziewnęła.

– Przed szóstą. Pośpij sobie, a po śniadaniu po ciebie przyjadę. Dzwonili z pałacu. – Erwin spojrzał na zegarek i poczuł euforię, ale starał się mówić spokojnie. – Kiedy wczoraj wyjeżdżałem, byłem pewien, że to porażka. Tłoki musiały wejść na miejsce.

– Udało ci się? – pisnęła Amelia. – Mogę być pierwszą pasażerką? Proszę, proszę!

– To zbyt niebezpieczne. Najpierw konserwacja i testy. Wrócę ze śniadaniem.

– Nie ma mowy!

Wyskoczyła z łóżka i zaczęła ściągać piżamę.

– A zęby? – Erwin sparodiował jej rekinią minę, jaką robiła, kiedy starała się wymusić na ojcu rzucenie palenia.

– Umyję, jak wrócę. – Amelia stała już przy drzwiach. – A ty nawet nie myśl o papierosach. Może i udało ci się wskrzesić to żelastwo, ale kopcić przy dzieciach nie wolno.

– Gdzieżbym śmiał!

Postanowił jechać skrótem: szutrową drogą prowadzącą przez zamkowy park. Ich wiekowy jeep cherokee podskakiwał na każdym wyboju. Erwin musiał zwolnić do dwudziestu, bo widoczność była żadna. Głuszę spowijała nieprzenikniona mgła. Kiedy gąszcz się przerzedził i wyjechali na polanę, z mlecznych oparów wyłoniły się wieżyczki kasztelu jak z bajki Disneya. Widok posiadłości Tiele-Wincklerów zapierał dech w piersiach.

– Szkoda, że nie zakwaterowali nas tutaj – mruknęła Amelka.

– Apartament kosztuje pięćset złotych, a ja jestem tylko prostym robotnikiem.

– Jesteś inżynierem, a w tej windzie siedziałeś wczoraj cały dzień – oburzyła się dziewczynka. – Powinni nas teraz porządnie ugościć.

– Nie boisz się ducha guwernantki?

– Tato, opanuj się, mam już trzynaście lat.

– Ja bym się bał – przekomarzał się z nią Erwin. – Słyszałaś, że ludzie do dziś widują zjawę wędrującą krużgankami? Podobno w zamku jest trzysta sześćdziesiąt pięć pokoi, dokładnie tyle, ile dni w roku. Latem biała dama przemyka do pokoju Matki Ewy.

– Może nie lubi mrozu – fuknęła Amelia. – Matka Ewa to ta zakonnica?

– Si, rekinku. Księżniczka von Winckler zostawiła pałac i poszła mieszkać do kurnej chaty, żeby pomagać innym.

– Dziwna jakaś. Każdy chciałby być księżniczką. Zresztą z tym duchem to bujda. Kiedy wczoraj pracowałeś, znalazłam te małe drzwi z numerem cztery, cztery, pięć. Otwierają się normalnie i jest tam drabina. Współczesna! – podkreśliła. – Ma naklejkę z Castoramy.

– Ale nie weszłaś po niej, mój Sherlocku? – przeraził się.

– Oczywiście, że weszłam. – Amelka zaśmiała się chochlikowato, bo ojciec wyklinał ją żartobliwie i bił się po głowie. – Tam jest zwykły strych. Tyle że ładny. Nic ciekawego. A ducha pewnie ktoś udaje, żeby turyści przyjeżdżali. Uważaj! – krzyknęła.

Erwin przyhamował w ostatniej chwili. Przed maską przemknęła sarna. Zniknęła po drugiej stronie lasu, zanim zdołali jej się przyjrzeć.

11

– W tej mgle wyglądała jak zjawa – wyszeptał Erwin złowieszczo, licząc, że córka się roześmieje, ale efektu nie osiągnął.

– To było naprawdę?

– Boisz się?

– Chyba ty!

Erwin bardzo zwolnił.

– Na piechotę byłoby szybciej. – Dziewczynka odzyskała już
rezon. – Masz maskę i rękawiczki?

Z bocznych drzwi wyjęła dystrybutor z płynem dezynfekują-
cym. Ojciec wystawiał kolejno ręce, by mogła je spryskać, a potem na chwilę puścił kierownicę, żeby wetrzeć preparat w dłonie. Włożył rękawiczki.

– Noszę je tylko ze względu na ciebie.

– Chcę, żebyś żył – oświadczyła bardzo poważnie Amelia.

– Koronawirus istnieje. Ludzie umierają.

– Ile mówiłaś, że masz lat, starcze? – Erwin ziewnął i dodał
gazu, bo otaczające ich mleko przerzedziło się na tyle, że widać
było ogrodzenie.

Skręcił w asfaltową drogę, a po chwili pędził już sześćdzie-
siątką. Na horyzoncie majaczyła panorama pałacu.

– Przynajmniej będzie miejsce na parkingu – powiedział
i urwał, bo podskoczyli, jakby wjeżdżali pod górkę, a potem coś
plasnęło, przejechali po miękkim i pod kołami znów była twarda
nawierzchnia. Erwin wyhamował gwałtownie, aż zaskowyczał
silnik. Spojrzał we wsteczne lusterko i gardło mu się zacisnęło,
a przez głowę przeleciała dziwna myśl. Wrzucił wsteczny, podjechał kilka metrów i w końcu się zatrzymał.

– Czekaj tu – polecił córce. – Nie wysiadaj.

Szedł na uginających się nogach. Gardło miał ściśnięte nie-
pokojem. Nie widział nic na odległość wyciągniętych ramion.
Mimo to nie zatrzymywał się.

Na jezdni coś leżało. Ciemniejszego niż podłoże, mokrego
i gęstszego niż krew. Wyłaniało się z tumanu niczym zła wróż-
ba w szklanej kuli wiedźmy. Zanim zrozumiał, że to zmiażdżo-
na ludzka głowa i zdeformowany tułów, usłyszał za plecami
wrzask córki. Siłą odwrócił twarz Amelki od makabry, objął

12

dziewczynkę ramionami z całych sił. Dyszał ciężko, z trudem oddychał. Myślał o bieżniku kół, który odcisnął się w tej krwawej miazdze, zaskakująco dobrze widocznej w tej mgle, jakby to był film, a nie rzeczywistość; i o tym, że trzeba było słuchać intuicji i nie brać tego zlecenia, oraz o tym, że pójdzie siedzieć. Kto uwierzy, że nie chciał zabić tego człowieka?

— Prosiłem, żebyś nie wysiadała, rekinku — szeptał Erwin, a łzy ciekły mu po twarzy. — Dlaczego nigdy mnie nie słuchasz?

Dzień pierwszy
31 grudnia 2020 – czwartek

Zrozumieć wszystko znaczy przebaczyć. Hubert Meyer liczył, że pomogą mu w tym trzy butelki tequili: mixto, reserva i reposado. Każda ze swoją historią. Łączyły się z najważniejszymi sprawami, przy których pracował w tym roku. Choć formalnie to nie on. W większości akt jego nazwisko się nie pojawia. To śledczy doprowadzili do ujęcia sprawców. Hubert tylko pomagał. Operacyjnie. Pisał ekspertyzy, budował taktyki przesłuchań, był na miejscu zdarzeń, podpowiadał, konsultował, przesłuchiwał, kłócił się i brał na siebie stek wyzwisk, za które nikt go nie przepraszał. Był na każde zawołanie prowadzących śledztwo, czasem występował jako biegły, a potem wracał do swojej jaskini, by splendor za wykrycie sprawy spłynął na detektywów. W nagrodę wystawiał fakturę, zawsze na taką samą kwotę, bo prokuratura ma stawki, które ledwie starczały na opłacenie rachunków, czesnego za studia syna w Londynie i leasing nowiutkiej limuzyny audi, która była jedynym kaprysem Meyera, choć wmawiał sobie, że to jego narzędzie pracy. I tak wciąż słyszał narzekania, że bierze za dużo i dlaczego dolicza VAT, bo – po prawie dwudziestu latach przecierania szlaku w profilowaniu kryminalistycznym – niektórzy nie dowierzali, że psycholog wart jest tych pieniędzy. Nie dziwił się. W placówkach nie widywano go wcale. Nazwisko i ekspertyza objęte były tajemnicą, a po skutecznym aresztowaniu wychodził z komendy bez słowa, gdyż nie miał złudzeń co do własnej roli. Jeśli nie znajdował szybkiego i błyskotliwego wyjaśnienia, jak pokazują to w serialach o FBI – funkcjonariusze wieszali na nim psy, że jest przereklamowany. Gdy udało mu się napisać dobry profil i sprawcę wykrywano szybciej – nikt nie chciał przyznać, że zawdzięczają to tak mało efektownej ekspertyzie, jak profil wiktymologiczny czy opinia typologiczna. W niektórych placówkach zakrawało na cud, że brali jego sugestie pod uwagę. Nie rozumiał tej strategii. Po co go zatrudniali, skoro potem podważali jego kompetencje, a nawet potępiali w czambuł całą psychologię behawioralną? Czasami mówili mu to wprost: jasnowidz, psycholog, wariograf – to tylko podkładka. Żeby, jeśli ktoś przypnie im się do tyłków, można było powiedzieć, że wyczerpali wszystkie środki, by sprawę wykryć. A Hubertowi tylko o to chodziło: o eliminację zbójów i drapieżników. Uważał, że jeśli uda się uratować przed atakiem choć jedną ofiarę, jego praca ma sens.

Ostatnimi laty spał coraz mniej. Cztery, pięć godzin na dobę. Budził się zawsze przed telefonem, który zmieniał bieg jego życia. Czasami żartował, że ktoś wszczepił mu do głowy czip, bo niby skąd mógł wiedzieć, że za chwilę będą go potrzebowali. Nie jutro, nie później. Miał wsiadać do auta i jechać pod wskazany adres. Tam czekał na niego prowadzący dochodzenie i trup w adekwatnym stanie rozkładu. Czy nie ma sposobu, by zwierzęta nocne grasujące z nożami, młotkami i bronią palną przeszły na tryb słoneczny, a zmarli czekali z ujawnieniem do rana? W biurze, które wynajął na prowadzenie firmy, nie bywał prawie wcale.

Pracował w domu, a najczęściej w grafitowym audi, którego bagażnik wypełniały notatniki, kalosze, ciepłe kurtki myśliwskie, dubeltówka bez naboi, narzędzia, puste pudełka po jednorazowych rękawiczkach, sprzęt do rejestracji miejsc zbrodni czy przenośna drukarka. Resztę wolnego czasu spędzał przed laptopem, który odpalał w różnych komendach lub w małych pokoikach udostępnionych mu przez zdesperowanych policjantów. Nie zawsze legalnie. Był tylko cywilem z przeszłością w firmie i znajomością tajników hierarchii oraz habilitacją na temat przestępstw seksualnych, a zwłaszcza to ostatnie nie budziło zaufania młodych gliniarzy, którzy naoglądali się Netflixa.

Czas ma znaczenie kluczowe. Nie tylko oszczędza się pieniądze podatników, lecz przede wszystkim pozwala dać zadośćuczynienie poszkodowanym. I tylko oni interesowali Meyera: rodziny ofiar, policjanci pracujący w pocie czoła, by złoczyńcę złapać. Chronić ludzi, których trawił strach przed grasującym potworem. Służyć – to była rola profilera – i we właściwym momencie usunąć się w cień. Być na każde zawołanie, kiedy sytuacja robi się kryzysowa, dać z siebie sto procent. Wyłączyć umysł, stać się maszyną do analizy danych. Gdzie tutaj miejsce dla własnych emocji? Czas na rodzinę, zwykłe małe życie?

Analiza i odczuwanie – z tych dwóch najważniejszych cech, które go charakteryzowały, odczuwanie wyeliminował jako szkodliwe. Niestety, emocji nie da się wyzbyć jak węchu, który zbawiennie go opuścił. Zdołał je zepchnąć jedynie w czarną dziurę nieświadomości, ale uparcie wracały w snach. Może dlatego spał coraz mniej. Ostatnio ta emocjonalna pustka dawała mu się we znaki, chociaż brał się w garść i wciąż powtarzał, że ma misję.

Niektórzy nie mają tyle szczęścia, by znaleźć swoje powołanie. Jestem szczęściarzem, mantrował w chwilach słabości i patrzył na pamiątkowe flaszki. W tym roku wszystkie sprawy, które symbolizowały, znalazły swój finał w sądach, a przestępcy zostali skazani prawomocnymi wyrokami. Każda z jego analiz znalazła uzasadnienie, niektóre stuprocentowe. Zwyciężył. Co za nuda, ziewnął. Zaginięcie, gwałt i zabójstwo. To ostatnie masowe. Trzynaście trupów. Pechowa trzynastka. I jak tu nie być przesądnym? W większości ludzie z organów ścigania i armii. Niewinne ofiary w mundurach. Wszystkich znał, choć niektórych tylko z widzenia. Poznał ich tajemnice i nie ujawnił, jeśli nie miały związku z dochodzeniem. Nie każdego z zabitych szanował. Ale byli martwi. Znał złotą zasadę, że o tych, którzy odeszli, nie mówi się źle. On wciąż żył, poznał ich żony, dzieci. Dojmujące doświadczenie. Ta ostatnia flaszka czekała na otwarcie siedem lat. Dziś zamierzał opróżnić je wszystkie sam. Tylko on jeden i dwa litry alkoholu.

Postawił na stole kryształową szklankę. W końcu są święta i nikt go nie będzie niepokoił. Jutro i pojutrze może odpoczywać, spać choćby i do wieczora. Karmiłby psy, gdyby żyły. Oboje rodziców miał już po drugiej stronie, dzieci dorosły i bawią się dziś same. Anka przeżywa trzecią młodość z nowym mężem, a on ma przymusowy urlop na całe trzynaście dni, którego sam sobie udzielił, bo jest wreszcie własnym szefem i nikt nie ma prawa mu mówić, co robić, jak żyć. Znów trzynaście. Jeden i trzy. Jak w jakiejś pieprzonej grze. Marzenia się spełniają. Splunął ze złością do umywalki. Chwycił papierosa i zapalił od poprzedniego.

Choć na emeryturze pracował więcej niż kiedyś, to czuł się też bardziej samotny. Niegdyś takie życie mu odpowiadało. Wmawiał sobie, że pościg ma znaczenie, a praca jest wszystkim, czego mu trzeba, ale to nie była prawda. Zgorzkniał, wyostrzył dowcip i brał jeszcze więcej zleceń. Robota skutecznie pochłaniała go w dni powszednie i weekendy, ale pustka powracała w wakacje i święta, kiedy ludzie stadnie gromadzą się przy stołach, by celebrować więzi. On z nikim nie umiał być na stałe, lecz oszukiwał się, że jest z tego wielce zadowolony. Nikt go nie szarpał, nie zajmował jego uwagi. Nie przeszkadzał mu. Nie troszczył się o niego, nie kochał go, ale też i Hubert za nikogo nie był odpowiedzialny. Kiedy wracał z miejsc zbrodni, komend i bufetów sądowych, nikt na niego nie czekał. I dobrze. To zbędny ciężar dla kogoś, kto się o ciebie troszczy. Czyżby? – Zawahał się, kiedy przypomniał sobie rudy kosmyk muskający jego twarz i obejmujące go piegowate ramię. Wiedział, że sam sobie kłamie, że wciąż nie rozumie, dlaczego się rozpadło i jakim cudem pozwolił jej odejść. Rozumiał i wiedział wszystko, choć najbardziej na świecie chciałby zapomnieć. Ale i to wkrótce nastąpi. Pamiętał coraz mniej. Czasami pojawiała się przed przebudzeniem, między przebłyskami z miejsc zbrodni, ale to było raczej zmysłowe wspomnienie. Tego, co czuł, kiedy była w jego życiu. Czy znalazła swoje szczęście i ktoś dał jej to, czego on nie chciał jej ofiarować? Czy naprawdę nie chciał? Tak właściwie to nie pojmował, co poszło nie tak. Czy dobrze zrobił, że uciekł? Nie wiedział, jak zachowałby się, gdyby się spotkali. Odwróciłby się i odszedł szybkim krokiem, zanim dostrzegłaby jego zawstydzenie? A może nic by nie zrobił i nie poczuł? Tak byłoby najłatwiej. Za jakiś czas będę się z tego śmiał, pocieszał się. Rozklejam się jak baba.

W gruncie rzeczy niewiele go kosztowało, by odciąć się od wszystkiego i wszystkich, lecz wiedział, że decyzja była słuszna. A raczej wiele decyzji. Jeśli szczerze, to wszystkie. Nie pielęgnował przyjaźni, nie wysyłał życzeń, nie dowiadywał się, co u kogo słychać. Nie obchodziło go to. Pojemność jego dysku nie była niewyczerpana. Miał tam miejsce dla spraw i rzeczy ważnych, a więc tych związanych z pracą. A robota nie przyzwalała na słabość, jaką z natury rzeczy są emocje. Nie godzi się ranić tych, na których nam zależy. Wierzył, że jest jak ksiądz, który poświęca się dla innych, służy całym swoim czasem, rozumem i niesie ukojenie. Żałował tylko, że nie potrafi żyć w celibacie. Życie, kobiety są tak fascynujące... I chętne, by dzielić się swoją mocą. Nie potrafił z nich zrezygnować. Były jak nagroda, prezent. Szkoda, że nie zawsze umiał docenić wagę tych darów. Pojawiały się, znikały. Wślizgiwał się w te relacje i wyślizgiwał bez szwanku. Zwykle nie chciały godzić się na role wahadłowych kochanek, ale rozumiały go, bo miał szczęście do mądrych i czułych. Może dlatego, że sam czuł tak niewiele. Po wszystkim zostawali w przyjaźni. Dbał o to, by winę za rozpad związków brać na siebie. Nic go to nie kosztowało. Czuł tylko ulgę. Za to znów był wolny. Niektóre wiedziały, że Hubert nie potrzebuje pocieszenia ani tym bardziej łaski. Po prostu osłaniał je przed materią, którą przyszło mu dźwigać. Kobieta nie wpisywała się w ten wzór. Mówił im, że w ten sposób je chroni. Czy ona też potrzebowała ochrony? Szczególnie ona... Czy uciekł, ponieważ nie umiał jej ocalić? Który to już raz? A może to zwykły egoizm?

Dobrze jest, jak jest. Tylko co ma zrobić z tym nadprogramowym wolnym czasem, skoro nie ma nikogo poza przyjaciółkami w szklanych kieckach? Stały na stole i flirtowały z nim. Postanowił, że jak tylko skończy robotę, zaczną bal. Niemal czuł ich spojrzenia na sobie, jakby były ludźmi, a nie szkłem z zawartością nektaru z agawy. Dziś miały mu zastąpić bliskich. Od kilku godzin snuł się po swoim niewielkim gabinecie zawalonym papierzyskami z tą jedną myślą: „Nie potrzebuję od życia niczego więcej". Ale przepełniał go smutek pustelnika, jakby miał w piersi dziurę, która pali i piecze. A jednak przyzwyczaił się do niej i nauczył z nią żyć, choć ledwie dwa lata temu sądził, że rana się zabliźniła, a on chce coś zmienić. Uwierzył jej słowom, że praca to nie wszystko, ale się pomylił. To ona tego chciała. Hubert chciał jedynie pracować. Wyłącznie służbie – tej jedynej kochance – był wierny. Odpłacała mu w nadmiarze satysfakcją, spełnieniem i nadawała sens jego życiu. Nic innego nie umiał. A teraz te trzy pamiątkowe flaszki czekające na wielką okazję, która nie następowała, mrugały na niego i zachęcały do zapomnienia. Skończył pisać ostatnią analizę, wysłał plik i chwycił za szyjkę pierwszą z nich. Kiedy zerwał banderolę, jego telefon zawibrował.

„Sto lat, Bercik!"

Zdziwił się. Od lat nikt nie wysyłał mu urodzinowych życzeń. Anka i dzieci dzwoniły przed świętami, a w sylwestra jego komórka milczała jak nieżywa. Pomyślał, że to reklama albo pomyłka. Czyżby kliknął pobranie danych w jakiejś aplikacji? Gdzieś w oddali słychać było fajerwerki.

Sięgnął po telefon i odczytał:

„Jestem pierwsza? Przy okazji... Szczęśliwego Nowego Roku... Zadzwoń w wolnej chwili. Bożena. PS: To naprawdę ważne"

Jaka Bożena? Nic nie kojarzył.

Odłożył aparat i zajął się szukaniem szklanki. Stała na samym brzegu stołu. Kiedy ją podniósł, zdjęcia z sekcji zwłok rozsypały się po podłodze. Wiedział, że jutro z samego rana pieczołowicie je ułoży. Ledwie upił pierwszy łyk, telefon zaczął wibrować jak oszalały.

„W imię przeszłości odbierz... jeśli zadzwonię. Nie wiem, czy zadzwonię. Jeśli tak, znaczy, że nie mam innego wyjścia. Naprawdę nie chcę tego robić. Jesteś ostatnią osobą, z którą chcę mieć kontakt. Niektóre rzeczy nie powinny się wydarzać. Wiesz o tym najlepiej"

„PS2: Tak, jestem po drinku. Nawet więcej niż jednym…"

„On śpi i nadal nic nie wie. Nic… Nigdy… A może wie? Nie ode mnie… Byłby głupi, gdyby się nie domyślił…"

„Wiesz, modlę się czasem za ciebie… Ostatnio śnisz mi się przerażająco. Nigdy tak naprawdę nie zapomniałam. Nie mogłam…"

Wiadomości przychodziły jedna po drugiej. Chaotyczna składnia nie pozostawiała złudzeń, że kobieta jest zdrowo wypita. Nadal jednak Hubert kojarzył jedynie, że to była kochanka. Rozżalona, zdesperowana, którą kiedyś skrzywdził. Raczej dawno temu, bo od studiów nikt nie nazywał go śląskim zdrobnieniem, którego zresztą nienawidził.

„Wszystko u ciebie OK?… Wczoraj znów mi się śniłeś… Ale wcale nie tęsknię. Wolałabym, żebyś zdechł, skurwysynu, żebyśmy się nigdy nie spotkali. Kiedyś zabiłabym cię za to, co mi zrobiłeś. I za to, co ona mi zrobiła. Ale karma wraca…"

„A może ty jesteś gejem, Bercik?"

Miał dość. Skasował wiadomości, wyciszył telefon i schował go do szuflady. Bal to bal. Dziś nie zamierzał już wytężać szarych komórek ani niczego rozumieć.

Dzień drugi
1 stycznia 2021 – piątek

Następnego dnia miał wrażenie, że nie spał wcale. Za oknem czaił się już zmierzch. Meyer był w tym samym ubraniu, a poza świątecznymi butelkami koło łóżka walały się niedojedzone kanapki z turystyczną i pudełko po tiramisu z Lidla. Nic nie pamiętał. Przespał Nowy Rok i skupiał się tylko na bólu głowy oraz zsynchronizowaniu kończyn. Wiedział, że przez dwanaście dni nikt nie będzie go potrzebował, więc poszedł do żabki po klina, ale sklep był zamknięty. Kiedy wygrzebał z szuflady komórkę, zobaczył siedem nieodebranych połączeń. Tknęło go. Odzyskał wczorajsze esemesy z folderu „Usunięte" i stwierdził, że to nie pijana Bożena starała się go dorwać, lecz ktoś zupełnie inny. Zasnął ponownie, nim zapadła zupełna ciemność.

– Meyer, wiem, że jesteś!

Obudziło go walenie do drzwi.

– Otwieraj, chuju. Bo wezwę ekipę.

Hubert zwlókł się z łóżka i trochę mu zajęło, by doczłapać się do wejścia oraz połączyć tubalny baryton z niedźwiedzią posturą Domana. Przyjaciel wyglądał jeszcze gorzej niż on sam, choć po pobieżnym rzucie oka w lustro zdawało się to Meyerowi raczej nieprawdopodobne.

– Chłopie, czołg cię przejechał? – gruchnął czule do ucha białostoczanina, na co Doman powitał go rozwartymi ramionami i oczyszczającym rechotem. W każdej dłoni miał po plastikowej butelce bez naklejki, a na ramieniu worek żeglarski, jakby zamustrował do portu. Rzucił go w progu i zabrał się do klepania Huberta po plecach. Kiedy tak stali w objęciach, Hubert stwierdził, że Doman drży na całym ciele, a pot spływa mu strugami po skroniach. Musiał pić dłużej niż Hubert i to znacznie większe ilości.

– Przeszkodziłem?

Doman rozglądał się po mieszkaniu, jakby się kogoś spodziewał.

– W czym chciałeś przeszkodzić?

– Pisałem, dzwoniłem... W grobowcu się zadekowałeś na sylwka czy co? – zaśmiał się nerwowo białostoczanin.

– Wyłażę ze swojej trumny tylko dla spraw życia i śmierci.

– Nie bądź taki soroń.

– Widzę, że twoja znajomość ślonsko godki nieustannie się poprawia.

– Dobrze, że byłem w okolicy – mruczał niezrażony Doman. – Szczęśliwego Nowego Roku, gwiazdorze!

– W okolicy? Przenieśli Podlasie na Śląsk czy coś mnie ominęło?

Hubert otworzył jedną z butelek Domana, upił łyk, ale skrzywił się, jakby dostał cios w przyrodzenie.

– To nie minerałka.

– Wątpisz we mnie? Osiemdziesięcioprocentowa palinka, prosto z Rumunii. Zajzajer tak mocny, że po kilku szklankach będziesz miał lot nad kukułczym gniazdem.

– Tego właśnie mi trzeba po wczoraj.

Hubert odstawił butelkę ze wstrętem.

Tymczasem Doman już się rozsiadł i zaczął wyjmować z worka papiery. Na jednej z teczek Meyer dostrzegł charakterystyczny czerwony pasek i sygnaturę akt. Kolega od roku był emerytem, zostały zatem zdobyte nielegalnie lub to jakaś staroć. Łapiąc spojrzenie przyjaciela, białostoczanin natychmiast obrócił akta licem do stołu. Hubert wzmógł czujność. Doman nie zwykł zachowywać się jak skarcony uczniak.

– Wyjaśnisz czy mam zgadywać? – Meyer wysilił się na lekceważący ton.

Nie uzyskał odpowiedzi, gdyż rozległ się dzwonek, po którym Doman z ulgą zerwał się ku drzwiom.

– To do mnie – rzucił, jakby był u siebie.

Po drodze położył swoją niedźwiedzią dłoń na ramieniu Huberta. Zdało się Meyerowi, że chce powstrzymać go przed ucieczką z własnego mieszkania albo to nieudolna próba uspokojenia.

– Wiesz, że mam nowe dziecko? Z żoną, wyobraź sobie! – zaśmiał się teatralnie Doman. – Lockdown nam się przysłużył.

Meyer nawet przez chwilę nie wierzył w tę wesołość. Była rozpaczliwa, groteskowa. Coś było nie tak.

– Właściwie cud nad Białą. Liliana była najstarsza na porodówce, ale młoda zdobyła dziewięć punktów Apgar. Daliśmy córce na imię Miłka, żeby jej się miło żyło. Jak ja za nią szaleję! Wróciłem do rozumu, jak mi radziłeś. Prawie. Idź, ogarnij się. Zrobię gościom herbatę. Kuchnia tam, gdzie zwykle?

– Gościom? – powtórzył Hubert przy akompaniamencie rozbrzmiewającego dzwonka. – W co ty grasz, Doman?

– Zaufaj mi – poprosił przyjaciel, zaglądając przez wizjer, a potem zawrócił do mieszkania i kolejno sprawdzał, czy wszystkie okna są zamknięte. Dopiero po zakończonym obchodzie przesunął zasuwę.

Meyer był już zły. Co sprawdzał Doman? Nie mogło chodzić o uchylone okna. Nic nie powiedział, bo w głowie mu się kręciło, a żołądek podchodził do gardła. Kac gigant dopiero rozpościerał swoje szpony. Profiler wpatrywał się tępo w korytarzyk, w którym w tej chwili rozbłysło światło, i pożałował, że nie posłuchał Domana, kiedy rozpoznał wchodzących. Podinspektora Waldemara Szerszenia nie od razu, bo zmarniał, przygarbił się ze starości, pomarszczył jak zasuszona śliwka. Gdyby nie fryzura na rekruta i służbowy pas w spodniach, trudno byłoby zgadnąć, że ten dziadek trząsł kiedyś kryminalnymi w regionie.

– Co to jest? Amatorski klub seniora?

Hubert zdobył się na pogodny ton, choć mina mu zrzedła, gdy i Waldek rzucił mu się w ramiona. Wiedział, że starego wygę do odejścia zmuszono, kiedy w życie weszły przepisy o eliminacji funkcjonariuszy, którzy swoją karierę zaczynali przed przełomem. Nigdy jednak nie rozmawiali o tym, jak Szerszeń radzi sobie poza firmą. Szczegółów okoliczności odejścia ze służby Domana nie znał, ale i on rzucił raport o zwolnienie.

– Co, zebrało się wam na kombatanckie wspominki?

– Chciałbyś, chłopie – odparł Szerszeń tubalnym głosem, który nijak nie korespondował z wątłą obecnie posturą byłego policjanta. – Werka bardzo ryzykuje, ale zdecydowała się kolaborować z nami. Potrzebujemy jej wsparcia jak Łazarz Jezusa.

Dopiero po tych słowach Hubert dostrzegł trzeciego gościa.

– Gratuluję – rzekła z powagą prokurator Weronika Rudy, uśmiechając się wyłącznie oczyma. – Jesteś dziś postacią ikoniczną.

– Wciąż żyję, fakt – odparł, choć zdawało mu się, że w tym momencie kłamie. Rozczochrał jeszcze bardziej szpakowate włosy, zamiast uładzić je, jak planował. – I dopiero się rozkręcam.

Uśmiechnęła się z politowaniem.

– To się dobrze składa.

Z Werką było wręcz przeciwnie niż z kumplami: rozkwitła, wyszlachetniała. Jej włosy tradycyjnie spięte w ciasny kucyk były mniej płomienne niż kiedyś, za to biust pod wełnianym golfem zdawał się pełniejszy, niż to zapamiętał. Twarz prokuratorki wciąż była gładka, dziewczęco zarumieniona. Tylko oczy miała podkrążone, co zza szylkretowych okularów niełatwo było spostrzec. Wiek odcisnął swoje piętno głównie na jej rękach – znaczyła je siatka wypukłych żył. Uderzyło go jednak coś innego: na serdecznym palcu kobieta nosiła podwójną obrączkę.

– Gdzie byłaś? – wypalił, zanim to przemyślał. – I co robisz z tymi starcami?

Doman z Szerszeniem zawtórowali wymuszonym rechotem.

– Siedzę w okręgówce, ale nie tutaj.

– W Warszawie?

– Można tak powiedzieć. – Szybko splotła dłonie, kiedy uchwyciła jego uporczywe spojrzenie. – Dobrze cię widzieć. Osiągnąłeś, co chciałeś?

– Można tak powiedzieć – odparł z przekąsem. – A raczej piję to, co uwarzyłem.

Zdjął stosy akt i przystawił krzesła do stołu. Usiedli. Doman rozlał do szklanek przywieziony bimber, ale Waldek zaraz odlał połowę swojego przydziału koledze z Białegostoku.

– Prowadzę – wyjaśnił.

Werka zadowoliła się gorącą wodą, którą popijała z designerskiego termosu.

Zapadła długa cisza. Meyer czuł na karku świerzbienie, dobrze znany mu przebłysk intuicji, że sprawa jest mętna. Ciskał krzywe spojrzenia przybyłym, ale nikt nie kwapił się zaczynać pierwszy.

– Kto więc umarł?

– Japę pamiętasz? – mruknął Szerszeń. – Kapitana śląskiego syndykatu. Drapnął z pierdla kilka lat temu.

– Nie mogli go chwycić, bo zaraził się w kiciu HIV-em i rozdawał strzykawki z wirusem komu się dało? – upewnił się Hubert.

– Dziś wystarczyłoby pochuchać na sąsiadów – rzucił w próżnię Doman, ale nikt się nie roześmiał.

– Podobno stworzył nową szajkę. Werbował byłych wojskowych wydalonych po misjach – kontynuował Hubert. – Dwanaście razy wzywali mnie do spraw z nim związanych. Szeroki miał gest ten Japa. Z dwunastu opinii jedenaście spraw wciąż niewykrytych. Prawie wszystko zlecenia i inscenizacje. Jednorodna grupa podejrzanych.

– Ten sam – mruknął Szerszeń i sięgnął po szklankę. Upił spory łyk.

– Już nie prowadzisz? – zdziwił się Hubert.

– Przywiozłam go, to i odwiozę – zapewniła Wera i umilkła.

– To już ziemia jest Japie lekką – wszedł jej w słowo Szerszeń. – Jedna dziura i po ptokach. Znaleźli go w aucie pod karuzelą w Chorzowie. Chyba się nawet nie przejechał.

– Dzięki za wieści. – Hubert wzruszył ramionami. – Raczej nikt po nim nie płacze. Ja tym bardziej. Kilka opinii typologicznych będę miał z czaszki.

– Po Japie nikt, ale jego zabójcę trzeba ratować. – Szerszeń urwał.

Zdawało się, że coś mamrocze pod nosem, ale to tylko wąsy poruszały mu się z nerwów. Wreszcie chwycił papierosa z paczki leżącej przed Hubertem. Meyer podał mu ogień.

– Palisz?

– Zawsze to lubiłem. – Były szef kryminalnego zaciągnął się z lubością i mrugnął do Meyera. – Nie mów ślubnej.

Hubert spojrzał karcąco na gości. Doman odchylił się na krześle i chwycił swoją szklankę. Wypił duszkiem, odstawił. Tylko Werka siedziała nieporuszona. To budowanie napięcia zaczęło już Meyera drażnić.

– Kiedy to się stało?

– Pół roku temu.

– I pismaki się na to nie rzuciły? Ja nie słyszałem o porachunkach. Przecież robię w tym od lat. Mam jego sprawy na biegu.

– Oficjalnie wciąż jest zaginiony. A jego wspólnicy poszukiwani. Operacyjnie. Główna chce uniknąć skandalu.

– Skandalu? – zirytował się Hubert. – Co to za gówno?

– Strzelec postąpił słusznie – odezwał się po dłuższej pauzie Szerszeń. – Operację przygotowano na moje polecenie i z błogosławieństwem Pierwszego. A że mnie w tym czasie z firmy posunęli, jak wiesz... Pierwszy Hanys też poszedł kopać działkę... Zresztą mnóstwo ludzi powymieniali... Tak czy owak, młode wilczki zaczęły grzebać w kwitach, żeby się wykazać, i sprawa zrobiła się gorąca. Minister, kurwa, domaga się sprawiedliwości, bo dziś wirusy to medialna rzecz, a gra o tron nie ustaje. Zorganizowana przestępczość w rozsypce bardzo by im pomogła w dywersji.

– Dywersji?

– Przykryć to i owo, wiesz... Kopią więc i szukają. Węszą i są coraz bliżej. Myślą, że kulka dla Japy to porachunki, i dobrze by było, żeby przy tym stanowisku zostali.

Hubert z trudem przyjął informacje, a choć w środku raz po raz wybuchał mu wulkan, powstrzymał pierwsze przekleństwa, które cisnęły mu się na usta. Goście wpatrywali się w niego w oczekiwaniu.

– Nie znam sprawy, ale wiesz, że od zawsze jestem przeciw westernom – odezwał się w końcu wrogo. Wstał, odwrócił się do okna. – Nie chcę nic wiedzieć.

– My też tak byśmy woleli – powiedziała Wera, na co Hubert odwrócił się gwałtownie.

– Usiądź – poprosił Szerszeń i poklepał krzesło obok siebie. Hubert spełnił jego prośbę.

– A co wam do tego? Jesteście poza firmą. Ja też.

– Wystarczy jeden twój kwit, Hubert – rzekł przymilnie Szerszeń. – Jeden dobry profil na lewe sanki, a Werka załatwi resztę.

W pomieszczeniu zapadła grobowa cisza. Słychać było ciężki oddech Szerszenia i brzęk termosu prokuratorki, który odstawiła na stolik. Nikt się nie poruszył. Meyer był całkowicie oszołomiony. Zacisnął szczękę, unikał spojrzeń. Z trudem się hamował. Patrzył na parujący termos Werki i marzył o łyku ciepłego alkoholu Domana, chociaż jeszcze przed godziną miał odruch wymiotny na samą myśl o wódce.

– To się chyba omyliliście! – zaczął cicho, lecz z każdym słowem podnosił głos. – Chyba was pojebało, skoro myślicie, że wezmę udział w tej hucpie! Nie ma mowy, za żadne pieniądze! Na flachę mnie chcecie wziąć, jak jakiego nurka? Wypierdalać!

Zerwał się z krzesła i wskazał gościom drzwi.

– Tak się ułożyło, że to ja sprzedałem Japie tę kulkę – odezwał się ledwie słyszalnie Doman. – Sięgnął do swojego worka i położył na stole glocka zawiniętego w haftowaną serwetę uwalaną towotem.

– Z tego kolana. Możesz sobie pobrać odciski i policzyć kule. Przykro mi. Nie było wyjścia. Nie wiemy, ilu chujek zaraził ludzi i odpalił wojaków. Ilu za nim poszło, choćby i z rozetami na pagonach, oraz jakich szkód narobili. Tego dowiemy się z czasem. Ty swoją sprawę zamknąłeś w sądzie. Trzynaście trupów, tyle samo wdów, i gromada dzieci została bez ojców, ale więcej chłopców Japa już nie popsuje. Dlatego wiesz co? Nie żałuję, żem się podjął. Teraz to naprawdę koniec.

– Nigdy nie jest koniec – syknął Meyer. – To nie Meksyk. Ani nawet Stany. Walczymy innymi metodami. Chyba zapomniałeś, Doman, po której stronie stoisz.

– Nie zapomniałem o niczym – odparł chłodno były policjant, a potem odwrócił wierzchem przywiezione akta.

Na pierwszej okładce znajdował się numer sygnatury i odręczny napis czarnym markerem: „RAJMUND REJMAN, PS. JAPA i inni. Tom XXXI".

– Poprzednie są u mnie w gabinecie. Oficjalnie. Bo tak naprawdę przywiozłam ci je do analizy – oświadczyła prokuratorka.

Meyer stwierdził, że kobieta ma niższy głos niż przed laty, władczy i bez śladu delikatności, która go kiedyś tak ujmowała. Zmieniła się nie tylko fizycznie. Miał wrażenie, że to całkiem inna osoba. Nie musiał pytać. Widać było, że jest spełniona. Chętnie dowiedziałby się, co robi w Okręgowej i jakie imperium zbudowała, ale to nie był dobry moment na przesłuchania. Zerknął znów na jej wdowi palec i coś ścisnęło go w dołku.

– Kiedy pakowałam te kartony do bagażnika, mój partner zapytał żartem, czy się wyprowadzam – kontynuowała kobieta, a oszołomiony Hubert nie mógł wydobyć głosu, by zaprotestować. – Powiedziałam, że tak. Na dwanaście dni. Tyle jeszcze masz urlopu, prawda? Nie inwigilowaliśmy cię. Informacja jest na twojej stronie.

– Co wy odpierdalacie, wasza rzecz – wszedł jej w słowo Meyer. – Ja nie będę przykrywał zbrodni. Nie robię żadnych dupochronów, podkładek, nie kolaboruję ze sprawcami zabójstw. To jest niezgodne z moim kodeksem, sumieniem. Ze wszystkim...

– Znalazł się moralista – zaśmiała się kąśliwie Wera. – Radzę ci, przeczytaj akta, zrób reoględziny, przesłuchaj sprawcę. A potem dasz odpowiedź. Nikt nie namawia cię do złego.

– Do złego? A to, co chcecie zrobić, jest dobre?

– Konieczne – przerwała mu. – Ktoś musiał to zrobić. Przejrzyj to, przekonasz się. Czy zawsze musisz być takim bufonem? Nic się nie zmieniłeś, Meyer.

– Posłuchaj jej – zwrócił się do Huberta Szerszeń. – Pomyśl, to był zbój. A Domanowi właśnie urodziła się córka. Zaczyna chłop nowe życie.

Meyer wstał, pocierał twarz dłońmi, chodził wokół biurka, czochrał włosy. Jego brwi złączone w jedną kreskę nastroszyły się. Z oczu ciskał gromy.

– Wypad. Muszę zostać sam.

Doman i Szerszeń powstali. Patrzyli w niemym oczekiwaniu na zmianę decyzji profilera, ale on tylko głębiej włożył ręce do kieszeni. Wysunął podbródek i wskazał worek żeglarski, do którego Doman zapakował pistolet.

– Na twoim miejscu pozbyłbym się tego jak najszybciej.

– To jest rada?

– Nie zamierzam uczyć ojca, jak się robi dzieci – prychnął Hubert. – Po co go trzymasz? Żeby cię zamknęli?

Wera podała mężczyznom kluczyki do auta.

– Pudeł jest dwadzieścia trzy. Są ponumerowane – oświadczyła. – Moja walizka leży na tylnym siedzeniu. Czerwona kosmetyczka w schowku. Przynieście.

Hubert zatrzymał się. Przestał robić kółka. Rzucił kobiecie zdziwione spojrzenie.

– Odpowiadam za nie. – Uśmiechnęła się. – Nie sądzisz chyba, że miałabym czas skanować je dla ciebie. Pół życia by mi to zajęło.

Wskazała pokój pomalowany na liliowo, jakby mieszkało w nim kiedyś dziecko.

– Tam zanieście moje rzeczy. Pościel i ręczniki wzięłam własne. – Znów uśmiechnęła się do Meyera, ale tym razem kpiąco. – Nie znoszę pogniecionych prześcieradeł. Dobrze o tym wiesz.

Hubert nie zdążył odpowiedzieć, bo zawibrowała jego komórka. Odebrał tylko po to, by opóźnić udzielenie reprymendy przyjaciołom.

– Cześć, Bercik, tu Bożena – usłyszał i w jednej chwili pojął, kim jest noworoczna stalkerka. – Muszę się z tobą zobaczyć. Przepraszam za to, co nawypisywałam w nocy, ale jestem w rozpaczy. Mój syn nie żyje, a prokuratura zamierza umorzyć sprawę.

– Słuchaj, to nie najlepszy moment. Jestem zajęty. Mam urlop – dukał Meyer, bo czuł na sobie spojrzenia gości, którzy wciąż byli w jego domu, i wiedział, że nie umyka im ani jedno słowo. – Oczywiście, przykro mi z powodu śmierci twojego dziecka. Przyjmij kondolencje.

– W dupę wsadź sobie te kondolencje, Bercik. Ja chcę prawdy! Powinnam powiedzieć ci wcześniej, ale się nie składało. Mieliśmy razem bajtla, gorolu, a teraz już go nie ma i musisz, po prostu musisz dowiedzieć się, dlaczego umarł, i wymierzyć sprawiedliwość. Nigdy niczego od ciebie nie chciałam, ale teraz nie mam wyboru. Jesteś mi to winien. Mnie i swojemu dziecku.

Dzień trzeci
2 stycznia 2021 – sobota

Nie poznał jej w pierwszej chwili. Gdyby nie zamachała do niego i nie podniosła się z krzesła, nie poznałby jej też w drugiej ani nawet w trzeciej. Jeśli szczerze, w życiu by do niej nie podszedł, bo bał się takich kobiet. Chuda jak patyk, w skórzanych spodniach, rozpiętej do biustu białej koszuli, spod której wystawał czerwony biustonosz – nie wyglądała na matkę pogrążoną w żałobie. Na poręczy zawiesiła kosztowną torebkę z napisami. Ten sam wzór widniał na jej szpilkach. Obcasy były tak wysokie i cienkie, że spokojnie zastąpiłyby Sharon Stone nóż do lodu. Aż dziw brał, że mogła się w nich przemieszczać. Kiedyś Bożena miała włosy w kolorze sepii, dziś farbowała je na siwy blond. Spływały cienkimi strąkami wzdłuż twarzy. Oczy zasłaniały jej złote okulary optyczne, z pewnością zaprojektowane przez wysoko ceniącego się projektanta. Była nie do poznania.

– Dziękuję, że znalazłeś czas – rzekła, przeciągając sylaby, kiedy tylko się zbliżył.

Hubert nie był w stanie powiedzieć nic poza formułką powitania, bo skupił się na jej napompowanych ustach, które nie domykały się, nawet kiedy milczała. Gdyby się nie znali, nie potrafiłby oszacować jej wieku. Równie dobrze mogła mieć lat czterdzieści, jak i siedemdziesiąt, a przecież wiedział, że są równolatkami.

– Nie zmieniłeś się – kontynuowała, wdzięcząc się, co z trudem znosił, więc tylko łaskawie skinął głową.

– Ty za to bardzo.

Zachichotała, biorąc jego słowa za komplement, i zdjęła okulary. Przeraził się: brwi miała wyszczypane i narysowane w nowym miejscu. Dopiero teraz mógł w pełnej krasie podziwiać dzieło jej chirurga. Przeszedł go dreszcz. Co ona z siebie zrobiła?

– Jak się czujesz?

Pochyliła głowę, a potem odrzuciła teatralnie włosy. Miał wrażenie, że w jej oczach zalśniły łzy, ale to było złudzenie. Jej twarz wykrzywiał grymas gniewu.

– A niby jak mam się czuć? – Schowała się za okularami.

– Po prostu pytam.

Obejrzała swoje dłonie, jakby liczyła palce. Paznokcie były pokryte emalią w odcieniu stanika. Biust też został skorygowany. Kiedyś był bujny, aż rozsadzał bluzki, co swego czasu Meyer uważał za jej główny atut. Dziś wychylały się ku niemu dwie piłeczki do tenisa. Zmarszczek Bożena nie miała żadnych, jakby jej twarz była dokładnie wyprasowana. Hubert naraz poczuł się stary i niedomyty. Przez głowę przemknęła mu myśl: „Co zrobiliśmy z naszym życiem, dziołszka?", ale rzekł:

– Przeczytałem, co mi przesłałaś.

– Jakieś wnioski?

– Nie było tego wiele. Żadnych wiążących danych. Ale brzmi to dziwnie, przyznaję. – Zawahał się. – Musiałbym mieć dostęp do akt.

Położyła na stole różowy pendrive i dołączyła kilka luźnych kartek spiętych wymyślną klamrą z logotypem domu pogrzebowego. Na pierwszej stronie widniało tylko jedno słowo: „Kostek".

– Bałam się cokolwiek wysyłać mejlem. Gdyby to wyszło, ja, a zapewne ty też, mielibyśmy kłopoty.

– Możliwe – mruknął Hubert, nie przestając czytać opinii z sekcji zwłok.

Docierał do konkluzji, kiedy Bożena podniosła głos:

– Tam nic nie ma. Same bzdury.

Hubert rozejrzał się po sali.

– To twój lokal?

– Przyjaciela. – Obejrzała się nieufnie. A potem pochyliła w kierunku Huberta, aż poczuł niezdrowy zapach z jej ust. – Zapłaciłam, żeby nas wpuścili.

Odchylił się do tyłu i udawał, że wertuje dokumenty. Tak naprawdę obmyślał, jak skutecznie stąd uciec. Sprawa była oczywista. Nie brano pod uwagę udziału osób trzecich.

– Zimny doktor stwierdził zgon naturalny.

Bożena wysunęła wskazujący palec jak szpon i przycisnęła go do pliku kartek, by Hubert nie mógł kontynuować lektury.

– Zatrzymanie akcji serca. A musisz wiedzieć, że Konstanty był zdrów jak rydz. Miał wprawdzie cukrzycę, wypił poprzedniego dnia alkohol, ale zastrzyku, na który powołuje się hipotetycznie ten medyk, nie zrobił. Ta raszpla, jego żona, to potwierdza. Strzykawka leżała nieużywana. Zresztą, co ja mogę wiedzieć, to ona jest wirusologiem. Mogła mu zaaplikować wszystko. Rozumiesz, jeśli ktoś wie, jak leczyć, wie, co zabija bez śladu. Ciągle się o tym ostatnio słyszy...

– Nie demonizujmy – przerwał jej Hubert. – Słuchaj, wiem, że to dla ciebie trudne. Nie ma większego dramatu, jeśli człowiek przeżywa swoje dziecko i musi je pochować – zaczął, choć już kiedy to mówił, czuł, że frazesy tylko ją rozzłoszczą.

– A co ty możesz o tym wiedzieć? Nie rób mi tu taniej terapii, bo nie zdzierżę. Mój prapradziadek prowadził trzecie powstanie śląskie. Na jego cześć nadałam synowi imię Konstanty. Tak łatwo nie dam sobie zamknąć ust. Znasz mnie. Nie spocznę, póki sprawy nie wyjaśnię. Mam pieniądze.

To się Meyerowi nie spodobało. Przypomniał sobie, jak drażniła go kiedyś. Jak od niej uciekał, gdy za wszelką cenę starała się go odzyskać. Był już zaręczony z Anką, a ona nadal płaszczyła się przed nim i błagała, choć powinna była splunąć mu w twarz i odejść z godnością. Teraz w jednej chwili to wszystko wróciło. Myślał, że jest w stanie wznieść się na wyżyny szlachetności i przynajmniej przyjrzeć sprawie, ewentualnie jej pomóc, ale sprawiała, że czuł jedynie wstręt. Był pewien, że za chwilę znów wyjedzie z nacjonalizmami.

– Myślisz, że pieniądze zmienią rzeczywistość? – rzucił tylko po to, żeby się uspokoić.

Żadna matka nie godzi się ze śmiercią dziecka, więc wiedział, że musi być delikatniejszy i choćby nie wiem jak się starała, nie dać się wyprowadzić z równowagi, pozwolić sprowokować. Ale nie miał szansy.

– Zawsze zmieniają – prychnęła.

– Więc trzeba było myśleć o tym wcześniej. Nie bez powodu Konstanty związał się z tą kobietą.

– Z tą kobietą? – Przekrzywiła głowę i przywdziała na twarz uśmiech złej królowej.

– Napisałaś, że była od niego starsza o dwadzieścia lat. Chłopak musiał mieć w tym interes. Sama to podsumowałaś: „układ". Nie mówię, że był jej utrzymankiem, ale taka różnica wieku zawsze o czymś świadczy. A to nie był chwilowy romans czy tajny związek. Mieszkali ze sobą, pobrali się w Vegas.

– Nie jesteś w stanie wymówić jej nazwiska?

– Znam ją?

– O tak. – Uśmiech zmienił się w grymas pogardy. – Już nie udawaj.

Meyer chwycił ponownie za kopie akt, ale wyrwała mu je.

– Nazwisko Sabiny Neliszer nic ci nie mówi?

Hubert poczuł ukłucie.

– Czego ty ode mnie oczekujesz? Jestem na emeryturze.

– Wciąż pracujesz. Byłam na twojej stronie. Masz firmę, udzielasz wywiadów, pojawiasz się w telewizji. W pewnych kręgach jesteś sławny. Sądzę, że możesz więcej niż ktokolwiek.

– To nie tak.

Podniósł dłonie w geście poddania się, ale widać było, że mu schlebiła. I wiedziała o tym. Jej pogardliwy grymas powoli topniał.

– Mogę to przeczytać, pogadać z ludźmi – zaczął ostrożnie.

– Sprawdzić, czy nie popełniono błędów. Przeanalizować ślady behawioralne, postawić hipotezy, ale nic więcej nie dam rady zrobić. Zrozum… Nie przywrócę życia twojemu dziecku.

– A Badura? Bękart Wincklerów… – nie odpuszczała.

– Może Kościuszko coś ci przypomina? Sabina Kościuszko, pierwsza kobieta biochemik na stołku szefa Górnośląskiego Instytutu Wirusologii. Najlepsza przyjaciółka twojej Andzi z czasu studiów?

Hubert poruszył się nerwowo. Jakby krzesło pod nim znienacka się rozgrzało.

– Sabina?

– Napisałam ci przecież w mejlu, że to nie pierwszy mąż, który zasnął na wieki w jej łóżku. Wcześniej zmarło się dwóm pozostałym. W instytucie przez lata nazywali ją czarną wdową. Nie mów, że nie wiedziałeś.

– A skąd miałem wiedzieć? Pracowałem w policji, nie w centrum dowodzenia światem. Bożena, Śląsk to naprawdę spory teren, a ja klachów nie słucham. Nie utrzymuję starych więzi. A nawet gdyby, to nie zna się wszystkich. Więc to Sabina była żoną twojego syna? Konstantego… – Hubert odchrząknął.

– Przecież mogłaby być jego matką! Co z nim było nie tak?

Bożena wpatrywała się w profilera z uśmieszkiem przyklejonym do twarzy, jakby nie mogła się zdecydować, z której strony uderzyć go najpierw. Wreszcie pochyliła się tak blisko, że mógł zlustrować stan skóry na jej dekolcie.

– Nie utrzymywaliście kontaktu. Powiedzmy, że ci wierzę – syknęła. – Nie chcę się kłócić. Może zacznę od początku.

Meyer dyskretnie spojrzał na zegarek.

– Nie zajmę więcej czasu, niż mi wyznaczyłeś – zastrzegła. – Do twojej chaty nie przyjdę. Raz byłam, wystarczy.

– To było ponad trzydzieści lat temu.

– Dziewięć miesięcy przed tym, kiedy urodził się nasz syn.

Hubert podniósł rękę.

– Do tego jeszcze wrócimy.

– Nie wierzysz mi?

Bożena wściekła się w końcu nie na żarty. Chwyciła swoją drogocenną torebkę i wysypała zawartość na stół. Hubert spostrzegł, że ma w niej saszetkę leków, trzy błyszczące portfele, kilka etui na okulary, długopisy i mnóstwo szminek. Reszty drobiazgów nie zdołał zidentyfikować, bo zaraz zgarnęła je z powrotem. Przez moment mignęła mu przed oczyma inkrustowana kamieniami piersiówka, ale mógł się mylić. Może to tylko flakon perfum? Wygrzebała wiekowy notesik, jedyną chyba rzecz, która nie błyszczała nowością. Zza okładki wydobyła zdjęcie i z pietyzmem ułożyła je na stole. Hubert musiał nabrać powietrza, zanim się odezwał. Z fotografii patrzył na niego własny klon sprzed lat. Złączone brwi, spojrzenie spode łba i szelmowski uśmiech. Młody mężczyzna obejmował kobietę, przed którą Hubert teraz siedział. W przeciwieństwie do Meyera chłopak był niewysoki, niemal wzrostu matki, ale rozłożyste ramiona i wypracowana na siłowni klatka piersiowa sprawiały, że wydawał się postawny. W rysach odziedziczył słodycz dawnej Bożeny, a te cechy przydawały mu czaru godnego żigolaka albo geja, skonstatował Hubert z niechęcią. Zdecydowanie jednak mógł podobać się kobietom. Zdjęcie zrobiono jakiś czas temu, bo Bożena nie dorobiła się jeszcze rybiego pyszczka i miała pełniejsze kształty. Hubert poczuł się dziwnie, jakby rzeczywistość z niego kpiła. Poza pytaniem, czy to nie fotomontaż, nie bardzo wiedział, jak mógłby to skomentować.

– Chcesz, możemy zrobić badanie DNA – oświadczyła.
– Tylko po co? Przyznasz?

By go ostatecznie dobić, zza okładki wyjęła nienowe zdjęcie legitymacyjne. Przedstawiało łysego mężczyznę o pulchnej, dobrotliwej gębie przysłoniętej niemodnymi drucianymi okularami. Spojrzenie miał lękliwe, jakby wyczekiwał kary.

– To Franek, mój mąż. Śląskie geny. Od razu widać – rozpromieniła się, a Meyerowi znów wydało się, że w jej oczach zalśniły łzy. – Kochał pierworodnego bardziej niż mnie.

– Wygląda na dobrego człowieka.

– I taki jest. – Wydęła wargi. – Wciąż nie wierzysz?

Nie odpowiedział.

– Nie musisz. Tak jak ci powiedziałam, nie potrzebowałam od ciebie niczego. Aż do teraz. Chyba mam prawo poprosić o jedną przysługę po śmierci syna? Zwłaszcza że zajmujesz się rozwiązywaniem zagadek. Czy nie tak wygląda twoja praca? Ja chcę tylko znać prawdę, Bercik.

– Prawdę? – Hubert nareszcie odzyskał głos. Podniósł go, aż kobieta się wzdrygnęła. – Prawda jest córką czasu. Ale to, co imputujesz, niczego nie zmienia w sprawie. Zwłaszcza że nie byłaś łaskawa ujawnić tej tajemnicy wcześniej! Gdyby Konstanty nie zmarł, zabrałabyś tę tajemnicę do grobu?

Bożena myślała dłuższą chwilę. Wreszcie potwierdziła.

– Masz rację, to niczego nie zmienia. Rzuca jednak światło na to, dlaczego Kostek dążył do kontaktu z tą larwą. Tak samo jak ciebie, ciągnęło go do jej pizdy, jakby miała tam haczyk.

– Nie bądź wulgarna.

– Racja, mnie nie przystoi. Za to ty mogłeś być wulgarny wobec mnie i Andzi – odparowała. – Zło rodzi zło, ale pamiętaj, że wszystko wraca.

– Nie mieszaj w to mojej byłej żony.

– Zapomniałam, Don Juanie spod Żywca, że Andzia wciąż o nas nie wie.

Hubert tylko czekał, aż zacznie swoje szowinistyczne wywody i poleci ślonsko godka, ale Bożena wygięła plecy w łuk i rzuciła najczystszą polszczyzną, na jednym oddechu, jakby strzelała z karabinu:

– W łóżku Sabiny już trzeci mąż zmarł z przyczyn naturalnych. Pierwszy – kierownik pracowni wirusologii – na starość. Znałeś go, bo kręciła z nim, kiedy romansowaliście. Drugi – Neliszer, polski Niemiec i też biotechnolog, wykitował z powodu udaru. A teraz trzeci, mój syn, nie-wiadomo-dlaczego-ale-z--pewnością-naturalnie. Co ciekawe, Sabina zajmuje obecnie stanowisko pierwszego małżonka. Jest założycielką Laboratorium Wirusologicznego BSL trzy, filia UJ. Przypadek? Ma dostęp do każdego rodzaju wirusów, hoduje komórki macierzyste i bada je oraz wysyła w świat. Z pewnością wie, co zrobić, żeby przenieść człowieka bezboleśnie na drugą stronę lustra. Chociaż nie jestem pewna, czy to było bezbolesne, biorąc pod uwagę grymas na twarzy, jaki pozostał mojemu chłopcu po śmierci.

– Skąd to wiesz?

– Odwiedzam Kostka codziennie.

Hubert podniósł brew.

– Z akt wynika, że zmarł w listopadzie ubiegłego roku.

– Zgadza się – potwierdziła. – Za chwilę będzie trzeci miesiąc, jak nie ma go wśród nas.

– Nie pochowałaś go?

– Pogrzeb się odbył.

– To niby gdzie go odwiedzasz?

– W chłodni.

Hubert poczuł dziwny prąd wzdłuż kręgosłupa. To wariatka, nie mógł tego wykluczyć. Wszystko, co mówi, może być dziełem jej wyobraźni, która szaleje z rozpaczy po stracie syna. Takie rzeczy się zdarzają. Ludzie różnie przeżywają żałobę. Spojrzał na dokumenty na stole, a potem na zaskakująco spokojną w tych okolicznościach twarz Bożeny. W jednej chwili podjął decyzję. Wiać. Trzymać się od Bożeny jak najdalej i pod żadnym pozorem nie wchodzić do bagna, w które stara się go wciągnąć. Zdecydował się zmienić taktykę. Zgodzi się na wszystko, uda, że będzie współpracował. A kiedy stąd wyjdzie, nigdy się nie zobaczą. Uśmiechnął się uprzejmie i zadał pytanie, na które czekała:

– Byłabyś łaskawa powiedzieć coś więcej o tej chłodni?

– Franek, mój mąż, prowadzi zakład pogrzebowy. J.F.B. Bednarek to rodzinna firma, już trzecie pokolenie. Kostek miał przejąć biznes, bo to nie jest zawód dla dziewczyny, a została nam tylko Iłła. Pracuje w telewizji, w dziale kulturalnym. Dobrze sobie radzi. – Urwała i zaśmiała się wiedźmowato, pokrywając wzburzenie. – To nie jest twoja córka. Nie musisz już srać w gacie.

Sięgnęła do torebki, zacisnęła dłoń na czymś, jakby chciała to wyjąć, ale zrezygnowała. Teraz Hubert był pewien, że widział na stole piersiówkę. Udał, że go rozbawiła.

– Skoro ich opłaciłaś, to może coś zamówimy? – spytał przymilnym tonem.

Pstryknęła palcami i po chwili obok nich stanął mężczyzna w uwalanym fartuchu. Bożena nie namyślała się długo.

– Dla mnie białe wytrawne. Może być Australia. Butelkę. Tylko dobrze schłodzone, nie jak ostatnio.

Od razu się rozluźniła.

– Ja prowadzę. – Hubert udawał, że się waha. – Może sok pomidorowy?

Kiedy kelner podał napoje i zniknął z horyzontu, Meyer dorzucił:

– Rozumiem, że trzymacie chłopca w chłodni, żeby była szansa na ponowne zbadanie śladów?

– Nareszcie gadasz jak należy – rozpromieniła się, a Meyer zastanawiał się, czy na złagodzenie jej nastroju większy wpływ miała zmiana jego strategii, czy raczej kieliszek wina opróżniony duszkiem. – Bo widzisz, sprawa jest wielowątkowa. Zrobiłam rozeznanie i jest kilka możliwości pozbawienia życia tak, żeby nie mogła wykryć tego sekcja. Sporo już w tę zagadkę zainwestowałam.

– Ciekawe. – Hubert przekrzywił głowę i zerknął, jak daleko ma do drzwi. Nie zamierzał spędzać z nią więcej czasu, niż zajmuje wypicie jeszcze dwóch kieliszków. – Jakie na przykład?

– Potas, jad wężowy albo trucizna w lekach. No i oczywiście wirus. Jak ta korona, która dziesiątkuje cały świat. Tacy ludzie jak ona mają dostęp do wszystkich patogenów.

– Czego?

– Wirus sam w sobie jest tylko kodem. Informacją. Nie ma koloru, zapachu, nie widać go pod mikroskopem. Niektóre, nawet te znane od kilkudziesięciu lat, powodują choroby wtórne, lekkie choroby gorączkowe, zapalenie płuc albo zakażenie układu nerwowego... – Urwała, widząc minę Huberta. – Ale sam powiedz, skoro go nie widać, jak tacy zimni medycy w policji mieliby go wykryć. Halo! Nic dziwnego, że stwierdzają zgon naturalny.

– Brzmi to trochę fantastycznie – mruknął niepewnie Meyer.

– Okay, rozumiem, że do chlorku potasu i medykamentów szefowa instytutu mogła mieć dostęp. Ale skąd miałaby mieć jad węża? W Polsce są tylko dwa czy trzy gatunki jadowitych gadów. Żeby od tego umrzeć, trzeba by dać się kąsać przez tydzień.

– Musisz się przyłożyć do swojej roboty, Bercik. Profil wiktymologiczny leży. Tak to się nazywa? Kostek mi coś tłumaczył...

Bożena puściła oko do Meyera, aż przewróciło mu się w żołądku. Widać było, że po wypiciu paru lampek miała znacznie lepszy humor.

– Miał kilka pasji. Jazz, profilowanie i węże.

– Profilowanie i węże? – powtórzył Hubert. – Ciekawy zestaw.

Bożena jakby nie usłyszała kpiny. Kontynuowała:

– Jeszcze przed ich tajnym ślubem, bo jak się domyślasz, nie daliśmy błogosławieństwa na ten związek, Sabina zgodziła się zbudować w domu terrarium. Mieli kilkadziesiąt sztuk tych bestii. Wśród nich były jadowite.

Hubert z trudem przychodził do siebie. Odezwał się, byleby coś powiedzieć.

– Więc może po prostu ukąsił go wąż?

– W sumie to niewykluczone. – Bożena nalała sobie kolejną dawkę wina. – Ledwie tydzień po śmierci Kostka zdarzył się wypadek. Podobno maty grzewcze w terrarium dały iskrę i większość kolekcji Kostka upiekła się jak na ruszcie. Policja wcale nie badała tego wątku. Sabina jest poparzona i leży w szpitalu, bo okazuje się, że rany nie chcą się goić. Grozi jej sepsa i inne takie. O tyle dobrze, że nigdy już nie będzie wyglądać tak samo, więc nieprędko znajdzie nową ofiarę. Tfu, męża... – dodała z satysfakcją.

– Muszę iść – zaczął łagodnie Meyer. – Jeśli zgromadzisz więcej materiału, prześlij mi zaszyfrowanym mejlem. W tym czasie zapoznam się z tym, co już masz. Wygląda na to, że niewiadomych jest sporo.

– Jasne – odparła ucieszona, jakby umawiali się na następną randkę. – Hasłem będzie data twoich urodzin. W przeciwieństwie do ciebie ja jubileusze pamiętam. I bardzo ci dziękuję, wiesz?

– Nie ma sprawy, naprawdę – wydukał Hubert.

Wstał zdecydowany się żegnać. Czuł wręcz euforię, że się od niej uwolni.

– Jeszcze jedno. – Bożena zatrzymała jego dłoń w swojej. – Kostek musiał coś podejrzewać. Miesiąc przed śmiercią ustanowił polisę na milion polskich złotych. Wpłacił tylko pierwszą ratę, bo reszty już nie zdążył, ale jest zgodna z prawem.

– Kto jest beneficjentem? – Meyer wzmógł czujność.

– Ja, oczywiście. – Bożena machnęła lekceważąco ręką, jakby mówili o drobnych kwotach. – Wyjątkiem jest sytuacja, gdyby w jego śmierci miały udział osoby trzecie. Środki będą wypłacone w ciągu trzech miesięcy od umorzenia dochodzenia.

Sam więc rozumiesz, że nie opłaca mi się grzebać w tej sprawie. A jednak to robię.

Hubert układał w myślach gładką odpowiedź, ale z jego ust popłynęły inne słowa:

– Są tylko trzy możliwości, gdy człowiek nie umiera śmiercią naturalną: wypadek, samobójstwo i zabójstwo. Każda z nich może być inscenizacją. Zwykle łatwiej ją odkryć, niż ludziom się wydaje. Śladów ludzkiego zachowania nie da się skutecznie zatrzeć. Co innego z twardymi dowodami.

– Na to właśnie liczę – odparła bez uśmiechu. – Że ujawnisz to, co ukryte.

Zamilkła. Wpatrywała się w Huberta, jakby rzucała mu wyzwanie.

– Żebyś miał pewność co do moich intencji, do dokumentów dołączyłam namiar na kobietę z funduszu, który Kostek założył przed śmiercią. To taki detektyw ubezpieczeniowy. Ostra harpia. Pracuje na procent, więc w jej interesie jest sprawę rozwikłać. Przenicowała materiał na wszystkie strony. Jej zadanie jest proste: nie wypłacić ani grosza. Nic dotąd nie znalazła przeciwko wdowie, ale wie o sprawie więcej, niż ja mogłabym kiedykolwiek zdobyć. Współpracuje z prokuraturą i śledczymi. Ma dostęp do całości akt i wciąż samodzielnie szuka. Spotkaj się z nią, bo ona jest pewna, że mężowie Sabiny Neliszer nie ginęli bez przyczyny. Dokopała się, że każdy z nich miał fundusz. Mój syn na najwyższą kwotę. To czarna wdowa, mówiłam ci, Bercik. Miałeś kiedyś nosa, że puściłeś ją kantem.

– Musisz wiedzieć dwie rzeczy. – Hubert zawahał się. – Tak właściwie to trzy. Po pierwsze, nie masz racji. Jeśli on jest moim synem, to zmienia wszystko. A dwa: to ona mnie rzuciła. Kochałem Sabinę, chociaż była zołzą. Ciebie wcale.

Bożena wyprostowała się. Przybrała na twarz wyraz lekceważenia, chociaż był pewny, że dotknął ją do żywego.

– A ta trzecia sprawa?

– Nie mów do mnie Bercik. Nigdy.

***

Sabina Badura-Neliszer patrzyła z odrazą na swoje gnijące, miejscami zwęglone ciało i tęsknie myślała o śmierci. Białoszare strupy pokrywały niemal całą powierzchnię jej nóg oraz brzucha. Z wielkich bąbli na plecach wciąż sączyła się żółto-krwawa maź. Bolało potwornie, choć oparzona skóra była niewrażliwa na dotyk. Sabina nie mogła się ubrać, a mimo że opatrunki zmieniano co kilka godzin, zawsze były mokre i śmierdzące. Leżała więc za prowizorycznym parawanem półnaga, bezskutecznie czekając na cud. Twarz obejrzała tylko raz, kiedy wybudzili ją ze śpiączki, i więcej nie poprosiła o lustro. Mówiono, że miała wiele szczęścia, skoro oczy wraz z rzęsami i lewą brwią ocalały, bo oszpecenie mogło być większe, ale im nie wierzyła. Podobno ten fart zawdzięczała okularom, które w momencie eksplozji miała na nosie. Uprzedzono ją, że fragment czerwonej oprawki zostanie na jej policzku na zawsze, gdyż stopił się ze skórą, kiedy Sabina znajdowała się w fali ognia. Plastik uwierał ją coraz bardziej, jakby kawał obcego mościł sobie miejsce w jej ciele, ale ryzyko było zbyt duże, by ktokolwiek podjął się jego usunięcia. Sabina doskonale wiedziała, co znaczy oparzenie trzeciego stopnia: gdyby wdała się sepsa, byłoby po niej, więc lekarze nie próbowali jej oszukiwać. Powiedziano jej na pocieszenie, że jeśli rany zaczną się goić, za jakiś czas będzie mogła poddać się serii operacji plastycznych. Technologie poszły dziś tak do przodu, że z pewnością uda się wykonać przeszczepy i naprawić zniszczenia. Musieliby wymienić całe opakowanie – mruknęła, udając twardzielkę, ale tak naprawdę paraliżował ją strach.

Nie przed śmiercią. Przerażało ją dalsze życie w ciele zombie.

Tylko prawa ręka wciąż wyglądała jak przedtem. Zanim wybuchł ogień, włożyła rękawicę saperską, której używała, by czyścić terrarium. Zamówiony z AliExpress ochraniacz, z którego Kostek nieustannie się nabijał, ocalił ten niewielki kawałek jej ciała jak woda Styksu ciało Achillesa przed ciosami śmiertelników. Rękaw nie stopił się z ręką, choć był bardzo rozgrzany, kiedy do domu weszli strażacy. Właściwie nie ucierpiał. Sanitariusze dziwili się, że Chińczycy potrafią robić i sprzedawać takie ochraniacze za kilkadziesiąt złotych z przesyłką.

43

Patrzyła teraz na ten kawałek żywej skóry na dłoni, a potem na odrastającą hybrydę na paznokciach i dziwiła się, że po tym wszystkim lakier nie odprysnął na żadnym z palców.

– Nie musisz mi kłamać, Adaś – odezwała się po dłuższej pauzie i spojrzała przez szparę w prześcieradłach na swojego najzdolniejszego doktoranta. – Domyślam się, że Czarny Michał porządkuje już moje biurko. Mylę się?

– Nic nie mogłem zrobić. Zarządzenie odgórne. Profesor Michalak zrobili p.o. pod pretekstem pandemii. Terminy są nieubłagane. Sama pani wie, jakie jest ciśnienie na polską szczepionkę. Po instytucie w kółko kręcą się jacyś oficjele. Są dni, że nie możemy nastarczyć fartuchów. Nigdy jeszcze nie widziałem tylu polityków na żywo.

– Nie noszą masek?

– Tylko ci niżsi rangą.

– Pewnie uważają się za nieśmiertelnych. Do niedawna i ja podzielałam ten pogląd.

Adam Winek zaśmiał się lojalnie.

– Nie martw się Czarnym Michałem – kontynuowała Sabina. – O szczepionce to ona może pomarzyć. Zajmie się repurposingiem leków, bo to idealna robota dla adiutanta. Każdy rozkaz wykona sumiennie. I to się generałom spodoba. Zabrałeś nasze dane z paneli?

– Wyczyściłem wszystko – zapewnił doktorant. – Ale mogło coś zostać na pani biurku. W papierze… Do gabinetu mnie nie wpuścili, a wczoraj profesor Michalak kazała zmienić zamki. Twierdzi, że zgubiła klucze i tak będzie szybciej. Podobno nie chce przeszkadzać w rekonwalescencji.

– Troskliwa z niej suka.

– Swoją drogą, przesyła życzenia powrotu do zdrowia. Kupiła kwiaty, ale pielęgniarka nie pozwoliła mi ich wnieść na salę.

– Jakie?

– Lilie. Sześć.

– Parzyste daruje się zmarłym. Nie martw się Michalakową. Naje się mojego żalu pełną łyżką. – Sabina udała, że bagatelizuje złe wieści. – To, co kiedykolwiek drukowałam, to strzępy danych. Głównie błędne. Do sprawdzenia, wiesz... dyskusyjne.

– To dobrze. – Adam Winek odetchnął z ulgą. – Bardzo dobrze.

– Michałek musiałby wrócić na studia, żeby coś z tego pojąć. A stawiam pod topór moją jedyną zdrową dłoń, że nie przyjęliby jej. Chyba że ty, Adasiu, podejmiesz się współpracy. Proponowała ci już, prawda? – zawiesiła głos. – I zgodziłeś się.

– To był żart, pani Sabino? – oburzył się karnie Winek.

– Kwaśny, wiem. Jestem w gruncie rzeczy taka sama. Zazdrosna, sfrustrowana i nadęta zdzira. A na dodatek pierwszy raz w życiu wyglądam gorzej od niej! – Roześmiała się, ale tym razem doktorant jej nie zawtórował. – Ale dobrze zrobiłeś, Adaś. Nie ufam bohaterom. Pracuj dalej nad inhibitorem i myśl tylko o sobie. Wynegocjuj podwyżkę. To dobra okazja. Lepszej nie będzie.

Na dłuższy czas zapadła cisza.

– Ma pani dla mnie jakieś zadania? – odezwał się Adam po pauzie.

– Owszem – odrzekła. – Miałam.

Za miesiąc chciała mu wręczyć nominację na szefa laboratorium, czyli uczynić go swoim następcą, a raczej szpiclem w instytucie, aby uniemożliwić przejęcie władzy profesor Kornelii Michalak, bo Sabina ostatecznie zdecydowała się na ten staż podoktorski w San Francisco, żeby docelowo pracować na Uniwersytecie Kalifornijskim. Kostek zaczął już szukać domu nad oceanem. Kiedy Winek objąłby jej stanowisko, Europejski Kongres Wirusologiczny miał ogłosić jej nominację na przewodniczącą w 2022 roku. I tyle by ich widzieli nad Brynicą. A teraz wszystko runęło. Wiedziała, że Adaś bardzo na ten awans liczył i jemu też nie w smak, że tak się to zdekomponowało. Od miesiąca nie robiła nic innego, tylko szacowała, kiedy ją zdradzi. Był karierowiczem, owszem, ale idealistą. A tacy – Sabina była przecież identyczna, więc go rozumiała – muszą działać, odkrywać, zdobywać i zwyciężać. Zrobią wszystko, by zapewnić sobie w tym celu przestrzeń. Zwłaszcza teraz, kiedy do instytutu napływały kolosalne sumy, a presja polityczna i społeczna była jak fala tsunami. Byli bardzo blisko. Adaś nie jest głupi, też o tym wiedział. Z pewnością główkuje nad masą krytyczną z jej tajnego dysku, do której jako jedyny miał dostęp. Sabina dawała Winkowi jeszcze miesiąc, dwa, a potem – była tego pewna – przejdzie na stronę Czarnego Michała. Przecież wiedział, jaki jest stan jego mentorki. Nawet gdyby przyszedł tutaj sam Jezus i ją uzdrowił, nie pozwolą jej pracować z wirusami. To zbyt niebezpieczne. Dla nich.

– Teraz mam tylko jedno.

– Tak, szefowo. – Adam zawahał się, a Sabina pomyślała, że do zdrady jednak dojdzie znacznie szybciej. Dwa tygodnie. Może już doszło?

– Przyniosłeś komputer?

– Lekarze mówili, że nie może pani pracować.

– Przyniosłeś czy nie?

Rozległo się szperanie w torbie, a po chwili na stoliku Sabina dostrzegła róg swojego maca. Zaraz potem do szuflady Winek włożył kilka dysków, telefon oraz słuchawki. Kiedy doktorant się podnosił, zaczepił o prześcieradła i rozchylił szczelinę. Spotkali się wzrokiem, Sabina zaś wiedziała, że podopieczny żałuje tej chwili.

– Wyjdę z tego, przyrzekam ci – mruknęła bez entuzjazmu.

– Mam nadzieję, pani profesor – zapewnił skwapliwie Adam. Zanadto skwapliwie. – Czwartego stopnia nie stwierdzili. Będzie dobrze.

– Nic nie jest dobrze. Nie goi się. Ropa leje się cały czas. W każdej chwili mogę kojfnąć, nawet teraz. I narażam cię, więc nie gadaj nikomu, że tutaj byłeś, Adaś.

Wyrzucała z siebie prawdę jak pociski, a z każdym słowem czuła się coraz gorzej.

– Boli mnie wszystko jak skurwysyn, marzę o śmierci. Dlatego naszej Michałce przekaż prawdę, że może się czuć na stołku bezpieczna. To nawet lepiej, niż gdybym umarła.

– Niech pani tak nie mówi.

– Odpierdol się z tą litością, Adaś – fuknęła i sięgnęła zdrowym ramieniem do jego torby, z której wystawała gazeta. – Nie musisz chować tego szmatławca. Salowa kupiła mi egzemplarz. Czytałam ostatni paszkwil. Podobnie jak wszystko, co hula w internecie. To dlatego przyśpieszyli z Michałkiem? Przez złą prasę? Mężczyzna pokonał odruch wymiotny i do łóżka mentorki przysunął sobie biały taboret. Uchylił prześcieradła i położył czasopismo zwinięte w rulon. Sabina chwyciła je zdrową ręką i spróbowała się zaśmiać, jakby naprawdę odzyskała humor, ale za bardzo ją bolało. Wykrzywiła się, a jej twarz przez krótką chwilę odzwierciedlała ogrom cierpienia.

– Czarna wdowa ma za swoje – odczytała nagłówek, siląc się na drwinę. – Do trzech razy sztuka. Klątwa martwych mężów.

– Autor posługuje się pseudonimem. A pani nazwiska nie podali. Imię też zmienili – łagodził doktorant.

– Mówiłam, odpierdol się, Adaś – powtórzyła niemal z czułością. – Jak nie masz nic konkretnego do powiedzenia, to lepiej już śpiewaj. Ile znasz szefowych Górnośląskiego Instytutu Wirusologii ze stopniem profesora i takim dossier? Ilu z nich ma zagraniczne propozycje? Ilu wreszcie wygląda jak tutaj opisana zołza? No cóż, przynajmniej to im nie wyszło. Nigdy już nie będę przypominała wychudzonej Dunki. – Zasunęła szczelniej zasłonę.

Adam znów zasiadł na taborecie. Słyszała, że oddycha z ulgą.

– Wiem, komu zawdzięczam te teksty. Nie udało im się pomówić mnie karnie, to kombinują z mediami. Nie wystarczy, że wyglądam jak Frankenstein? Co mam zrobić? Umrzeć?

– Pani teściowa nie ma z tym nic wspólnego. Do instytutu dzwonił jakiś facet, ale nikt nie chciał z nim gadać. Nawet profesor Michalak. Dlatego dziennikarz napisał, co chciał. Jakieś bzdury wyssane z palca...

– Facet, baba, nie ma znaczenia. To wszystko kumple siostry mojego męża. Nigdy nie wiem, jak to się nazywa. Kuma?

– Szwagierka.

– Dla mnie może być i puma – żachnęła się Sabina. A potem nagle się uspokoiła. – Iłła Bednarek robi w naszej telewizji recenzje książek i filmów, ale to tak jak u nas: bardzo mała szajka. Żaden problem wysłać psy za kimś, kto zalazł ci za skórę. Obiecaj mi jedno: gdyby i do ciebie dotarli, odmaluj mnie demonicznie. Mobbing, seks w komorach laminarnych, praca po nocach. Sperma na mikroskopach elektronowych albo w inkubatorach. Nie zapomnij o koinfekcji. I dorzuć jakieś eksperymenty na zwierzętach. Może domalują mi na następnym zdjęciu wampirze zęby? Pazury wilkołaka już na lewym ręku mam. Wystarczy, że podrzucę ci fotę na Messengera. Jak się bawić, to na całego.

Winek nie mógł tego dłużej słuchać.

– Mam kumpla w palestrze. Drogi jest, ale skuteczny. Poda ich pani do sądu, zażąda odszkodowania. Tę sprawę można wygrać. Ja bym Bednarkom nie darował.

– Nie będę cię w to mieszała.

– Jeśli pani im pozwoli, rozhulają się na całego.

– Niech hulają.

– To przez nich straciła pani stanowisko.

– Chciałam je stracić – odparła ledwie słyszalnie Sabina. – Tyle że w sposób kontrolowany. Liczyłam, że na tym wątpliwym tronie posadzę ciebie, Adaś. To miało się odbyć za miesiąc. Nic by nie mogli ugrać, bo siedziałabym już w Kalifornii.

– Mnie?

– Nie kłam, że na to nie liczyłeś.

– Tak – potwierdził. – To było moje marzenie.

– I spełni się – ucięła. – Musisz mi jednak coś obiecać.

Milczał, czekał. Wiedziała, że jest skupiony, a jego umysł pracuje na najwyższych obrotach. Było dokładnie tak jak w pracy, kiedy znajdowali ścieżkę w komórce, która jest absolutnie kluczowa dla badanego wirusa, i ich zadaniem było tylko odkryć, jak ją wyłączyć bez dużej szkody dla organizmu. Jak odciąć wirusowi generator.

– Zadbasz o siebie i będziesz dalej prowadził badania.

– A pani?

– Poczekam tutaj – usadziła go. – Zbratasz się z Czarnym Michałem i nie dasz jej pretekstu, żeby zrobiła z ciebie kogoś na swoje podobieństwo.

– Czyli kogo?

– Scykanego adiutanta silnego debila.

Nie skomentował, więc kontynuowała:

– Nigdy i nikomu nie będziesz służył. Powtórz!

– Nie będę tchórzliwym bucem. Nikt mnie nie weźmie pod kapeć.

– Ale jeśli będzie trzeba, udasz takiego. Tak?

– Tak.

– Wolne, Adaś. Idź, szukaj swojej ścieżki. Jeśli dostaniesz Nobla, nie zapomnij o mnie w podziękowaniach.

– A moje zadanie?

– Nobel ci nie wystarczy?

Sabina z trudem hamowała wzruszenie. Nie spodziewała się po doktorancie aż takiej lojalności.

– Pani profesor, nigdy o tym nie rozmawialiśmy, ale ja panią zawsze podziwiałem. Umysł, inteligencję, osobowość, charyzmę. Słowem...

– Daruj sobie. Idź, bo jestem zmęczona. Kurewsko mnie boli, wyobraź sobie.

– Lubiłem też bardzo Kostka i zawsze wam kibicowałem.

– O Jezu! W przeciwieństwie do niego jeszcze nie umarłam!

– Nie chce się pani dowiedzieć, co mu się stało? Naprawdę nie chce pani tego wiedzieć?

– Ja wiem, Adaś. W tym problem, że wiem też dlaczego – syknęła. – A jeśli zaraz nie wyjdziesz, skończy się nasza przyjaźń. Kapiszi?

***

– I ty jej wierzysz? – huknął Meyerowi do ucha Doman, kiedy profiler wsiadł do czerwonego bmw Werki i streścił w kilku żołnierskich słowach przebieg spotkania z Bożeną.

W trakcie relacji prokuratorka nie odzywała się wcale. Zerkała tylko we wsteczne lusterko i kpiąco się uśmiechała.

– Wyrzucę was w Kato pod Lornetą z Meduzą, to będziecie sobie wrzeszczeć – rzuciła. Natychmiast ucichli. – Jak w podstawówce.

Mężczyźni patrzyli na siebie, a potem synchronicznie odwrócili głowy do okien.

– Dlaczego nikt nie siedzi z przodu? – zainteresował się Meyer.

– To miejsce Waldka – pośpieszył z wyjaśnieniem Doman. – Rzyga, jak jeździ z tyłu.

– Kiedyś tak nie miał.

– Kiedyś to ja nie mogłem używać krzyżaka do kół, bo zrywałem gwint śruby. A dziś wezmę cięższą paczkę i strzyka mnie w biodrze.

– Trzeba było wziąć taką paczkę, jak jechałeś do Japy – przygadał mu Hubert. – Co ci odwaliło? Adrenalinki zachciało się na emeryturze?

– Odezwał się świętoszek, co dzieci narobił i nawet nie wie o ich istnieniu – odciął się Doman. – Chociaż ja w tę bajkę nie wierzę. Śmierdzi na kilometr, a jeszcze ta baba z ubezpieczenia. Bańka piechotą nie chodzi. Tutaj nie trzeba Sherlocka, żeby obstawić hipotezy.

– No to próbuj – wyzwał go Meyer.

– Rachunki ta laleczka Chucky musi mieć wysokie. Od razu widać, że lubi sobie wypić, a pewnie i zagrać w co nieco.

– To Bytom, nie Monte Carlo.

– Wygląda mi na taką, co pogardzi ruletką, ale cierpliwie wysiaduje przy automatach. Zgraja żigolaków też słono kosztuje.

– Zupełnie nie rozumiesz śląskich kobiet. To mężatka!

– Mamy globalizację – parsknął Doman. – Teraz chce zamulić ubezpieczalnię, żeby wyszło, jaka dobra z niej mamusia, bo nie chciała kasy. A jak ktoś mówi, że nie lubi forsy, to gotów jest za nią położyć głowę dziecka, co też się stało.

– O matko z córką! – jęknął Meyer. – Jak ja za tobą tęskniłem, komisarzu Alex.

– Jeśli już chcesz mnie obrazić, zaczynaj od majora – uniósł się Doman. – Ten typ kobiety przygarnie każdy złocisz. Oszczędza na żarciu, ale na szmaty i gadżety nie żal jej nawet czterech zer. Myślisz, że dlaczego nie zająknęła się przez lata? Ty groszem nie śmierdziałeś nigdy, a jej mąż to tutejszy krezus. Branża pogrzebowa to jedna wielka mafia. Kłamie jak z nut ta twoja była.

50

– Jednorazowa była – uściślił Hubert. – I tak między Bogiem a prawdą, to nie pamiętam, czy w ogóle coś zaszło. Z ojcostwem sprawa jest prosta. DNA do zbadania i koniec pieśni. Od tego zacznę, jak człowieka zobaczę.

– Umówiłeś się z nią na jeszcze? – oburzył się Doman. – Czasu masz za wiele?

Hubert zgromił go spojrzeniem.

– Jeszcze nie powiedziałem, że coś zrobię w waszej sprawie.

– W naszej? – zaśmiała się Wera. – A w twojej to nie?

– Niezbyt – obruszył się Hubert.

– To się okaże – mruknęła prokuratorka. – Akta masz. Nie będę ci nic ułatwiała. Ale gwarantuję, że ci się opłaci.

O czym ona gada? – zaniepokoił się profiler. Tym bardziej że Doman jak gdyby nigdy nic wpatrywał się w okno i milczał. Wjeżdżali właśnie do Chorzowa, więc widoków nie było.

– Dlaczego nie wierzysz? – Werka spróbowała innego tematu i naraz gwałtownie zahamowała, bo rozbłysło czerwone. – Huberta znamy wszyscy i dzieci to on może mieć tyle, że starczyłoby na demonstrację. Fakt, że kobita długo zwlekała z nowiną. Zasadniczo nie odkłada się spraw o alimenty. Chyba że na sekrecie więcej się zyskuje.

– To jest podejrzane – powtórzył Doman. – I jeszcze te chłodziarki.

Hubert podniósł ręce w geście poddania się.

– Dacie mi się zastanowić? Po co w ogóle zaczynałem?

– Tworzymy teraz komunę, chłopie. Żadnych tajemnic.

– I to mnie martwi. Chciałem ten czas spędzić w mojej skromnej samotni, delektując się ciszą, pijąc i oglądając wesołe filmy na komputerze.

– Filmy obejrzę za ciebie, a flaszek ci nie zbraknie. Tylko się przyłóż, zamiast latać po zamkniętych barach za babami, które przezywają cię Bercik.

– Bercik Meyer? Dobre! – roześmiała się Wera i nie spuszczała wzroku ze wstecznego lusterka, aż Hubert poczuł, że policzki zaczynają go piec.

– Dokąd my jedziemy? – syknął w odwecie.

– Reoględziny – odparła prokuratorka, z trudem zachowując powagę, bo jej oczy wciąż chichotały. – Tęsknisz za sprzętem w bagażniku? Też mam kalosze. Pożyczę ci.

– Mam swój wóz. Po co ta hucpa, Rudy?

– Tak się składa, że to ja nadzoruję dochodzenie w sprawie Japy i dopóki mi nie powiesz, jak sprawa ma wyjść na filmie, żaden kutafon nie ma prawa zobaczyć cię w okolicy. Jasne?

– Mam się za kogoś przebrać?

– Najlepiej za sanitariusza. Zresztą mam dla ciebie kaftan bezpieczeństwa i przyłbicę. Nawet Bożena cię nie pozna, Bercik.

– Spierdalajcie – odrzekł z godnością Meyer, ale poczuł dziwne ciepło w sercu.

Jakby z zimnej i ciemnej jaskini wpadł wprost na plan serialu *Przyjaciele*, którego zresztą oficjalnie nigdy nie oglądał. Za to jego dzieci namiętnie. A mieszkanie z Anką mieli wtedy dwudziestosześciometrowe.

***

Szerszeń czekał na nich pod nieczynnym diabelskim młynem ubrany w białą fizelinę i z trudem opędzał się od chmary cygańskich dzieciaków, które cykały sobie z nim zdjęcia.

– Miłej roboty – skomentowała Werka.

Nie zgasiła silnika. Nie wyglądało też, by zamierzała parkować.

Meyer pytająco zerknął na Domana, ale ten tylko sięgnął pod siedzenie i wyjął ochraniacze dla nich obydwóch. Zaczęli się ubierać.

– Jestem uratowany. – Waldek zajrzał przez szybę. – Co tak długo?

– Korki. – Wera kliknęła centralny zamek. – Wskakujesz czy zostajesz chorzowską atrakcją turystyczną? Bo chyba pretendujesz do roli misia.

– W życiu – żachnął się Szerszeń. – Jeszcze chwila, a dostałbym angaż na karuzeli i osobiście ją uruchomił. Te bachory wyciągnęły mi z kieszeni wszystkie moniaki. Wiecie, na co? Na tamtym straganie sprzedają wyłącznie kominiarki. Tak biznes się kręci, że facet nie nadąża rozcinać kartonów.

Poszperał w kieszeniach.

– Udało mi się zabezpieczyć wam po pamiątce z Chorzowa. Rozdał obecnym po zawiniątku w folii. Zanim Hubert rozpakował, Doman swoją kominiarkę już przymierzył. W miejscu ust i nosa znajdował się nadruk środkowego palca i napis *Fucked covid*.

– Zajebista. – Były policjant cieszył się jak dziecko. – Najlepszy gift, jaki dostałem od lat.

– Zdejmuj to. – Wera przyjęła ton surowej nauczycielki.
– Jak ci się tak podoba, ponosisz w domu.

– Jakie korki o trzynastej? – Waldek spróbował odwrócić uwagę prokuratorki, ale był zadowolony, że udało mu się sprawić Domanowi radość. – Którędyście jechali? Przez Sosnowiec?

– Bercik miał randkę – doszedł go stłumiony głos Domana, który pstrykał już selfie w kominiarce i słał żonie. – Jak się okazuje, z wrogiem.

– Następna porzucona? Oj, Meyer, Meyer, doigrasz się w końcu.

– Co gorsza, była brzemienna.

– Nic o tym nie wiedziałem – bronił się słabo Hubert, starając się przekrzyczeć śmiech przyjaciół. – A poza tym to prehistoria. Ciąża sprzed trzydziestu jeden lat.

– Gdyby okoliczności były inne, rzekłabym, że sprawa jest przedawniona – przerwała im Wera. – Dobra, ile wam zejdzie?

Wpisywała już w nawigację nowy cel podróży. Hubert podejrzał, że to adres jego dawnej firmy. Nie dał po sobie poznać, że wie, dokąd jedzie prokuratorka.

– Godzinę, dwie? Za ile was zgarnąć?

– Nie zostajesz z nami? – udał zdziwienie.

– A po co? – Weronika dla odmiany naprawdę była zaskoczona. – Ustalicie wersję, zlecę technikom na jutro wizję i tę sprawę będziemy mieli gotową.

Rozejrzała się po tłumie ludzi. Większość nie miała masek, a ci, którzy je nosili, z pewnością nabyli je tutaj. Środkowe palce na ich twarzach multiplikowały się, jakby zwarli szyki na pikietę.

– Większy ścisk niż na manifestacji – zmarszczyła się Wera.

– A co z dystansem?

– Mój wnuk był wczoraj w galerii handlowej – włączył się Szerszeń. – Ludzie są dziwni, boją się, a korzystają z wolności, ile się da, jakby ze strachu, że nie zdążą się zarazić.

– Więc i my skorzystajmy. – Hubert wysiadł, poprawił ochraniacz i białą anonimową maskę. – Bądź o czternastej. Jeśli zrobimy szybciej, zadzwonimy.

– Nie będę mogła odebrać. Poczekajcie w domu. Tylko nie pijcie za dużo, bo dziś jeszcze pracujemy. Weźcie ubera.

Wskazała Szerszenia.

– Tylko z konta mojego faceta. Musimy być ostrożni.

– Tak, szefowo. – Waldek udał, że salutuje, i szarpnął Domana za rękaw. – To wymarsz wojsk. Uważaj na chciwe bachory.

Hubert przyjrzał się Weronice. Korciło go, by spytać, z kim umówiła się w Wojewódzkiej, ale wiedział, że tylko zapewni paliwo do kolejnej szydery na swój temat. Koledzy nie znali szczegółów jego romansu z Werką, a Hubert nie chciał, by to się zmieniło. Poza tym jak najszybciej powinien zapoznać się ze sprawą Japy i podjąć decyzję, jak może pomóc ratować Domana. Pragnął za wszelką cenę uniknąć oficjalnego uczestniczenia w tym szwindlu. I nie chodziło mu o sumienie, choć byłby to pierwszy raz, kiedy użyłby swoich zdolności i wiedzy, by pomóc w zatuszowaniu przestępstwa.

Problemu w napisaniu błędnego profilu nie widział, bo kiedyś już się pomylił i poza nim samym nikt tego nie zauważył, ale przez jego opinię za kratki trafiła niewinna osoba. Wtedy, chociaż nie zrobił tego specjalnie, odkręcanie sprawy trwało bardzo długo i kosztowało go sporo godności. Dylemat, który zjadał go teraz, nie był natury moralnej. Nie miał po prostu pewności, czy zdoła zadanie wykonać na tyle dobrze, by sprawa nie wyszła na jaw, a inaczej nie było sensu brać się do niej wcale. Jednocześnie wyzwanie go kusiło i szło o życie przyjaciela. Wiedział jednak, jak trudno sprokurować układankę, by skrywała prawdę jak maska. Od lat powtarzał to swoim studentom: ludzkie działanie zawsze pozostawia ślad. Nawet gdyby stworzył inscenizację iście genialną, za parę lat mogą pojawić się nowe dowody, ślady, techniki, a wreszcie na rynek może przyjść ktoś zdolniejszy od niego albo po prostu spostrzegawczy i na tyle wścibski, by szwy kantu dostrzec. Jeśli ten ktoś znałby się na profilowaniu i zacząłby w tym grzebać, odkryje szachrajstwo bez trudu. To mogłoby podważyć dwadzieścia kilka lat jego pracy. Zdeprecjonować dotychczasowe dokonania jego i wszystkich, którzy przyjdą po nim. Dlatego pragnął znaleźć porządne wyjaśnienie, dlaczego wybiera mniejsze zło, a potem racjonalnie przekalkulować koszty wpadki.

Znał całą trójkę od lat. Nie zakładał nieszczerych intencji Domana, Waldka ani nawet Wery. Ale to tylko ludzie. Kiedy na horyzoncie pojawiają się korzyści, niekoniecznie finansowe, ludzie robią czasem rzeczy nieprawdopodobne. Nawet za siebie nie mógł ręczyć. Co dopiero za obcych? Skąd zresztą miał wiedzieć, w czym tak naprawdę bierze udział? Dlatego postanowił, że zanim podejmie ostateczną decyzję, przenicuje te dwadzieścia kartonów z aktami i osobiście zbierze ewentualne dowody. Czy zdoła to zrobić w niespełna dwanaście dni wolnego, które mu jeszcze zostały? Jedenaście, poprawił się, bo dwa zmarnował już na picie i leczenie kaca.

Prokuratorka jakby czytała mu w myślach. Opuściła szybę i wskazała parkan, pod którym jeszcze przed chwilą Szerszeń opędzał się od dzieciaków, a teraz maszerowało do niego dwóch facetów w fizelinie. Nawet gdyby zrobiono im zdjęcia z teleobiektywu, nikt nie byłby w stanie ich rozpoznać.

– Zrobisz to, Hubert – oświadczyła z powagą, lecz łagodnie, jakby go zaklinała. – A jeśli nie, srodze się na tobie zawiodę. Z tego, co wiem, nie masz zbyt wielu przyjaciół. Za to wrogów – cały szwadron. Może nadejść chwila, że i ty będziesz potrzebował pomocy. Czasy są, jakie są.

Hubert z trudem pohamował wybuch, bo jej słowa słusznie odczytał jako szantaż. Znała ciemne karty jego kariery i wiedziała, jak wiele Domanowi zawdzięczał. Podniesienie tego argumentu było chwytem poniżej pasa. Oboje zdawali sobie z tego sprawę.

– Nawet jeśli tego nie zrobię, nie wydam was. Nie obawiaj się.

– Nie miałbyś w tym interesu. Zresztą, kto ci uwierzy?

– Jesteś bardzo pewna siebie. To nowość.

– Przeciwnie – zniżyła głos. – Ledwie dycham ze strachu. A kiedy człowiek nie ma wyjścia, staje się tyranem, bo zostaje mu tylko ucieczka do przodu. Zwłaszcza jeśli musi działać wbrew sobie.

Meyer zmarszczył brwi, nic nie odpowiedział. Miał ochotę spytać wprost, z kim Werka umówiła się na Lompy i co zamierza tam załatwiać, ale nie chciał słuchać kłamstw. Uznał, że przyjdzie jeszcze pora na przesłuchanie prawniczki.

– Chciałabym, żebyś wybrał przyjaciela, nie zasady. Ale uszanujemy każdą twoją decyzję.

– Wątpię – odparł po dłuższym wahaniu. – Ty zyskujesz na tym najbardziej. W przeciwnym razie nie organizowałabyś tego zamieszania na własny koszt.

Wyjął z kieszeni paragon za ubranie ochronne. Nawet nie mrugnęła jej powieka, ale widział, że okulary Werki lekko zaparowały.

– Nas de facto w firmie nie ma. Nie liczymy się.

– Tak ci się tylko wydaje. A za ochraniacze płaciła ojczyzna.

Przymknęła okno i ruszyła z piskiem opon. Wiedział już, że w razie odmowy zyska szatańsko niebezpiecznego wroga.

***

– Zaparkował tutaj. – Doman podszedł do zakrętu. Ustawił się pod drzewem. – Przejął kasę od dilera, podał nową partię towaru. Ja stałem tam. – Pokazał. – Nie widzieli mnie.

Meyer odwrócił się. Stan faktyczny jak na razie się zgadzał. Drzewa były ogołocone z liści, ale w środku lata mógł być tutaj busz, który pozwolił skutecznie zasłonić samochód, jednocześnie umożliwiając Domanowi obserwację. Profiler zapamiętał, by sprawdzić pogodę i rozpytać mieszkańców.

– Kiedy Biały odkleił się od szyby, a musisz wiedzieć, że to on wystawił mi Japę, podjechałem na wolnym gazie. Giwerę miałem na kolanach, odbezpieczoną. Planowałem zagaić o drogę, coś tam przedłużać. Na radiu cały czas miałem Waldka. Z kulką liczyliśmy się tylko w ostateczności.

– Mówi ci dokładnie, jak było – potwierdził Szerszeń. – Słyszałem wszystko. Strzały, odjazd, a potem kurwy, jakie poleciały. Nawet rzyganie.

– Gdzieś tutaj nawoziłem grunt zapiekanką z przyczepy.

– Doman wskazał trawę pod płotem.

– Pobrali ślady?

– Nie – zapewnił Doman. – Za miejsce zbrodni uznają okolice parkanu, pod którym nielaty ogołacały dziś Waldiego z kasy. Robota techników skoncentrowała się tam, gdzie zabezpieczyli auto z trupem. Pod karuzelą.

Hubert wyprostował się, ruszył w kierunku pozycji, z której zaczynali. Mężczyźni zamierzali pójść za nim, ale dał znak, by zostali w miejscu. Chciał pobyć sam, odtworzyć w spokoju przebieg wydarzeń. Na początku liczył kroki, ale to nie miało sensu. Doman nie mógł gonić bandyty na piechotę. Zresztą Meyer widział zdjęcia. Ciało poszukiwanego znaleziono w samochodzie. Japa leżał na kierownicy swojej beemki trafiony jednym strzałem w potylicę oddanym od strony okna. Strzelec był praworęczny. O przemieszczeniu i ułożeniu w ten sposób ciała po śmierci nie mogło być mowy. Jak to możliwe, że facet z dziurą w głowie przejeżdża taki kawał? Nie rozbija się na rondzie, nie wpada na słupek. Skręca przepisowo w prawo, a potem parkuje po drugiej stronie, tuż pod karuzelą, która w pierwszym dniu wakacji musiała być pełna ludzi. Czyżby Doman wsiadł za niego? Holował go? Nie, to absurdalne. Już dawno mieliby stado świadków. Interakcja przebiegała dynamicznie. Trwała do dziesięciu minut, włącznie z odjazdem Domana. Inaczej przyjaciel siedziałby dziś w areszcie, a na karku miał nie tylko prokuratora, ale i wewnętrznych. Profiler analizował dane, weryfikował je z zastanym terenem i tym, co usłyszał od Domana, a jednocześnie łapał zaciekawione spojrzenia przechodniów.

Jeden z kierowców omal nie wjechał komuś w zderzak, tak wgapiał się w psychologa przebranego za sanitariusza. Dochodziło południe. Japa zginął w szczycie ruchu. Zajście musiało się rozegrać na oczach dziesiątek widzów. A może wcale nie? Może zdarzyło się coś, co wyłączyło ten teren sprzed ludzkich oczu? Remont? Roboty drogowe? Kiedyś Meyer pracował nad sprawą, w której nie było ani jednego świadka. Okazało się, że przestępca wykorzystał jako tarczę samochód do przeprowadzek. Innym razem świadkowie nie widzieli zabójstwa, bo na chodnikach leżały hałdy śniegu. Może w lipcu ubiegłego roku znajdowała się tu jakaś przeszkoda? Zakonotował w pamięci, że i tę hipotezę należy przepatrzyć. Rozpytanie dziesiątek ludzi wydawało się konieczne. Powinien to zrobić dyskretnie. A był sam. Do pomocy nie miał nikogo.

Wrócił tą samą drogą. Przyjrzał się markotnym twarzom kolegów.

– Tam jest nowe rondo – stwierdził ze zsuniętą częściowo maską, bo wkładał już do ust papierosa. – Kiedy je zrobili? W maju, czerwcu? Jak długo ten teren był rozkopany? I dlaczego Japę znaleźli prawie kilometr dalej? Teleportował się? To gdzie go w końcu ubiłeś, Doman? Tutaj? Czy pod diabelskim młynem?

– Rondo? – Doman rozłożył ręce w geście bezradności, jakby pierwszy raz w życiu usłyszał to słowo. – Może i było. Nie pamiętam. Co to ma do rzeczy? Przypieprzasz się do dupereli jak zwykle.

Zerwał maskę, pstryknął zapalniczką i też zapalił. Szerszeń dołączył do nich.

– To może inaczej. Czego mi nie mówicie? Bo stan faktyczny ni chuja nie zgadza się z waszą wersją.

– Wszystko ci powiedzieliśmy – pośpieszył z wyjaśnieniem Szerszeń i chciał dodać coś jeszcze, ale Meyer powstrzymał go gestem.

– Byłeś słuchaczem, Waldek. I to tylko tego, co zgarniało radyjko w toyocie Domana. A wciskacie mi to samo, co jest w notatce dzielnicowego, czyli szajs na pożłotku, jak jakiejś małoletniej dupie. – Urwał. – Albo wciąż mnie sprawdzacie! Tak nie będę, kurwa, pracował! W firmie byłem parę lat. Jestem uczulony na machlojki. Więc?

Doman odwrócił głowę i zawiesił się w milczeniu, jakby szukał w głowie wzoru matematycznego, którego nigdy tam nie zostawił. Hubertowi wydawało się, że zacznie mówić prawdę, ale były policjant powtórzył jak katarynka:

– Stałem tam. Oni robili wymianę tutaj. Japa nie zauważył, kiedy wyjechałem. Biały zasłonił mu widok. Może coś wciągali? Nie wiem.

– Skoro Biały zasłaniał Japie, to i tobie. Dlaczego strzelałeś?

– On wyjął gnata pierwszy.

– Podczas wciągania?

– Japa nie był sam. Ten drugi klient chciał mi sprzedać kulkę. Chybił, więc wypaliłem. Po prostu byłem szybszy.

Meyer poczuł, jak oblewa go zimno.

Widział zaskoczoną minę Szerszenia i przez chwilę zdawało mu się, że i on nie posiadał tej informacji, ale to nie mogła być prawda. Wiedział od początku. To dlatego tak trzęsie się o kopanie w aktach. Dowody już teraz spreparowane są kiepsko. Ekspertyza profilera ma przykryć luki i usankcjonować wersję, za którą lobbują od czerwca. Do tego jest im potrzebny. Chcą skorzystać z jego renomy. Jeśli Meyer rzuci nowe światło na sprawę, będzie dużo hałasu w mediach, a to przyniesie żniwo lipnych zatrzymań. Potem przybiją to komuś z półświatka. Komu? Meyer był pewien, że kandydata już mają. Młode wilczki nie odpuszczą, dopóki nie dostaną kluczowego aresztowania. Wyrok to już całkiem inna para kaloszy.

– Czyli jest świadek.

Skinienie.

– Żyje?

– Nie wiemy – kręcił Szerszeń. – Tak podejrzewamy.

– Żyje – potwierdził Doman i spojrzał na psychologa błagalnie.

– Poszukujecie go?

– Nie wiemy, kim jest – wtrącił się znów Szerszeń.

59

– Byłeś tam? – ryknął na niego Meyer, a kiedy Waldek zmilczał, dodał: – To się przez chwilę nie odzywaj. Gadam teraz tylko z idiotą, który naciskał spust.

Doman wykrzywił się, jakby poczęstowano go zgnilizną.

– W wozie Japy ktoś był – powtórzył. – Zza krzaków go nie widziałem. Skulił się albo był bardzo niski.

– Kariery cyngla byś nie zrobił. – Meyer przeklął szpetnie kilka razy. – Betka też słaba.

Doman nie skomentował. Do dalszych wyjaśnień się nie kwapił.

– Więc powiem ci, jak to było.

Hubert nabrał powietrza, wyciągnął ramię, wskazał miejsce pod płotem, a potem to, gdzie stali w tej chwili.

– Ty siedzisz tam. Oni są tutaj. Jest ich dwóch, ale widzisz tylko Japę, bo chcesz go skasować i taki dostałeś rozkaz. Srasz ze strachu, emocje zalewają ci głowę. Byłeś tego dnia porządnie wypity.

Przerwał na chwilę, ale nikt się nie odezwał, co uznał za potwierdzenie, więc kontynuował:

– Podchodzi Biały, jest wymiana. Gadają. Diler odchodzi, podjeżdżasz. Wyciągasz klamkę, naciskasz spust. Japa pada i dopiero wtedy widzisz tego drugiego. Nie siedział na fotelu pasażera. Był z tyłu, prawda? Słyszy strzał, podnosi się, mierzy do ciebie. Odjeżdżasz. Nagle orientujesz się, że on strzela znowu. Dziwisz się, że jeszcze żyjesz, a koło nie ma flaka, bo wciąż jedziesz, i wtedy we wstecznym widzisz, że to leży Biały, twój informator. To dlatego znaleźli jego trupa koło ronda. Biały pakował ci się do wozu, ale drzwi miałeś zablokowane albo dałeś pizdę do dechy. Panikujesz, bo pozwoliłeś im go odjebać. Potem uznasz, że to i lepiej. Nic nie zezna. Znów słyszysz strzał. Niecelny, zgadza się?

Hubert zatrzymał się. Zmierzył spojrzeniem zaciętego w sobie Domana.

– Dalej nie wiesz, co było, bo strzelanina trwała dziesięć minut maks, razem z twoim spierdoleniem w długą. Kilka przecznic dalej przejmuje cię Waldek. Słyszał, co słyszał. Resztę mu dopowiedziałeś. Mam rację?

60

– Mniej więcej – przyznał Doman. – Tyle że Białego Japa chciał walnąć sam. Chybił. Dopiero wtedy strzeliłem.

Hubert zastanowił się.

– Celowałeś w tego drugiego?

– Był szybszy. Ale Japę trafiłem.

– Kto wyzbierał łuski?

Szerszeń naciągnął maskę na twarz i podniósł dłoń.

– Porządna robota? – upewnił się Hubert.

– No chyba... – odparł ledwie słyszalnie Szerszeń. – Gnata nie zidentyfikowali. Na razie.

– Jak to?

– Robiłem ze służbowego. Z archiwum dowodów – wyjaśnił Doman. – Ten glock został po włamaniu u mnie na terenie. Sprzed dwudziestu lat.

– Da się tędy do ciebie dojść – stwierdził zimno Hubert. – Na twoim miejscu od razu spylałbym z kraju.

– Nie mogę. Co powiem żonie?

– Byle nie prawdę – prychnął Hubert.

– Przy bałaganie, jaki jest teraz w komendach, sprawa giwery nie powinna wypłynąć wcale – łudził się Doman.

Wszyscy wiedzieli, że to jedynie pobożne życzenia, ale nikt nie zaoponował.

– Kolana zawsze zdążysz się pozbyć – głośno myślał profiler. – Skoro dotąd tego nie zrobiłeś, wstrzymaj się. Naszych nie oszukamy, ale może przydać się na ostatni etap, gdyby reporterzy znudzili się sprawą. Narzędzie zbrodni podane we właściwym momencie rozrusza ich i skutecznie odwróci uwagę, choć nie wiem, jak ostatecznie wpłynie na przebieg postępowania. To zależy od tego, jak rozegracie resztę. Byle giwera nie wypłynęła w sposób niekontrolowany.

Nagle chwycił się za włosy i zaczął je nerwowo szarpać.

– Kurwa, nie mogę uwierzyć, jak żeście to zjebali!

– Zrobiłbyś lepiej?

– Nie brałbym takiego zlecenia – burknął Hubert. – Zostawić prosty trop do archiwum dowodów w Białymstoku? To jak wydanie się na talerzu! Doman, kto ci to doradził?

– Pierwszy Hanys zakładał, że Podlasie jest daleko – próbował bronić zwierzchnika Szerszeń.

– A teraz umył ręce od sprawy i sadzi w spokoju krzewy. Odmówił wam wsparcia? Jak go znam, nie chce nic wiedzieć.

– Nie musi – zgodzili się obaj, a Hubert poczuł na sobie ciężar odpowiedzialności. Czyżby właśnie podjął decyzję? To szaleństwo, wiedział o tym, ale nie miał serca zostawić ich samych w tym gnoju. Odsunął na razie złe myśli na bok. Zwrócił się do Domana.

– Tamten się przesiadł? Poprowadził wóz?

– Nie wiem.

– To niewiele wiesz – stwierdził ze złością Meyer. – Bo ten drugi cię widział i może rozpoznać.

– To działa w obie strony.

– Wiesz, kto to był?

Kręcenie głową, a potem nieoczekiwanie Doman nabrał powietrza i wyrzucił z siebie:

– Ale on wie, kim jestem. Byłem… – Zawahał się. – Namierzył mnie. Nie wiem jak.

Hubert czuł, że na piersi siada mu słoń. Czy może być gorzej? Miał ochotę odparować, że Doman wiedziałby więcej, gdyby pił mniej na robocie, ale zdecydował się nie zaogniać konfliktu. Potrzebował więcej danych.

– Skontaktował się?

– Przez mojego informatora.

– Wspólnika Białego?

– Jego konkubinę. Kobita jest teraz z takim jednym alfonsem, który ma na mnie nerwa od lat.

– Nie zapłaciłeś mu, mam nadzieję? To już lepiej byłoby się przyznać i pójść odsiedzieć.

– Za dużo chciał. Trzy setki. Powinieneś go kojarzyć. Derma na niego mówią.

– To tanio czy drogo jak za informację wartą głowę? Bo nie jestem w kursie. – Hubert przykrył zdenerwowanie szyderą, choć wcale nie było mu do śmiechu.

Wyglądało na to, że sprawa jest grubsza, niż sądził. W razie wpadki polegną wszyscy. Nic dziwnego, że Weronika chce mieć całkiem nowy materiał. Zamierza podważyć zgromadzone dotychczas dowody i oskarżać na podstawie tego, co ustawią we czwórkę. Co tak naprawdę Rudy robi w Okręgowej? Kim jest jej facet? Dlaczego nie pada jego nazwisko? Czy to ktoś funkcyjny? Jak dochrapała się awansu? Dlaczego im pomaga? Czy opłaca się jej tak ryzykować? Co z tego ma? Meyer miał wrażenie, że od tych pytań eksploduje mu czaszka.

– Dobra, to jaki macie plan wobec naocznego świadka? – Spojrzał na kumpli wilkiem. – Muszę wiedzieć, jak uszyć lewiznę. Jeśli w ogóle się tego podejmę – zastrzegł.

Długo milczeli.

– Chyba nie zamierzacie i jego utylizować?

Doman podniósł głowę i wpatrywał się w biegnące po niebie chmury.

– Będzie lało – rzekł.

Hubert zinterpretował odpowiedź jednoznacznie.

– Odpalacie go?

Cisza.

– To ja opuszczam stół. Grajcie sobie sami.

– Nie. – Szerszeń uznał, że powinien wrócić do dyskusji. – Zamierzamy mu przybić wszystko. Jeden czy dwa trupy? Jak by nie liczyć, wychodzi czapa.

***

– A więc to taka roszada!

Mężczyzna siedzący naprzeciwko Klemensa Polheimera wstał i skierował się do drzwi. Za nim potruchtała tęga zapłakana kobieta o lnianych włosach.

– Panie Sroka, naprawdę mi przykro – starał się łagodzić poprzednie wiadomości dyrektor zamku. – Proszę uwierzyć, że gdybym mógł cofnąć decyzję zwierzchnika, zrobiłbym to... Niestety nie mogę. Na pana miejsce przyjąłem już nowego człowieka. Starosta go polecił i zatwierdził. Kontrakt jest nieodwołalny, potrwa minimum rok. Nic nie mogę zrobić. To nie ode mnie zależy. Mówiłem to panu trzy dni temu i teraz powtarzam.

Mężczyzna odwrócił się na pięcie i w kilku skokach dopadł biurka.

– Nie wyjdziesz z pierdla, Polheimer. Zniszczę cię! Rozjadę cię walcem, a potem obleję własnym moczem! Popamiętasz moje słowa!

Klemens skulił się w swoim fotelu. Czy ochrona nie słyszy tych wrzasków? Dlaczego nikt nie przychodzi? Przecież zamek jest pełen gliniarzy. Co oni robią, zamiast go bronić?

– To nie moja wina – powtarzał jak zacięta płyta. – Ja pana syna lubiłem. Artur z pewnością nie chciał. To pech, zwykły pech. Nawet nie mam żalu o ten atak.

Dotknął obandażowanej głowy. Powinien w tej chwili leżeć w łóżku, popijać rosołek i ewentualnie oglądać wiadomości, a nie przesiadywać w biurze i pilnować łażących po muzeum policjantów, którzy robili, co chcieli. Wszystko przez tę windę. Ludzie go ostrzegali, ale nie, on uparł się, że ją uruchomi. To teraz ma za swoje. Bijatyki, groźby, szantaże, a do tego jeszcze trup na podjeździe.

– Ale ja mam żal, Klemens! – ryknął Sławomir Sroka i zerwał okulary z dyrektorskiego nosa. Zgniótł je w dłoni, jakby to była kula papieru. Krew skapywała na osiemnastowieczny dywan. – Kurewsko dużo żalu. Za to, że mnie ujebałeś, pozbawiłeś moją rodzinę kąta do życia, zabierałeś premie i poniżałeś. A wiesz, czego żałuję najbardziej?

– Nie mam pojęcia – zdołał wychrypieć przerażony Klemens.

Nie miał śmiałości dyskutować z tym furiatem, tłumaczyć mu, że od dnia zatrudnienia nie robił nic innego, tylko chronił go przed urzędnikami. Za picie, burdy, gwałty i katowanie swojej kobiety. A jeśli chodzi o młodego Srokę, to przecież osobiście załatwił z komendantem, że nie zgłoszą włamania. Poręczył za Artura, a ten tak mu odpłacił. Ciosem, który mógł go zabić! Nic jednak nie powiedział, bo chłopak już nie żył. Nie mówi się źle o zmarłych. Nie mogą się bronić. Słuchał więc, potakiwał i czekał, aż Sroki, jak nazywali ich wszyscy w okolicy, wreszcie sobie pójdą. Oby udało się pozbyć ich na zawsze.

– Najbardziej żałuję – ciągnął swoją tyradę Sroka – że te dwa dni temu, jak żeśmy przyjechali, odciągnąłem od ciebie mojego chłopca. Gdybym podał mu metalową rurę zamiast bejsbola, którym się na ciebie zamachnął, miałbyś dziś miazgę zamiast czaszki. Może Arti byłby teraz w pierdlu, zgadza się. Ale nie w trumnie. Ty może myślisz, że dobrze to zaplanowałeś? Że jak twój inżynierek pojeździł po moim dziecku, to psiarnia nie znajdzie śladów? To się grubo mylisz, Polheimer. Ja jeszcze odkopię moje wtyczki. W armii i w mieście. Tak, tak, tam też mam swoich ludzi. Nie znasz dnia ani godziny. Lepiej zamykaj drzwi na klucz i dobrze pilnuj swojej starej. Tylko zaczekaj, bo najpierw rozpętam taką burzę o molestowanie tej małej dziwki i zbrodnię na moim synu, że będziesz się modlił o śmierć, dzieckojebco. Zniszczę cię!

Klemens Polheimer przełknął ślinę i wymacał w szufladzie stare oprawki. Założył je drżącymi dłońmi, lecz zaraz tego pożałował. Przed sobą miał przekrwione od alkoholu oczy, wykrzywioną gniewem gębę i czarne od tytoniu zęby. Ohydny fetor z ust agresora był najmniejszym z problemów Klemensa w tej chwili. Już i tak niebezpiecznie bliski omdlenia, bał się, że dostanie cios, a ledwie trzymał się na nogach. Ale adrenalina uderzyła wreszcie do mózgu, zebrał się w sobie i wyrzekł przez zaciśnięte zęby:

– Mylisz się co do mnie, panie Sroka.

– Teraz to panie Sroka, a kiedyś Sławuś to, Sławuś tamto. Dziwkojebca. Kutafon pierdolony. Udowodnię ci wszystko. Zapłacisz! Popamiętasz, że tak mnie potraktowałeś, i będziesz wyklinał każdą minutę, kiedy wypiąłeś się na moją propozycję.

– Propozycję? To jest zwykły szantaż. Od kiedy to żądanie haraczu bywa propozycją?! Ciesz się pan, że tego nie nagrałem. Ale twoja żona jest świadkiem. Pozwę was! I nie dostaniesz ode mnie ani grosza, bo nie muszę zatykać ci gęby. Nie mam nic na sumieniu!

Sroka wyprostował się. Po dawnym wybuchu nie było śladu.

– Chodź, Marysia, odholuj mię, bo zajebię go na miejscu, a wtedy już na pewno nie dostaniemy odszkodowania. I samej cię zostawić nie mogę. Kto by cię chciał w tym wieku?

Kobieta uderzyła w teatralny płacz.

– Panie dyrektorze, pan nie bierze tych słów do siebie. Mąż nerwowy był zawsze. Pan się nie gniewa. Zna pan przecież Sławka. Pan zapomni o pieniądzach i pozwoli nam zostać choć do marca. Budynki w lewym skrzydle stoją puste. My tam sobie kozą ogrzejemy, a wtenczas zwolni się coś od miasta w Sosnowcu. I wtedy zrobimy tak, jak pan nam obiecał.

– Gdzie?! – ryknął Sroka. – Gdzie ty chcesz mieszkać, Mańka? Nigdy!

Kobieta wydarła się jeszcze głośniej.

– To dokąd mamy pójść, Sławuś? No dokąd? Na grubę nie wrócisz. Ani do armii. Kto cię teraz przyjmie? Już prędzej ja znajdę nowego chłopa...

– Zamknij mordę, kobieto!

Sroka uderzył żonę dłonią na odlew, aż zatoczyła się pod ścianę.

– Proponowałem mu warunki dalszej współpracy. Odrzucił. Miej swoją godność. Będziesz się łasić do gorola, dupsko mu lizać, jak on twoje dziecko zakatrupił?

A potem dopadł skuloną kobiecinę i zaczął ją okładać. Umilkła i znosiła cierpliwie każdy cios, wyraźnie przyzwyczajona do takiego traktowania. Intensywność agresji męża słabła z każdą chwilą, ale może tylko dlatego, że Sroka szybko się znudził uległością żony.

W Klemensa Polheimera natomiast wstąpiły nowe siły.

– Policja, ratunku! – wrzeszczał, jakby to on był maltretowany. – Ratujcie!

Drzwi się otworzyły i stanęło w nich trzech funkcjonariuszy.

– Nic się nie dzieje. – Żona Sroki uśmiechnęła się do nich, jakby przeszkodzili w obiedzie, choć podnosiła się z trudem. – Zaczepiłam się. My już wychodzimy.

Ale policjanci nie chcieli ich tak łatwo wypuścić.

– Co tutaj zaszło?

– Ten pan pobił panią – zameldował piskliwym głosem Klemens niczym prymus donoszący nauczycielce, że kolega ściągał na sprawdzianie. – Na moich oczach. Proszę go zatrzymać!

Mnie także groził, wielokrotnie. Żądał ponadto zapłaty za wycofanie oskarżenia. Ma jeszcze krew na dłoniach. I zniszczył mi okulary!

– Tak było? – zwrócili się do kobiety, która wciąż była oszołomiona.

Jej dotąd czerwona twarz stała się purpurowa. Kręciła bezradnie głową, aż wreszcie uderzyła w lament.

– Zostawcie nas. My już idziemy. Sławuś ciężko przeżywa śmierć naszego chłopca. Panie dyrektorze, dziękujemy za propozycję. Jakby ten domek w Sosnowcu się zwolnił, pan da nam znać. A ja przepraszam.

W tym momencie do gabinetu Polheimera wkroczył brzuchaty wąsacz w kraciastej marynarce. Uśmiechnął się promiennie do kobiety, skłonił przesadnie i ująwszy jej dłoń, cmoknął, aż się zapowietrzyła.

– Pani Sroka, jak mniemam?

– Dzień dobry – wydukała.

– Nadkomisarz Albert Dudek, szef tutejszej komendy powiatowej. Przepraszam za brak munduru, ale jadę prosto z domu. Wykonujemy czynności na zlecenie komendy wojewódzkiej. Proszę przyjąć wyrazy współczucia. Osobiście obejmuję nadzór nad dochodzeniem w sprawie śmierci Artura. Gwarantuję pani, że doprowadzę do aresztowania i skazania winnego. To mogę pani obiecać już dziś!

Okrasił recytację szerokim uśmiechem.

Sławomir Sroka natychmiast ustawił się obok żony. Chwycił ją pod ramię, jakby szli do ślubu. Aż trudno było uwierzyć, że ten mały człowieczek jest w stanie sterroryzować tak postawną babę. Była od niego dwa razy grubsza i wyższa o głowę. Widać to było jednak, dopiero kiedy się wyprostowała.

– Dziękuję, panie komendancie. – Maria skłoniła się wyraźnie wzruszona i na chwilę przestała płakać. – To dla nas ważne, by sprawiedliwości stało się zadość.

– Nie mniej niż dla mnie, zapewniam.

Następnie odwrócił się do dyrektora Polheimera.

– No i skończyło się babci sranie, Klemens. Jedziesz z nami.

– Ja? – Zaszokowany dyrektor nie wierzył własnym uszom.
– A na jakiej podstawie, Albert?

– Pod zarzutem zabójstwa Artura Sroki i zbezczeszczenia zwłok jego. – Albert Dudek uśmiechnął się pod wąsem, jakby świadczył przed sądem, a następnie wypiął brzuch i pomachał Klemensowi przed oczyma jakimś wymiętym świstkiem wydobytym z kieszeni. – A może i coś jeszcze na ciebie znajdziemy? Na przykład o relacjach z nieletnią Trudką Karlikówną? Zobaczy się.

Mrugnął do Sławomira Sroki i nagle całą uwagę skupił na nim.

– Pan służył w Iraku czy Afganistanie?

– To było tak dawno temu... – Sroka pochylił głowę jak uczniak. – Arturek był jeszcze w podstawówce.

– Ciężkie przejścia? – łasił się Dudek. – Rozumiem. Moja robota też bywa stresująca. I ja swego czasu prawie byłem na terapii. O PTSD nie mówiło się wtedy wcale.

Do komendanta podbiegł dyrektor Polheimer.

– Albert, co ty chrzanisz? Lepiej się zastanów, bo starosta w przyszłym roku nie da ci finansowania. Zadbam o to!

Dudek obejrzał się na Klemensa z grymasem obrzydzenia, jakby doszedł go nieprzyjemny zapach.

– Na twoim miejscu myślałbym teraz raczej o tym, jak udobruchać żonę. Bo to Sylwutek na ciebie doniósł. A wygląda na to, że kobiecina w swoim życiu widziała niemało. Aż dziw, że wytrzymała z tobą tyle lat. Powiem ci, że jak stanie się cud i kiedyś wyjdziesz z paczki, to do tej chaty już nie wrócisz. – Zatoczył ramieniem okrąg. – Z pewnością nie na to krzesło.

Odsunął dyrektorski fotel, zaiste niebezpiecznie przypominający tron, i zasiadł w nim, mocno opierając się na podłokietnikach. Dopiero kiedy zapadła cisza, bo nawet Sroka się nie odezwał, Dudek dał znak swoim ludziom.

– Koniec przedstawienia. Zamknijcie zamek na cztery spusty. Jutro ze starostą ustalimy, kto przejmie dowodzenie w Mosznej.

**

Zapach pomidorów smażonych z czosnkiem i oregano wypełniał korytarz mieszkania Huberta, kiedy mężczyźni wrócili do domu, o czym Doman i Szerszeń donieśli Meyerowi już na klatce, bo on sam nie czuł zupełnie niczego.

– Mieliście zadzwonić – obsztorcowała ich Weronika, wychodząc im naprzeciw w fartuchu technika kryminalistyki narzuconym na garsonkę.

– Miałaś być na spotkaniu – zauważył Hubert, lecz zaraz ugryzł się w język. – Gotujesz?

– Tylko wtedy, kiedy się denerwuję. Więc nie stołujcie się na mieście, bo na jutro zamarynowałam golonkę. Jest też karbinadel razy dziesięć i gar żuru. Na deser ciasto. Śliwki z ogrodu Waldka. Jeszcze ciepłe, dlatego nie wstawiałam do lodówki.

Nie dostała aplauzu, jakiego się spodziewała. Tylko Szerszeń wydał z siebie rodzaj pomruku aprobaty.

– Co jest? – Rozwiązała fartuch i wręczyła go Domanowi.

– Idź mieszać bolognese, żeby nie przywarło. Dałam dużo marchewki. Mam nadzieję, że nikt nie ma alergii.

– Tylko na głupotę – warknął Hubert. – Ale z tym nic nie da się już zrobić.

Rudy przygryzła wargi.

– Widzę, że mamy do pogadania.

– Lepiej wyłącz palniki. – Hubert pokiwał pojednawczo głową.

– Czyżbyś podjął decyzję? – Zmarszczyła brwi. – Zarządzasz naradę?

– Raczej konfrontację. Póki jesteśmy w komplecie. I na trzeźwo – krzyknął, widząc, że Doman zmierza do barku. – Jeszcze nie ma szesnastej!

Obsiedli stół. A potem Meyer wstał i przyniósł kodeks karny. Rzucił go na środek. Nikt się nie odezwał.

– Długo zamierzacie u mnie koczować?

– Aż skończymy – odparł Szerszeń. – Zresztą ja zaraz wracam do siebie. Zjem tylko kawałek ciasta. Śliwki w tym roku były wyjątkowo kwaskowe. To ciasto to musi być poezja.

– Są hotele – żachnął się Meyer.

– Zamknięte – zauważyła Wera.

– A ja potrzebuję przestrzeni! – syknął w odpowiedzi Meyer.

– Do czego? – zdziwił się Doman. – Mieszkasz jak pustelnik, a masz trzy pokoje. Wera śpi w małym, ty u siebie, ja na kanapie. Nie sypię ci okruchów, kąpię się codziennie. Umiem obsługiwać zmywarkę.

– Powiedziałem coś – przerwał mu Hubert. – Zwłaszcza ciebie nie chcę tu oglądać. Nie po tym, jak mnie okłamałeś.

– Obraził się jak panna. – Szerszeń zwrócił się do Werki konfidencjonalnym szeptem. – Mówiłem, że się domyśli.

Kobieta uśmiechnęła się w odpowiedzi.

– Ile mu zajęło?

– Trzydzieści minut.

– Przegrałam, kurwa. Starzejesz się, Meyer. – Spojrzała na Huberta z wyrzutem i wysupłała z kieszeni banknot stuzłotowy.

Szerszeń chuchnął weń i zanim umieścił w portfelu, pieczołowicie go wyprostował.

– Założyliście się? – Meyer nie krył oburzenia.

– O Jezu, będzie wykład. – Wera wyrwała z rąk Domana fartuch i wstała od stołu. – Dokończę sos, makaron już dochodzi. Pewnie jesteście głodni.

– No raczej – zaśmiał się niepewnie Doman. Tęsknie spojrzał na barek. – Może aperitif?

– Siedź – powstrzymał go Meyer. – Musisz mnie wysłuchać.

Doman karnie pochylił głowę, ale oczy mu się śmiały.

– Myślisz, że sam nie wiem, w jakiej czarnej dupie jestem?

– A wiesz? Szczerze wątpię.

– Zrobisz to?

Hubert wahał się. Nie potrafił dać jednoznacznej odpowiedzi.

– Nie drażnij go. Już robi. – Wera podeszła z misą pełną makaronu z sosem. – Najpierw zjedzcie. I Doman, nalej mi tego chile. Korkociąg jest na blacie w kuchni. Nigdzie dziś już nie jadę. Wykończył mnie ten wasz balistyk. Nie mają żadnych tropów. Sądzą, że były tylko dwa strzały.

– A ile było? – Hubert odetchnął z ulgą, że nie doniosła na nich u szefów. A więc wykorzystywała swoją pozycję i sprawdzała, co mają. Zuch dziewczyna. – Bo moim zdaniem pięć.

Tym razem Doman bez słowa przesunął w kierunku Szerszenia stówę.

– O to też się założyliście? – obruszył się znów Hubert i z roztargnienia zaczął jeść. Natychmiast rozciągnął twarz w błogim uśmiechu.

– Może być? – upewniła się Wera. Porozumieli się spojrzeniem. Kobieta pierwsza skapitulowała. – Popisowy przepis wujka Piera.

– Masz włoskie korzenie?

– Śląskie, ale koleżanka miała ciotkę we Włoszech. Przez całe liceum jeździłyśmy na wakacje do przyczepy w Piombino. Poczekaj, aż zrobię bruschettę albo mule.

– Jak to pięć? – w ich flirt wciął się Szerszeń. – Wyzbierałem cztery.

Zapadła cisza.

– Nasi mają tylko jedną łuskę – zauważyła Wera. – Od wanada.

– Bo im ją zostawiłem – rzekł z taką dumą Szerszeń, że brakowało tylko wypięcia piersi. – Tę właściwą.

– Myślisz o tym samym co ja? – Hubert szturchnął kobietę w bok, ale tylko wywróciła oczyma.

– Widziałam gorsze inscenizacje. Otwarcie nie było takie złe, gra środkowa odbywa się teraz. A w gruncie rzeczy liczy się tylko końcówka.

Hubert wolał się upewnić.

– Więc położyłeś im na tacy łuskę z broni tamtego. A co z kulą w głowie Japy? To dwie jednostki. W bazie poszukiwawczej mają oba modele.

Szerszeń nie odpowiedział. Doman zaś zapałał nagłą potrzebą otworzenia wina.

– Więc macie co do niego plan – powiedział Meyer. – Tylko dlatego ten glock nie pływa jeszcze w rzece.

– Szkoda go, bo to dobry gnat. – Doman odstawił wreszcie wino. – Leży mi w ręku. Ale jak trzeba, to trzeba.

– Jeśli użyjesz go drugi raz, zrobię wszystko, żeby oskarżać w twoim procesie – mruknęła Wera. – I wiedz, że się nie wywiniesz.

– *Yes, ma'am* – mruknął Doman.

Hubert i Szerszeń spojrzeli po sobie i jak jeden pochylili się nad swoimi talerzami.

– Więcej gówna mi nie trzeba. I tak brodzę w nim po pachy! Zgodziłam się na wypłynięcie klamki, jak będziemy zgarniać klienta. Dalej się nie posunę!

– Cichaj już, mała – łagodził po swojemu Szerszeń, ale kobieta nie zwracała na niego uwagi. Dopiero szykowała się do frontalnego ataku.

– Tak sobie tylko żartujemy. – Meyer odezwał się znad swojej porcji pojednawczo.

Ale Wera wciąż im nie dowierzała.

– Z wami nigdy nic nie wiadomo. – Klapnęła na krzesło. – Gdzie moje wino?

– Na razie się wstrzymaj – zaczął Hubert. Odłożył sztućce, patrzył chwilę, jak pozostali jedzą. – Mam pewien plan.

– Nareszcie – odetchnął z ulgą Szerszeń i oba banknoty powędrowały do Wery. Dodatkowo z portfela wysupłał setkę w dziesiątkach.

– Czy możecie już przestać? – poprosił Hubert.

– Nigdy – zapewniła Weronika. – Całkiem nieźle wychodzę na obstawianiu twoich zachowań, Meyer. Psychologia behawioralna.

Wszyscy, poza Hubertem, uśmiechnęli się.

– Potrzebny mi świeży trup – zaczął. – Jakaś sprawa na rybę. Coś, co będę mógł robić oficjalnie i pod tym pretekstem zbierać dane do Japy. To pierwszy warunek. Drugi to ewakuacja. Wyprowadzacie się na działkę do Waldka, na komendę... Wszyscy!

– Ja się stąd nie ruszam – zaprotestowała Wera. – Nie może być śladu, że tyle dni siedzę na Śląsku. U mnie w firmie myślą, że zwiedzam Malediwy.

– Turkusowe jeziora niedaleko – wciął się Szerszeń. – Nasze Jaworzno lepsze niż Malediwy.

– Chyba nie o tej porze roku – fuknęła. – Tak przy okazji, Meyer, znasz jakieś solarium?

– Serio? Wyglądam na użytkownika?

Hubert nie wierzył, że to się dzieje naprawdę. A ponieważ Szerszeń z Domanem dławili się ze śmiechu, Wera skorzystała z ciszy i kontynuowała:

– Nie martw się, przez najbliższe dni siedzę w pokoju kamieniem. Zaległości jest w chuj. Mam co robić. Ale nie mogę wrócić taka blada.

– Ja się wykończę – jęknął Hubert. – Czy choć przez chwilę możecie być poważni? Jest milion kart do obadania. Nie życzę sobie imprez. Ta jest ostatnia.

– Wera zostaje – zadecydował Szerszeń. – Domana na mój kwadrat zabiorę. Zosia się ucieszy. Poza przestrzenią będziesz miał u nas jak w raju. Kust pierwsza klasa, a aperitif masz gwarantowany w przezroczystych szolkach. Wreszcie codziennie będę miał usprawiedliwienie przed ślubną. Można powiedzieć, że żyłem dla tej chwili.

– Wszystko jedno, jaki masz kolor szklanek, Waldek. – Doman wypił kieliszek wina do dna, jakby siedział tygodniami na pustyni. – Byle waliło po ryju. Od tego twojego chile, Wera, tylko sikać się chce.

– Łobstoj. Wytrzymaj – westchnął ciężko Szerszeń i wyjął telefon. Nieporadnie zaczął pisać wiadomość. – Już daję znać małżonce. Niech schłodzi co nie bądź na wieczór. Zrelaksujemy się.

– Bóg zapłać, przyjacielu – odparł Doman, lecz spojrzał na Huberta znacząco. – Rozumiesz już, dlaczego ci nie powiedziałem?

– Nie zaczynaj – przerwał mu Hubert. – Przewaliłeś na całej linii, ale martwi mnie co innego.

– Gadaj.

– Dopiero jak przeczytam wszystko. – Wskazał pudła z dokumentami. – Od dziś żadnych tajemnic. To trzeci warunek.

– Nie wiem, czy to właściwa strategia, bo nie chcieliśmy cię narażać, ale skoro nalegasz... – Doman udał, że się waha, i nalał sobie znów pełen kielich.

Wera i Szerszeń w milczeniu przysłuchiwali się tej wymianie zdań. Wiedzieli, że ważą się losy feralnego strzelca.

– Co chcesz wiedzieć?

– Wszystko. Cokolwiek masz do wyznania, mów teraz.

– Nic nie mam. Było, jak wiesz, szybko i nerwowo.

– Biały mógł się wygadać, że wystawił ci Japę?

– Komuś poza swoją kobietą? – Doman się zamyślił. – Mógł, a czemu nie? To był ćpun. Mógł powiedzieć wszystkim.

Hubert spojrzał na Szerszenia.

– Sam widzisz, że musimy mieć inną sprawę. Trzeba wiedzieć, co i komu Biały zdążył chlapnąć poza Dermą. Zająłbyś się tym.

– Inwigilacją dilerów? – Szerszeń rozłożył ręce. – Od dawna nie mam wejść w narkotykach. Jak tylko młokosy zauważą, że dziadek włazi im w podwórko, zacznie się sprawdzanie. Już lepiej iść do mediów. Zresztą, kto uwierzy Białemu, a tym bardziej jego pannie? Był naćpany, miał długi. Chodził nie tylko na pasku Japy. Był też naszym uchem.

– W tym problem – powiedział Meyer. – Czyim dokładnie? Tego nie wiemy. A wiedza to władza. Potrzebujemy jej.

– Kogo to obchodzi? – zbagatelizował sprawę Waldek. – Życiorys jak każdy inny. Z tego, co wiem, kilka razy miał przygody ze składaniem fałszywych zeznań. Teraz już nic nie skłamie. Jest bezpieczny.

– Dlatego nie o niego mi idzie – zaoponował Hubert. – Tylko tego alfonsa. Dermę. Znamy go?

– Płotka – padło w odpowiedzi. – Chyba nawet nie siedział. Może jakieś zawiasy? Drobnica.

– To najsłabszy i najpilniejszy punkt tej układanki – odezwał się po namyśle Hubert. – Słabszy moim zdaniem niż strzelec Japy, bo on, skoro z jakiejś przyczyny zadekował się na pół roku, ma własne tajemnice. A może czeka, aż się wychylisz?

Spojrzał czujnie na Domana.

– Przecież się nie wychylam.

– Dobrze by było wyprzedzić jego ruch. Ustalić, kim jest, i się przygotować. Ty masz jakieś dojście?

Hubert spojrzał na Werę.

– Siódmy rok siedzę w stolicy – odparła. – Ale popytam. Umówię się na kilka kaw i zobaczę, co da się zrobić.

Doman poruszył się niespokojnie na krześle.

– Ciebie w tej sprawie nie ma – uprzedził jego ofertę Hubert.

– Milczysz, ewentualnie pijesz. I mówisz mi prawdę jak księdzu.

– Nie ufam księżom. Ani wojakom.

– Mnie też nie powinieneś, bo pierwszy raz robię w takim gównie. Gwarancji dać nie mogę.

– Nikt o nią nie prosi – prychnął Doman.

– Przeciwnie. Ty narozrabiałeś, a ja przywracam ład. A musisz wiedzieć, że kurewsko tego nie znoszę.

– Widać. – Wera rozejrzała się po mieszkaniu Huberta i pozwoliła sobie na przytyk. – Ale jeśli zezwolisz, zajmę się odkurzaniem. To mnie odpręża.

Meyer nie odpowiedział. Zwrócił się znów do Domana.

– Przecież wiedziałeś, że to musi wypłynąć. Nie lepiej było przejść procedurę i poddać się karze? Co ty w ogóle sobie myślałeś, Doman?

– Nic – przyznał były policjant. – Nie zastanawiałem się wcale.

– Fakt – westchnął Meyer. – Liczyłeś, że Waldek cię uratuje? Albo Pierwszy Hanys, skoro ci to zlecił?

– Tak miałem obiecane – przyznał niechętnie Doman. – Nie moja wina, że pod karuzelą nie było tłumu.

– Ciesz się! Inaczej słałbym ci teraz paczki na Hetmańską – zbiesił się Hubert. – Zawsze są okoliczności dodatkowe. Wcześniej czy później coś idzie nie tak. Jesteś tylko tropicielem, łowcą... Nie kłusownikiem! Nie znasz się na tym i... – Hubert urwał. – Nawet sobie nie wyobrażam, ile cię to kosztuje. I czy śpisz... Zresztą, stało się.

– Ty byś się przyznał?

Meyer nie odpowiedział. Wpatrywał się w przyjaciela z mieszaniną współczucia i politowania. Skąd miał wiedzieć? Nigdy nie był w takiej sytuacji.

– Myślałem o tym – zaczął Doman. – Nawet skrobnąłem raport. Ale go podarłem. Dziecko miałoby mnie odwiedzać w pierdlu? Wstyd matce przynieść?

– Jeszcze nic straconego – wtrącił Meyer, ale Doman nie słuchał.

Sięgnął po komórkę.

– Dopiero co ułożyłem się z żoną... O, ściągnąłem ją myślami. Siedemnaście razy, cholibka. Trza oddzwonić.

Meyer skinął głową, jakby udzielał mu błogosławieństwa na odejście od stołu.

– To ja się odmelduję – rzekł Doman i zamknął się w pokoju zajmowanym tymczasowo przez Werkę.

Szerszeń też powstał. Ruszył do sypialni Meyera.

– Chłopie, posprzątałbyś czasem! – ryknął. – Mam tanią Ukrainkę. Perfekcyjna jest. Była w agencji, ale ją nawróciłem. Od lat nam pomaga. I robi genialne pielmieni. Dam ci namiar.

Hubert z Werką patrzyli na siebie, mieląc w ustach zgryźliwe riposty i zgodnie milcząc. Wreszcie Meyer sięgnął po butelkę, napełnił kieliszek prokuratorki. Swój odstawił do kuchni.

– Co my robimy? – spytał po powrocie.

– To, co należy – odparła.

Hubert głośno wypuścił powietrze. Nie był co do tego przekonany. Ale choć cholernie bał się konsekwencji, wiedział, że gdyby to dotyczyło jego, Doman nie miałby żadnych wątpliwości.

– Tak postępują przyjaciele – dodała, jakby znów czytała mu w myślach.

– Chyba szaleńcy.

– Ludzie wiążą się ze sobą nieprzypadkowo – uśmiechnęła się. – Uda ci się. Wiem to.

Bardzo chciał, żeby miała rację. I pragnął z całych sił jej nie zawieść.

– Znajdź mi jakieś zlecenie – rzekł. – Coś w miarę świeżego i wystarczająco daleko, żeby w razie kontroli nie mogli tego połączyć.

Podeszła do torby, wyjęła laptop. Otworzyła wyszukiwarkę.

– Przemoc domowa?

– Za łatwe.

– Spalona w aucie. Będzin.

– Mąż, kochanek albo samobójstwo. Odpada. Za blisko.

– Może Chorzów? Pseudokibice. Pobicie ze skutkiem śmiertelnym.

Meyer skrzywił się.

– Roboty w chuj. Zmowa milczenia. W grę może wchodzić lokalna polityka, a to nam niepotrzebne. I na setkę media depczą po piętach.

– Ale narkotyki, czyli blisko Japy – zachęcała. – Alfonsa dałoby się jakoś włączyć do sprawy. Przesłuchałbyś go w pierwszej kolejności. Na legalu.

– Za blisko. Ma być dobra przykrywka. Niekoniecznie w Katowicach.

– Okay, to sprawdźmy najbliższy region – zgodziła się.

Długo się nie odzywała. Wreszcie podniosła kieliszek do ust, upiła łyk i uśmiechnęła się tajemniczo.

– Mam coś. Uważaj.

– Jestem gotów nieustająco – odpowiedział jej półuśmiechem.

Sam nie wiedział dlaczego. Gęba wykrzywiła mu się samoistnie, aż poczuł, jak zalewa go fala gorąca. Na szczęście Wera wcale na niego nie patrzyła. Czytała z uwagą i długo nie podnosiła głowy znad laptopa.

– Tylko nie na drugim końcu kraju. Na tyle blisko, żeby w jeden dzień obrócić do Kato. Halo, Ziemia! – popędził ją.

– Dziewiętnastolatek Artur S. zamordowany pod zamkiem w Mosznej, a potem przejechany przez konserwatora windy. Są zdjęcia. Dosyć makabryczne. Dziś rano zatrzymano dyrektora placówki. Nie przyznaje się. Może mieć interes, żeby się wybielić.

– Jeśli to zrobił, wątpię. Na jego miejscu odmówiłbym wyjaśnień.

– Tak też uczynił – potwierdziła Wera i sięgnęła do kieszeni po papierosy. Hubert podał jej ogień. Kontynuowała: – Ojciec wojak, po traumach na misji. Są z dyrem skonfliktowani. Facet dużo udziela się w mediach. Piszą tutaj, że ciało nie nadawało się do identyfikacji. Medyk miał kłopot z ustaleniem pierwotnych obrażeń. Konserwator windy też został zatrzymany, ale dali go na obserwację do czubków i wypuścili. Teraz ma dozór. Raz w tygodniu zgłasza się do psychiatry. To nie pierwszy raz, jak przejechał człowieka.

Spojrzała na profilera. Nic nie powiedział, ale widziała, że jest zaintrygowany.

– Ten Sroka pochodzi z Górnego Śląska – dorzuciła. – Dla nas idealnie, bo masz glejt do zbierania danych w terenie.

– Moszna leży ponad sto kilometrów stąd. Dobry dystans – pochwalił ją. – A co najważniejsze, nasi nie zajrzą nam w karty.

– Jutro się przy tym zakręcę – obiecała. – Sprawdzę, kto nadzoruje dochodzenie, i podsunę pomysł z profilem. Tylko za bardzo się w tę przykrywkę nie wciągnij – wysiliła się na żart.

– Potrzebujemy cię w naszej brygadzie.

– Chętnie zrobię coś dla ojczyzny.

– Ojczyzny? – Zmarszczyła czoło. Rozejrzała się. – Jakoś nie widzę tu flagi ani godła.

– Dla siebie – skorygował Hubert i rzucił jej wrogie spojrzenie. – Możesz myśleć, co chcesz, ale jestem patriotą. Lubię robić to, w co sam wierzę i do czego jestem powołany, a jak na razie używacie mnie wszyscy jak czeladnik ślusarski wytrychu.

– W życiu nie słyszałam większej bzdury.

– Nie idzie o ciebie. – Machnął ręką i umilkł.

Cisza, która zapadła, ciążyła im obojgu. Hubert starał się nie patrzeć na jej obrączki. Nie chciał już nic wiedzieć, o nic pytać. Nie chciał wchodzić w jej życie i sam nie zamierzał się otwierać. Wyczuła jego niechęć. Wstała od stołu, zaczęła zbierać talerze. Nie mogła jednak pójść do siebie, bo z jej pokoju wciąż dobiegał podniesiony głos Domana.

– Chyba z tą zgodą nie jest tak różowo – zauważył Hubert.

– Będzie dobrze – powtórzyła trzeci już raz dzisiejszego popołudnia Wera. – Zrobimy, co możemy, a potem niech decyduje los.

– Od kiedy to jesteś taka oświecona?

– Odkąd zostałam wdową.

Hubert zrugał się w duchu, by na przyszłość trzymać twarz na kłódkę.

– A tak à propos wdów... – Werka znów podeszła do torby i wyjęła z niej notes. Przewertowała go. – Dzwoniła twoja koleżanka. Ta brzemienna.

– Tutaj? – zdziwił się Hubert.

Podszedł do archaicznego telefaksu, który od lat kurzył się na parapecie. Podniósł słuchawkę. Sygnał był prawidłowy.

– To działa?

Na powierzchni urządzenia nie dostrzegł brudu. Ktoś pieczołowicie wyczyścił aparat. Spojrzał podejrzliwie na prokuratorkę.

– Wystarczyło podłączyć do prądu. – Werka wyraźnie hamowała wesołość. – Gdybyś miał papier, moglibyśmy słać sobie faksy. W czasach aplikacji i TikToka taki zabytek to skarb. Trudno będzie nas inwigilować.

Roześmiała się.

– Jesteś jedyną znaną mi osobą, nie licząc mojej dziewięćdziesięciotrzyletniej babci, która ma w domu telefon stacjonarny.

– Cóż, ja też. Tylko nie znam takiej babci, do której mógłbym zadzwonić – burknął Hubert. – Nie pamiętam nawet, jaki mam numer.

– Ale Bożena Bednarek pamięta.

Wera podsunęła Meyerowi kartkę z nazwiskiem i rzędem dziewięciu cyfr.

– Zablokowałeś ją w komórce, łotrze?

Hubert rozciągnął usta w głupawym grymasie. Miał być przepraszającym uśmiechem, ale zdemaskował łobuza, któremu udał się psikus. Nie trwało to długo. Dokładnie tyle, ile Werze zajęła kolejna fraza:

– Zaprasza cię do chłodni. Najlepiej jeszcze dziś. Ma pilne wieści.

– Prawie zapomniałem – skłamał. – Gdzie to jest?

– Bytom. Niedaleko tej knajpy, z której cię zgarniałam. Słuchaj, a może ta sprawa wystarczy?

– Potrzebujemy dupochronu, nie kłopotów.

– Fakt – zmarkotniała. – Jesteś pewien, że nie było tam udziału osób trzecich?

79

– W tej sprawie niczego nie jestem pewien – odparł wymijająco. – Najchętniej nie grzebałbym przy tym wcale.

– Zawalczę jutro o ten zamek – obiecała. – A wycieczka do Mosznej dobrze ci zrobi. Będziesz mógł pobyć sam, tak jak lubisz.

Siedzieli w ciszy. Pili wino, skubali resztki jedzenia. W końcu Werka ruszyła do zlewu. Opłukiwała naczynia i wstawiała do zmywarki. Hubert zauważył, że szybko się u niego zadomowiła. Sam nie wiedział, że ma serwetki i tyle zastawy. A może i nie miał? Rozważał właśnie, czy mu się to podoba, czy powinien być rozdrażniony, kiedy spytała niby od niechcenia:

– To może być twój syn?

Potwierdził.

– Ale nie musi?

Znów skinienie.

– Naprawdę jest podobny?

– Zobaczyłem siebie. Aż miałem ciary.

– Chcesz, pojadę z tobą.

Spojrzał na nią wpierw zaskoczony, a potem szybko odwrócił głowę.

– Oczywiście nie będę się wcinać. Poczekam w aucie.

– Dzięki – rzekł, odwracając się. – Bo kurewsko boję się tego spotkania.

Weronika odłożyła ścierkę, podeszła do wieszaka, chwyciła płaszcz. Przyglądał się jej, jakby nagle zaczęła się rozbierać, i nie mógł wydusić ani słowa.

– Z lękiem jak z ciemnością. Wystarczy zapalić światło i demony znikają – powiedziała łagodnie. – Załatwmy to od razu.

***

Zakład pogrzebowy J.F.B. Bednarek mieścił się tuż przy rynku i był jedynym rewitalizowanym budynkiem w promieniu trzech przecznic. Bożena musiała śledzić wejście na monitoringu, bo kiedy tylko Hubert zaparkował, wybiegła na podjazd cała w uśmiechach. Ten przesłodzony grymas zniknął z jej twarzy na widok nóg Weroniki, która wysiadała z wozu Meyera w spódnicy przed kolano i czerwonych szpilkach.

– Prokurator Rudy. Bożena Bednarek, matka Kostka – przedstawił kobiety profiler.

Pod pretekstem pandemii kobiety nie podały sobie dłoni. Bożena skinęła tylko Werze i zaraz naciągnęła maseczkę, którą trzymała dotąd na przegubie.

– Zapraszam do środka – rzekła chłodno. – Napijecie się czegoś?

– Nie chcemy robić kłopotu – zaczął Hubert, a Bożena w nowych okolicznościach widać takiej właśnie odpowiedzi oczekiwała, bo dała znak dziewczynie za ladą i już po chwili miała w rękach kartę, którą przyłożyła do drzwi w głębi pomieszczenia.

Zamek kliknął. Drzwi uchyliły się samoczynnie. Odwróciła się przed wejściem do śluzy.

– Sprawdzę tylko, czy klienci podjęli decyzję.

Mieli czas, by przyjrzeć się placówce. Zakład przypominał luksusową przychodnię. Nie było trumien, wieńców, kwiatów ani żadnych akcesoriów cmentarnych. Tylko na stojaku pod oknem piętrzyły się katalogi branżowe. Wnętrze urządzono w szkle, metalu oraz lustrach. Z barw tylko biel i czerń. Mimo że odmówili napitków, asystentka podała im wodę. Był to oryginalny perrier w zielonych butelkach.

– Kawy, herbaty?

Hubert stanowczo odmówił.

– Jest szansa na espresso? – zapytała Wera, a kiedy dziewczyna potwierdziła, dodała: – Wobec tego podwójne.

– Z cukrem?

– Niech będzie.

Prokuratorka wskazała drzwi, za którymi zniknęła Bożena.

– Rozumiem, że to może potrwać? Pamiętam, że kiedy chowałam męża, godzinami przesiadywałam w zakładzie pogrzebowym i nikt nigdy mnie nie poganiał. Byłam za to bardzo wdzięczna, a nie był to aż tak elegancki lokal.

Zapadła cisza. Oniemiały Hubert wpatrywał się w kobiety i starał się nie oddychać. Zastanawiał się, dlaczego Werka to powiedziała. Chce zmiękczyć recepcjonistkę? A może to była informacja dla niego?

Dziewczyna najpierw zacisnęła usta, jakby nie była upoważniona do udzielania informacji, ale po namyśle odparła:

– Chłodnie mieszczą się na zapleczu drugiej hali. Pół godziny temu wpuściłam klientów na wybór trumny. Przypuszczam, że pani Bożena chce ich obsłużyć i dopiero wtedy po was wróci. W przeciwnym razie zostawiłaby tę sprawę mężowi. Pan Franek jest u siebie. Może coś do czytania?

Wskazała stojak z czasopismami, a potem plazmę ukrytą w ścianie.

– Mogę też włączyć telewizor.

– Jesteśmy na bieżąco z modą funeralną – zapewniła Weronika, co zszokowało dziewczynę, a Meyerowi wydało się co najmniej niesmaczne, lecz tego nie skomentował.

– Chętnie posiedzimy w ciszy. Długo tu pani pracuje?

– Będzie drugi rok.

– Znała pani Kostka, syna właścicieli? – do rozmowy włączył się Hubert.

Asystentka spłoszyła się, obejrzała strachliwie na drzwi.

– Widywałam go czasem, ale prawie nie rozmawialiśmy.

Przyjrzała się bacznie psychologowi.

– Wiem, kim pan jest.

– Tak? – Hubert udał zdumienie. Niezbyt udolnie.

– Kostek bardzo pana podziwiał.

Czy zwróciła uwagę na podobieństwo? – myślał szybko. A może niepotrzebnie sugeruję się zdjęciem Bożeny? Ucieszył się teraz, że jest z nim Wera.

– Myślałem, że nie rozmawialiście.

– Chodziliśmy do jednego liceum. W trzeciej klasie byliśmy parą. Potem rozstaliśmy się, ale Kostek i tak zaprosił mnie na studniówkę. Odmówiłam. Z tego, co wiem, nie poszedł wcale.

Weronika i Meyer milczeli. Czekali, aż dziewczyna wyzna coś więcej.

– Był pan jego idolem.

– Ja? – Hubert czuł, że zaczynają go piec uszy. – Dlaczego?

– Czytał pana książki, oglądał wywiady. Chciał zdawać na resocjalizację, bo pan tak zaczynał, zanim wstąpił pan do policji. To prawda?

Hubert niechętnie potwierdził.

– Jego rodzicom nie podobał się ten wybór. Pani Bożena dałaby się przekonać, bo jeszcze w liceum kryła Kostię, kiedy robił kurs online u Brittona, ale pan Franek o profilowaniu nie chciał słyszeć. Postawił twarde weto i zagroził, że jeśli Kostia pójdzie na psychologię, będzie musiał utrzymywać się sam, więc Kostek wybrał uczelnię w Londynie. Sprawiało mu dziką przyjemność, że tyle płacą za czesne i jego utrzymanie za granicą, bo nie pozwolili mu się uczyć tego, co chciał.

– Co studiował?

– Jazz.

– Na czym grał?

– Na ogniskach zawsze miał gitarę. Pasjonowała go obróbka dźwięku. Nie bardzo się na tym znam, ale skończył z wyróżnieniem i mógł zostać w Anglii. Podobno był dobry. W Polsce też go ceniono. Jak tylko wrócił, zawalili go zleceniami.

– Dlaczego nie rozmawialiście?

– Czy ja wiem?

Dziewczynie tak drżały dłonie, że z trudem trzymała tacę. Wyraźnie miała ochotę usiąść i zwierzyć się z czegoś, ale nie mogła się zdecydować lub zabrakło jej odwagi. Weronika i Hubert wiedzieli, że w każdej chwili w drzwiach może stanąć mocodawczyni, a nie chcieli, by dziewczyna miała kłopoty.

– Gdyby chciała pani pogadać, tam na dole jest moja komórka.

Werka podała swoją wizytówkę.

– Jeśli zależy pani na dyskrecji, na stacjonarny do prokuratury okręgowej proszę nie dzwonić – uśmiechnęła się słabo.

– Rozumiem. – Dziewczyna jeszcze bardziej się spłoszyła.

Prawie biegiem ruszyła za kontuar. Wizytówki nie wzięła.

– Niech pani zaczeka.

Hubert pochylił się, wyjął długopis z wewnętrznej kieszeni skórzanej kurtki i dopisał swój numer obok numeru Wery.

– Jak pani na imię?

Podał jej kartonik. Tym razem schowała go za pasek sukienki, jakby to było coś wstydliwego.

– Dagmara, ale wszyscy mówią na mnie Daga. Kostek nazywał mnie Dagny. Tylko on jeden. – Urwała. – Pan myśli, że ona to zrobiła?

– Kto?

– Żona Kostka. – Daga zawahała się. – To była niebrzydka kobieta, tylko starszawa. W gazetach piszą, że otruła już trzeciego męża.

– A co pani sądzi?

– Do tej pory nie mogę dojść do siebie. Widziałam panią Sabinę kilka razy. Władcza, ale raczej miła. Przy Kostku się zmieniała.

– W jakim sensie?

– Łagodniała. Mówiła wyższym głosem. Uśmiechała się. Była w nim bardzo zakochana.

– A on w niej? – zapytała Wera.

Daga zastanowiła się chwilę.

– Może na początku?

– A potem?

– Czasami jej przygadywał. To były żarty, ale okrutne.

– Więc nie byli idealną parą?

– A są takie? – zastanowiła się Daga. – Byłam z Kostkiem krótko i bardzo dawno temu, ale on był trochę dziwny.

– Co pani ma na myśli? – zachęcił ją Hubert.

– Szybko się nudził.

Była to osobliwa odpowiedź. Na krótką chwilę zapadła cisza.

– Zdradzał ją? – domyśliła się Wera.

Daga nie od razu odpowiedziała. Pochyliła głowę, znów spojrzała na drzwi, w których zniknęła Bożena.

– Z panią? – dopytała prokuratorka.

Kręcenie głową. Zbyt gwałtowne. Dziewczyna kłamała.

– Dlaczego się z nią związał? – zapytał Hubert.

– Nie wiem. Była wpływowa. I przynajmniej na początku wzbudziło to ogromny szum w mieście.

– To musiał być skandal.

– I był! A Kostek tylko się śmiał. Na samym początku traktował ją jak królową.

– Myśli pani, że chciał dopiec matce, ojcu?

– Nie wiem – powtórzyła Daga. – Chyba po prostu nie chciał mieszkać z rodzicami.

– Myśli pani, że Sabina mogła go z kimś nakryć? Śledziła go, groziła? Były między nimi kłótnie?

Każde z tych pytań Daga kwitowała wzruszeniem ramion.

– Nie byłam z nimi tak blisko – zakończyła temat stanowczo.

– Ale gazety pani czytała?

– Niektóre. – Zawahała się. – Ponoć za każdym razem znajdowała martwego męża we własnym łóżku, a lekarze stwierdzali zgon naturalny. W gazetach opisują ją jak jakąś Lady Makbet. Jakby to nie było naprawdę.

– Kostek naprawdę nie żyje.

– Wiem. – Daga potarła oko. Zniżyła głos do szeptu. – Wciąż go nie pochowali. Nie rozumiem dlaczego. Zajmiecie się tym?

Meyer wymienił spojrzenia z Werką.

– Oficjalne śledztwo niebawem się skończy – rzekł. – Jeśli ma pani informacje, które mogą zmienić jego przebieg, nie ma co z tym zwlekać.

Dagmara łapczywie łapała powietrze. Wahała się, biła z myślami. Wreszcie klapnęła na miejsce obok Wery, jakby łatwiej jej było zawierzyć sekret innej kobiecie. Odsunęła maskę.

– Tydzień przed śmiercią Kostek pokłócił się z matką. Pani Bożena krzyczała, że zakręca mu kurek z pieniędzmi i od tej chwili będzie opłacał swoje fanaberie samodzielnie.

– Jakie fanaberie? – dociekała Weronika.

Dziewczyna się ożywiła.

– Wiecie, Kostia robił udźwiękowienie filmów ludziom z katowickiej filmówki. Aranżował płyty niszowym raperom, wspierał debiutantów. Kręciło się wokół niego mnóstwo modelek, które chciały śpiewać i nagrywały pierwsze demo. Nie brał za to pieniędzy, a jeśli już – symboliczne. Ludzie go uwielbiali, garnęli się do niego, a on nie potrafił wyceniać swojej pracy. Może nie musiał? Rodzice niczego mu nie żałowali.

Pamiętam, jaki teatr robili, kiedy byliśmy parą. Tamtego dnia doszło do awantury. Pani Bożena była bardzo pijana. Wróciła, trzaskając drzwiami. Często to robi, więc zwykle nie zwracam uwagi, ale za nią wpadł Kostia. Jak mówiłam, obrzucali się wyzwiskami, a potem on wybiegł. Z tego, co zrozumiałam, dowiedziała się o ich ślubie. Krzyczała, że zrobił jej na złość.

– Na złość matce? – upewnił się Hubert.

– Tak zrozumiałam. Była masa wulgarnych słów. Nie jestem w stanie powtórzyć. O pani Sabinie oczywiście...

– Dokładnie tydzień przed śmiercią? Pamięta pani datę?

Daga spojrzała w oko kamery umieszczonej przy wejściu.

– To powinno być nagrane. Pan Franek kasuje materiały ręcznie. Mamy mnóstwo taśm. Czasami, jeśli jest zawalony robotą, mnie zleca ich czyszczenie. Do dziś nie dostałam takiej dyspozycji.

– Kiedy odbył się ten ślub?

– Rok temu, może dawniej.

– Czyli zaraz po tym, jak zaczęli romansować? – uściślił Hubert.

– Spotykali się ledwie trzy miesiące – potwierdziła Daga. – Ale pani Bożena i pan Franek byli chyba ostatnimi ludźmi w mieście, którzy nic nie wiedzieli, bo ceremonia odbyła się, kiedy Kostek i pani Sabina byli na wakacjach. On umieścił relację na Instagramie i zmienił status związku, ale matka tam nie wchodziła. Może ją zablokował? Dużo wcześniej mieli na pieńku. Już kiedy byliśmy w szkole, okropnie się kłócili. Wtedy o pana.

– O mnie? – zdziwił się Hubert i przełknął z nerwów ślinę.

– Nie wiem dokładnie – przyznała dziewczyna. – Pani Bożena uważała, że Kostek ma na pana punkcie obsesję.

Sytuację uratowała Wera.

– Wróćmy jeszcze do związku z panią Neliszer. Więc pani Bednarek nie akceptowała synowej?

– Synowej? – Daga roześmiała się kąśliwie. – To słowo nie przeszłoby jej przez gardło. Przez cały czas liczyła, że relacja z profesor Neliszer wygaśnie, a Kostek wróci do rozumu. Mówiła, że to tylko kaprys, i nigdy nie brała pod uwagę, że będzie miała tę kobietę w rodzinie. Rozumieliśmy ją. Podobno pani profesor jest od teściowej tylko kilka lat młodsza. One się kiedyś znały. Były przyjaciółkami w czasie studiów.

– Nigdy razem nie studiowały – wtrącił się Hubert. – Bożena ma tylko maturę.

– Może dlatego tak jej nie znosiła? – Daga uśmiechnęła się kpiąco. – Jak była drinknięta, gadała, że pani Neliszer uwiodła jej syna z zemsty. A piła prawie codziennie, więc w kółko to słyszałam.

– Na czym polegał odwet? Za co miałaby się mścić na Bednarkach?

– Nie mam pojęcia. Z Sabiną nigdy nie rozmawiałam.

– A z Kostkiem? – wszedł jej w słowo Hubert.

Daga zarumieniła się.

– On niechętnie się zwierzał – wykpiła się od odpowiedzi. – Może to tylko plotki? W niektórych gazetach o tym pisano. Nie musicie mówić, że ja wam powiedziałam. Poczytajcie w internecie. Jest tego sporo. To od lat najgorętsza sprawa w Bytomiu.

Daga skończyła wyznanie, poprawiła maskę i chwyciła tacę. Po chwili stała już za ladą jak gdyby nigdy nic.

– Nie mówiłam tego oficjalnie – zaznaczyła teatralnym szeptem. – Jeśli pani Bożena dowie się, że z wami rozmawiałam, zwolni mnie i zadba, żebym nie znalazła już posady w mieście. Ona wiele tutaj może, a słowa dotrzymuje. A jak coś postanowi i obierze kogoś za wroga, to pozamiatane.

Hubert przyjął dane do wiadomości i w duchu zgodził się z dziewczyną. Nie musiała mu nic tłumaczyć. Przed laty doświadczył tego na własnej skórze, a wtedy Bożena nie miała za plecami fortuny Bednarków.

– Dziękujemy za zaufanie – rzekł. – On mówił na panią Dagny, a pani na niego Kostia?

– Jego firma nazywa się KostiaMedia. Wszyscy młodzi tak mówili. Może pan poszukać jego twórczości na YouTubie. Linki są też na Instagramie. Znajdzie pan bez trudu. Kostia kochał to, co robił, tak jak pan profilowanie. Gdyby żył, mógłby być sławny jak Możdżer, Richter albo Einaudi. Nie wierzę też w samobójstwo. Gardził tchórzami. Zupełnie nie rozumiem, co się tam stało. Nikt tego nie rozumie. Ale każdy chciałby wiedzieć, jak i dlaczego zginął. Co ta kobieta mu podała?

Zapadła cisza. Weronika upiła łyk wody, a potem wstała i podeszła do stojaka z prasą. Jej uwagę przykuł numer zaczytanego tygodnika. Na okładce opublikowano groteskowy kolaż. Zdjęcie przystojnego bruneta o kanciastej szczęce i śmiejących się oczach zestawiono z wizerunkiem blondynki, której twarz została wypikselowana. Kobieta ubrana była w kitel, na szyi miała dwa sznury czarnych pereł. W dłoni dzierżyła probówkę. Tytuł głosił: *Zdejmij maskę, wdowo!* Wera rozłożyła gazetę, udając, że czyta, by Hubert mógł podziwiać czołówkę, a potem zwinęła ją w rulon i sięgnęła po folder zakładu pogrzebowego Bednarków. Zagaiła Dagę od niechcenia.

– Najtańsza trumna kosztuje u was czterdzieści tysięcy?

– W katalogu nie ma zwykłej oferty. Takich klientów pan Franek przyjmuje od zaplecza.

– Nie wiedziałam, że jest rynek na taki luksus po śmierci.

– Chyba nie zdaje pani sobie sprawy, jak wielu jest krezusów w Bytomiu. A na całym Górnym Śląsku... – przerwała.

– Zresztą świadczymy usługi nie tylko w regionie. Spółka J.F.B. Bednarek posiada jedyną spalarnię molekularną w tym kraju. Jeszcze kawy?

Nie zdążyli odpowiedzieć, bo drzwi otwarły się i w asyście żałobników wymaszerowała Bożena.

Ojciec był zapłakany. Kobieta, zdaje się żona, podtrzymywała go pod ramię. Za nimi szła blada jak śmierć nastolatka. Jej gotycki strój, podarte rajstopy i krótka bluzeczka pospinana agrafkami kontrastowały z ascetycznym ubiorem pozostałych członków rodziny. Była najbardziej zrozpaczona, chociaż rodzice nie zwracali na nią uwagi.

Bożena odprowadziła klientów do drzwi. Przytuliła ich kolejno i dyskretnie podała wydruk faktury z przypiętym do niej potwierdzeniem zapłaty kartą.

– Wszystko będzie, jak państwo sobie życzą – zapewniła uniżenie.

Weronika i Meyer patrzyli na nią z podziwem – pełną empatii, czułą i delikatną. Wprost urodzoną do roli siostry miłosierdzia.

– Załatwimy sprawy na cmentarzu i z księdzem. Proszę odpoczywać i dbać o siebie nawzajem. Zamiast kwiatów damy paprocie. Choćbym miała ściągać je z Wysp Kanaryjskich, załatwię to. Niech państwo będą spokojni.

Tym bardziej doznali szoku, kiedy po wyjściu żałobników przeklęła ze złością.

– W dupach się poprzewracało! O Maryjko! Kwiatu paproci na pochówek jeszcze nie sprowadzałam.

Spojrzała na Dagmarę.

– Dzwoń do florystki. Niech doczepi do paprotek jakieś chujwajstry. Tylko oszczędnie. W kluczowych miejscach. Pogrzeb będzie jutro, o dziewiątej. Księdza Radka wezwij na ósmą trzydzieści. I niech tym razem się nie spóźni, bo zapłacę połowę.

Daga natychmiast przystąpiła do wykonywania rozkazów.

– Gotowy? – Bożena zmierzyła wzrokiem lekko oszołomionego Meyera.

Podnosił się powoli, więc skorzystała z okazji i odwróciła się do Wery, jakby i dla niej miała specjalne polecenie.

– Pani zostaje.

– Pani idzie z nami – skorygował Meyer.

– Do Kostka jej nie wpuszczę – oświadczyła zimno Bożena, jakby Weronika nie siedziała obok. – Nie znam jej i nie interesuje mnie, kim jest dla ciebie. Niech się cieszy, że pozwalam jej zostać w poczekalni. Koniec dyskusji.

– Chętnie zajmę się robotą.

Werka poklepała swoją torbę z komputerem. Zdjęła okulary, zaczęła je przecierać.

– Jest tutaj internet?

Bożena zmierzyła nogi Wery, jej lakierowane szpilki i krótką spódnicę, a dopiero potem przeniosła spojrzenie na twarz, jakby oceniała swoje szanse na błyskawiczne pożarcie ofiary.

– Dla pani nie ma.

I nie czekając na odpowiedź, ruszyła do drzwi.

Meyer niechętnie podążył za nią. Wpadł jej prawie na plecy, bo przed wejściem do śluzy Bożena się zatrzymała. Zwróciła się do Dagi ze słodką miną.

– Jak skończysz robotę, możesz iść. Zabierz swoje rzeczy. Nie będę cię już potrzebowała.

– Dziękuję, pani Bednarek. Poucze się do egzaminu. Naprawdę bardzo dziękuję.

Dziewczyna składała się w ukłonach.

– Ależ nie ma za co, kochana. – Bożena uśmiechnęła się tak szeroko, aż jej nienaturalnie białe zęby zalśniły, jakby w ustach miała żarówkę. – Jutro też nie wracaj. Ani pojutrze. Najlepiej przechodź na drugą stronę jezdni, gdybyśmy się przypadkiem spotkały w mieście. – Wskazała kamerę nad drzwiami. – Nie rozpętuje się wojen bez zaplecza. Masz rację, jestem z natury mściwa. Z radością zadbam, żebyś w Bytomiu nie zagrzała miejsca.

I znów zwróciła się do Weroniki.

– Właśnie zmieniłam zasady czyszczenia dysków kamer – oświadczyła z satysfakcją. – Począwszy od dziś, będę to robiła osobiście.

Dzień piąty
4 stycznia 2021 – poniedziałek

Rozmowę kontroluje ten, kto mówi mniej, więc Erwin Długosz rozsiadł się głęboko w fotelu, a jedyną jego aktywnością było wpatrywanie się we wskazówki zegara zawieszonego tuż nad głową terapeuty. Do końca sesji zostało pół godziny milczenia.

– Jak się czujesz w swojej fortecy? – spytał Bożydar Teper.

Nie wyglądał na najmodniejszego psychologa w mieście. Zwalisty, szeroki w barach, ubrany w maskujące bojówki i polar z plastikowym zamkiem, jakby wrócił z polowania, gdyż tak było w istocie. Zdążył jedynie zamknąć w szafie pancernej swoje trzy jednostki broni. Dziś był w euforii, bo już czwarty raz w roku został królem strzelców. Nie mógł się doczekać, aż skończy pracę i na myśliwskim forum umieści serię zdjęć swojej dumnej facjaty z dzikiem oraz dwoma lisami, które strzelił idealnie w głowę, by futro się nie zmarnowało.

– Bezpiecznie – odparł Erwin. – Zasadniczo. A co będzie z małą?

– To nie jest tematem naszego spotkania – zganił go Bożydar. – Amelka współpracuje. W przeciwieństwie do ciebie. Jak twoje kontakty z żoną? Poprawiły się?

– Poprawią się, jak wrócę do roboty i znów zacznę zarabiać. Co w dzisiejszych czasach może być niewykonalne. Nawet siłownie pozamykali. Niestety nie mam szans na założenie zgromadzenia religijnego, chociaż te trzy procent podatku kusi, by zostać kapłanem słońca. Może czas się przekwalifikować?

Terapeuta nie roześmiał się. Łypnął gniewnie na Erwina, a potem rzucił przeciągłe spojrzenie na zegar, wzdychając przy tym ciężko, jakby przebywanie z tym pacjentem sprawiało mu fizyczny ból.

– Słyszałeś o biologii totalnej?

Zmienił bezceremonialnie temat, co Długosza zaniepokoiło. Zwykle Bożydar pozwalał mu przemilczeć w spokoju całą sesję.

– To jakieś bzdury.

– Wielu tak właśnie sądzi. Czy twoja noga to potwierdza?

– Nieczęsto z nią rozmawiam.

– A wielka szkoda.

– Zwichnąłem ją na spacerze z psem.

– I tak się zdarza.

– Gdybym siedział w więzieniu, do tego by nie doszło. O to ci chodzi?

– Lewa kostka. Kobiecość. Konflikt z matką, wyrwanie z gniazda. Sprzeniewierzenie się zasadom rodu. Próba rewolty, buntu przeciw tradycji i chęć pójścia własną drogą. Mówi ci to coś?

– Zupełnie nic. Może skończymy dziś wcześniej? Chciałbym przejrzeć oferty pracy. Po tym wszystkim rozmawiamy z żoną o wyprowadzce ze Śląska. Amelka jest dobra z angielskiego, ma talent do języków. Niemieckiego w mig by się nauczyła. Myślę, że zaaklimatyzowałaby się w Berlinie. Jeśli oczywiście nie zamkną do tego czasu granic. Sądzisz, że to dobry pomysł?

Terapeuta długo się zastanawiał.

– Trzynastolatka lepiej od ciebie znosi konsekwencje incydentu pod zamkiem – zaczął ostrożnie. – Musisz wiedzieć, że ta trauma mogła obudzić stare demony. Na twoim miejscu wstrzymałbym się ze zmianami w życiu do czasu, aż poukładasz się wewnętrznie. Który to już raz spotykamy się w ciągu osiemnastu lat, sam powiedz? Co wcześniej mówiło ci twoje ciało?

Erwin znał prawidłową odpowiedź, ale jej nie udzielił, bo mdliło go na samą myśl o powtarzaniu frazesów. Wiedział, że dla dobra procesu musi poddać się terapii, ale uparcie milczał. Potrzebował mieć w terapeucie sojusznika. To był trzeci wypadek w życiu Długosza, kiedy pod kołami jego auta znalazł się człowiek. Tym razem dla odmiany martwy, lecz w kwestii demonów Bożydar miał rację: szalały w głowie Erwina na całego.

Nie przestawał się zastanawiać, co w ten sposób świat do niego mówi, ale jak dotąd nie doszedł do konstruktywnych wniosków. A teraz, jeśli miałby być szczery, na co pozwolić sobie nie mógł – miał to gdzieś. Najchętniej poszedłby siedzieć, żeby dali mu święty spokój. Niestety, tego też nie mógł zrobić. Obiecał żonie i dziecku, że się nie podda, bo całe oszczędności wydali na kaucję. Mimo to przydzielono mu dozór, a na terapię eskortowali go umundurowani funkcjonariusze. Erwin już teraz czuł się jak w areszcie.

– Lewa kostka, ręka i oko – odparł, choć Bożydar znał jego historię.

Erwin za każdym razem pojawiał się w jego gabinecie, jakby znajdowali się w jakimś cholernym cyklu, bo innych krytycznych incydentów w życiu Długosza nie było. W rodzinie wszyscy byli zdrowi, żona go nie zdradzała. Córka rosła i nie sprawiała żadnych kłopotów. W przeciwieństwie do ojca, który co kilka lat miał sprawę karną.

– Znaczy się kobiecość? Wyszedłbym na ulicę powojować, ale jakoś noga mnie boli.

– Szyderstwo jest nie na miejscu. – Teper znów obsztorcował pacjenta. – Już lepiej milcz, skoro sprawia ci to radość. Pamiętaj jednak, że to, na czym skupiasz uwagę, rośnie. To zaś, czym się nie przejmujesz, znika z twojego życia. Ile razy to przerabialiśmy, Erwinie?

Rzut oka na zegar. Jeszcze tylko kwadrans tortur, pocieszał się Długosz.

– Może posłuchamy muzyki?

– Igła się złamała.

– Co za pech. – Erwin naprawdę posmutniał. Miał ochotę na stare szlagiery z adapteru Tepera. Działały na niego kojąco.

– Wiesz, że ojciec tego chłopaka żąda zadośćuczynienia? Miał czelność przyjść do mojej żony i jej grozić. Twierdzi, że współpracowałem z Polheimerem i zbezcześciłem zwłoki, żeby nie można było ustalić przyczyny zgonu. Zastanawiam się, czy iść z tym na komendę. Może facet jest jeszcze w szoku?

Bożydar siedział niewzruszony.

– Ciekawa koncepcja – rzekł po dłuższej chwili. – Przypominam ci, że nie masz wpływu na decyzje innych. Możesz je jedynie zaakceptować. Ewentualnie zrozumieć, choć niekoniecznie. To nie twoje życie.

– Jak mam zaakceptować prosty fakt, że gość chce ode mnie trzystu tysięcy złotych, kiedy ja tonę w długach? Jak mam zrozumieć, że ktoś wycenia życie swojego dziecka i jest gotów odstąpić od procesu, jeśli wcisnę mu w mordę hajs? A jak mu nie zapłacę, będzie mnie stalkował. Znam ten typ. A może powinienem zapytać o radę nogę? Myślisz, że odpowie?

Postukał w ortezę i uśmiechnął się krzywo. Tym razem to Teper spojrzał z utęsknieniem na zegar.

– Zajmujemy się tutaj tym, co chcesz zrobić ze swoim życiem, Erwinie. Kwestie prawne zostawmy prokuratorom.

Głos terapeuty był spokojny, aksamitny, ale właśnie ten dysonans w stosunku do wypowiadanych treści najbardziej Długosza wkurzał. Szczególnie kiedy padło kolejne pytanie:

– Jaki największy brak czujesz w sobie?

– Brak pracy, forsy. Kurwa, jestem nędzarzem, Bożek.

Erwin wiedział, że Bożydar nie znosi, kiedy się tak do niego zwracać, więc robił to w ostateczności. Gdy chciał terapeucie dopiec.

– Gniew. Złość. Frustracja. Kłania się biologia totalna.

– Powiedz mi, to ja jestem wariatem czy ty? – Erwin ukrył twarz w dłoniach. – A może moja zła, niska myśl znów przykleiła się do emocji?

– Odklejmy ją na następnej sesji, bo dziś już nie zdążymy – odparł terapeuta, zachowując całkowity spokój.

– Wolałbym to pierdolić, Bożek. Pierdolę cię, wiesz? I tego gościa, co chce kasy, razem z jego popapranym synkiem oraz zamkowych gliniarzy. A najbardziej tę starą windę. Już się nie wydurniaj i daj mi jakieś prochy, bo nie mogę porządnie zasnąć ani się obudzić i wciąż śni mi się duch tej baby w zamku, a wiesz, że wcale w to nie wierzę. Sam już nie wiem, co widziałem. Ducha czy kobietę w firance na głowie? Przemykała krużgankiem w biały dzień. Może to wtedy mnie przeklęła? Dobre w tym wszystkim, że śni mi się całkiem goła, a widok jest nie-kiepski...

– Myślałeś, czy nie poddać się hipnozie?

– Jeśli sąd się ucieszy, czemu nie? – mruknął zrezygnowany Erwin. – Pod warunkiem że dostanę jakieś piguły. Chciałbym znów porządnie spać. Marzę o tym.

Nagle odkrył, że bawi się doskonale. Czuł się jak Nicholson w *Locie nad kukułczym gniazdem*. Czy ma podnieść kran? Pro-szę, już się robi. A może impreza na kradzionym jachcie? Cze-mu nie? Ale ciebie, chuju, nie zaproszę, gadał do siebie w my-ślach. Do terapeuty powiedział jednak co innego:

– Osobiście uważam, że to kolejna bujda na resorach.

– Duch czy hipnoza?

Erwin wzniósł oczy do góry.

– Jak ustawienia Hellingera? – dociskał Bożydar. – Wiele ci to uświadomiło...

– Czułem się jak w teatrze. Szkoda, że bilety były tak ku-rewsko drogie.

– Dużo klniesz.

– Przynosi mi to ulgę.

– To pozór. Wulgaryzmy są nośnikiem energii najniższej. Nie wzniesiesz się, jeśli sam się obciążasz. Lepiej już odetnij balast.

– A chuj z tym! Jebać to! – rozochocił się Erwin i rozejrzał po gabinecie. – Mogę zapalić czy masz tutaj jakieś czujki? Wy-starczy zakleić gumą do żucia albo naciągnąć prezerwatywę wypełnioną wodą. Próbowałeś?

Bożydar i tym razem zachował spokój.

– Byłeś świadkiem pogodzenia się rodziców. Obserwuj zda-rzenia przychodzące do ciebie przez najbliższe pół roku i niko-mu o tym nie opowiadaj. Pamiętasz, co w trakcie sesji powie-działa ci reprezentantka matki?

– Nie godej nikomu. – Erwin przytoczył znienawidzony cy-tat z dzieciństwa. – Nie tylko ona to powtarzała. Babka, ciotki, a teraz żona.

– Trzymanie rzeczy w sekrecie bywa toksyczne.

– To ci odkrycie! Skąd jesteś? Bo chyba nie stąd, skoro nie znasz mantry małego i dużego Ślązaka. Tyle lat się znamy, Bożek, a wciąż nie wiem, gdzie się rodziłeś. Gorol z Kielc? – zaśmiał się, choć nagły atak na terapeutę wcale nie poprawiał mu nastroju. Przeciwnie.

– Co innego miałem na myśli – wykpił się od odpowiedzi Teper.

Czasami Erwin miał wrażenie, że zna tego luja lepiej niż własną ślubną. Zanim terapeuta ponownie się odezwał, Długosz wiedział już, co powie.

– Nie dziel się słowami, zachowaj całą energię dla siebie. – Recytował początek razem z Bożydarem, ale dalej już mu się nie chciało. – Przekuj ją w siłę, znajdź rozwiązanie. Umrzyj i zmartwychwstań. Wszelkie choroby mają początek w naszej psyche.

Zapadła długa cisza.

– Wiesz co?

Erwin przekrzywił głowę i miał ochotę śmiać się albo rzucać bluzgami, aż opadnie z sił, bo absurdalność tej sytuacji go przerastała, ale wiedział, że na tego sfinksa żaden z jego myków nie działa – Bożydar był zaprawiony w boju przez większych wariatów niż on. Nabrał więc powietrza i oddychał miarowo. A potem przybrał zwyczajny, apatyczny ton, jak na początku spotkania.

– Ten chłopak dzień wcześniej pobił dyrektora. Byłem wtedy na zamku, siedziałem w windzie. Słyszałem awanturę. Nie obchodziło mnie, co wyprawiają urzędnicy, więc się nie mieszałem, ale potem wszyscy nabrali wody w usta. Nie godej nikomu, stara dobra zasada. Stosowałem ją, jak nakazali matka, babka i teraz ty. Nieźle się przydaje, kiedy jesteś winny.

– Nic takiego nie sugerowałem – zaoponował Bożydar, ale Erwin nie słuchał. Mówił dalej:

– A ten młody Sroka już wcześniej pajacował. I tego dnia, kiedy ja starałem się uruchomić windę, on omal nie rozwalił Polheimerowi czaszki. Gdyby na przykład nie walił go potrzaskanym bejsbolem, bo wiesz, kij musiał być używany na innych, dlatego był w takim stanie, to nie ten cały Sroka, ale dyrektor leżałby dziś na cmentarzu. Jak to wyjaśnisz? Biologią totalną? Hipnozą? Może pozytywnym myśleniem? To pierwsza rzecz.

– A druga? – wszedł mu w słowo Bożydar.

Erwin zawahał się, nim odpowiedział.

– Pech chciał, że akurat ja musiałem jechać w tej mgle do zamku.

– Pech? – dopytał terapeuta. – Naprawdę w to wierzysz? Ty, dla którego przypadki, zbiegi okoliczności i przeczucia to zabobony?

– Dlaczego to nie mógł być ktoś inny? Dlaczego na robotę zabrałem córkę? Dlaczego dzieją się takie rzeczy? Dlaczego Sroka nie zabił wtedy Polheimera i dlaczego wreszcie ja musiałem gnać do Mosznej jak dureń? Czy ty wiesz, jak się cieszyłem? Jak dziecko. Pękałem z dumy. Co za idiota!

Bożydar rozpromienił się. Udało mu się sprowokować Długosza i wyciągnąć go z jego fortecy, choć Erwin sobie jeszcze tego nie uświadamiał.

– Czasami test jest konieczny. Nie chciałeś zrobić nic złego.

– Skąd możesz to wiedzieć? – oburzył się pacjent. – Jesteś automatem czy człowiekiem? Bo czasami mam poważne wątpliwości… Zrozum, chłopie, chcę tylko wrócić do pracy. Zapewniam cię, że nigdy więcej nie siądę za kółkiem, a już na pewno nie zbliżę się do żadnego zamku.

– Kiedyś polowałem we mgle.

– I zabiłeś kogoś, mam nadzieję? Bo inaczej ta opowieść nie ma sensu.

– Strzeliłem odyńca.

– Gratulacje.

– Szedł prosto na mnie. Wiedziałem to, choć nic nie widziałem. Bo kiedy jesteś gotów, los daje ci to, czego potrzebujesz. Wcale nie to, czego chcesz.

– Taaa – ziewnął Erwin. I zaraz dodał: – Ale czegoś się nauczyłem.

– Tak?

– Przeczucia istnieją.

– To coś nowego. Mówiłeś wcześniej, że to bzdury dla bab.

– Bo kobiety kierują się czuciem. Może po tym wszystkim i ja zmieniam się w babę? Kiedy pierwszy raz brałem się do tej cholernej windy, widziałem w zamku ducha.

– Wspominałeś. To ta kobieta, która ci się śni?

Erwin potwierdził.

– Wtedy sam sobie nie wierzyłem. Wytłumaczyłem sobie, że to zwid, fatamorgana, byłem zmęczony i tak dalej... A to był duch kobiety. Potem czytałem, że nie tylko mnie się pokazał. Naprawdę wiele osób go widziało. Może ona miała mnie przestrzec? Wierzysz w takie rzeczy? Może dlatego skręciłem nogę po kobiecej stronie – zarechotał. – I teraz żona musi mnie utrzymywać... Dobrze, że córka jakoś to przeżyła. Dzięki Bogu, że w przeciwieństwie do mnie nie miewa koszmarów. Ale ona dużo gra w Phasmophobię. Tam same duchy i demony. Jesteś egzorcystą. Demaskujesz je za pomocą fotografii.

Sięgnął do kieszeni.

– Zrobiłeś zdjęcie swojej zjawie? – zainteresował się Bożydar.

Erwin zawahał się, a potem wykonał nieokreślony gest głową.

– Może zwariowałem, ale zacząłem pisać. – Obudził telefon, znalazł właściwy plik. – Nie wiem, co to będzie, ale zdania pojawiają się same. Chcesz posłuchać?

– Z przyjemnością.

– „Kiedy czujesz nieokreśloną niechęć – zaczął Erwin, modulując głos – odpuść, choćby rozum podpowiadał inaczej, a ludzie wmawiali, że to korzystne. Tym bardziej nie rób, jeśli ktoś mówi: «musisz». Decyzja podjęta pod presją niesie za sobą konieczność wewnętrznych kompromisów, a ponieważ w głębi serca zawsze wiemy, co jest dla nas dobre, trzeba będzie działać wbrew sobie".

– Dobre. To powieść?

– Nie mam pojęcia. Ani żadnego pomysłu, skąd wzięło się to w mojej głowie. – Erwin schował komórkę. – Bo ja w to nie wierzę.

– Sam sobie przeczysz. Przed chwilą dowodziłeś istnienia zamkowego ducha. Może podpowiedział ci to twój wewnętrzny krytyk?

– Chyba właśnie on – rozpromienił się Erwin, gdyż rozległ się brzęczyk oznajmiający koniec dzisiejszych tortur, a obiecał żonie, że przeczyta terapeucie te bzdury przed samym zakończeniem sesji. Nie sądził, że się uda, ale miała rację: Bożydar natychmiast uwierzył w jego zdrowienie! I bynajmniej nie zorientował się, że Erwin przepisał tę drętwą gadkę z broszury o pozytywnym myśleniu, przy której lekturze dawniej najlepiej zasypiał.

Bożydar wstał, założył maskę.

– Odprowadzę cię do wyjścia.

– Po tych wszystkich latach znam drogę na pamięć. – Pacjent machnął ręką. – Nie rób sobie kłopotu.

– Taka jest procedura.

– Wolałbym jakieś prochy na przebudzenie.

– Mówiłeś, że nie śpisz.

– Jest gorzej. Kiedy się kładę, nijak nie mogę zasnąć. Zapadam w rodzaj letargu z duchami, zjawami i zwłokami na jezdni. Walczę z nimi, czasami mnie doganiają i umieram, ale to nie daje ulgi. Sam wtedy jestem duchem... Rozumiesz? Kiedy otwieram oczy, mam wrażenie, że nie spałem wcale. Za to w dzień, kiedy powinienem być skupiony, senny jestem nieustannie. Tylko się położę, duchy wracają. I kółko się zamyka.

– Chroniczne zmęczenie. Astenia. A może już depresja? Jak długo to trwa?

– Od wypadku. Zastanawiałem się, czy nie przejść w tryb nietoperza. No wiesz, odwrócić cykl: żyć w nocy, spać w dzień. Próbowałem, ale nie działa. Więc generalnie nie śpię wcale. Oszukuję żonę, dziecko. Kładę się i rozmyślam. Głowa mi pęka, serce wali jak oszalałe. Mój rekord niespania to czterdzieści dziewięć godzin. Pobijesz mnie?

– To strach, Erwin. Zastanów się, od czego uciekasz.

– Na razie przed więzieniem, o czym dobrze wiesz. W normalnych czasach po prostu dostałbym grzywnę i wyrok w zawieszeniu, chociaż jeśli szczerze, tym razem chętnie poszedłbym siedzieć.

Obaj wiedzieli, że Erwin przeholował.

– Sesja się skończyła – oświadczył terapeuta. – Zaczniemy od tego za tydzień. Wina. To cię zjada.

Gówno prawda, pomyślał Erwin i podążając za Teperem, zadecydował, że czas skombinować jakieś prochy z czarnego rynku.

Oprócz małżonki czekającej przy wejściu zobaczył atrakcyjną, choć chyba starszą od nich kobietę. Jak wszyscy była zamaskowana, lecz odniósł wrażenie, że gdzieś już ją widział. Włosy ułożone żelazkiem, na szyi sznur korali. W dłoniach mięła wełniany kapelusz z kwiatową instalacją, wyglądający raczej na rekwizyt ze spektaklu niż współczesne nakrycie głowy. Cała była wyjęta z *Nocy i dni*.

– Pani Karlikowa poprosiła mnie o spotkanie z tobą – wyjaśniła żona Erwina, a kobieta uchyliła na chwilę maskę.

Teraz Długosz ją poznał. Miała na imię Margot i była kaowcem w zamku. Organizowała koncerty oraz rozliczne spotkania z publicznością. Ilekroć tam bywał, zawsze ją zauważał, bo nawet do opery nikt nie ubierał się teraz tak jak ona. Dziś jej zwykle perfekcyjny strój pozostawiał wiele do życzenia. Spod płaszcza w kolorze zgniecionego kapelusza wystawała piżama w pingwiny.

– Dosłownie kilka minut – odezwała się Margot dźwięcznym głosem, który w innych okolicznościach Erwin uznałby za egzaltowany. – Tyle panu zajmę.

– Słucham – odparł sucho, by ją zniechęcić, i nie wiedzieć czemu pomyślał o zamkowym duchu.

Czy przypadkiem córka nie miała racji, że ktoś się za niego przebiera? Ta babka dobrze grałaby tę rolę. Przymknął na chwilę oczy, by przywołać wspomnienie, ale głos Karlikowej skutecznie go zdekoncentrował.

– Jest pan pewien, że Artur już nie żył, kiedy pan na niego wjechał?

Erwin zbierał siły, by nie wybuchnąć, ale na odsiecz przyszła mu żona. Chwyciła go za ramię i mocno ścisnęła.

– Nie jestem patologiem – rzekł. – Naprawiam tylko przeklęte windy.

– Pan się nie denerwuje.

Kobieta chwyciła go za rękę, lecz zaraz puściła. Obejrzała się na wpatrujących się w nich terapeutę, recepcjonistkę i ludzi siedzących w poczekalni.

– Jednoczę się z panem w bólu, gdyż zdaję sobie sprawę, że przepełnia pana poczucie winy... Wierzę, że jest pan człowiekiem uczciwym, który miał pecha. Po prostu mam pewną teorię, a bez odpowiedzi na to pytanie nie mogę jej udowodnić. Musiałam je zadać. Proszę mnie zrozumieć. Przepraszam.

– To pytanie nie do mnie, lecz do prokuratora.

Erwin dał znak eskortującemu go funkcjonariuszowi, który wstał z krzesełka i szedł już do nich. Ale Karlikowa nie zamierzała się tak łatwo poddać.

– Podejrzewam, że dyrektor Polheimer mógł niegodnie zachować się wobec mojej córki. Trudka była dziewczyną Artura, tego chłopca, którego pan przejechał. Klemens zaś...

– Wiem, jak miał na imię ten człowiek. Nie musi pani powtarzać! Czego właściwie pani ode mnie chce?

– Będzie pan miał konfrontację z dyrektorem Polheimerem. Niech pan go spyta, co łączyło go z moją córką!

Rozpłakała się i Długoszowi nagle zrobiło się jej żal.

– Dopiero za tydzień Gertruda skończy szesnaście lat. Artur bronił jej cnoty! Tak mogło być. Może dlatego chłopiec pobił Klemensa? Jeśli to prawda, młody Sroka zachował się po rycersku!

– Cnoty? – powtórzył jak echo Erwin. Współczucie dla organizatorki spektakli z Mosznej minęło jak ręką odjął. – Czy pani opuszcza mury tego zamku? Wie pani, że mamy dwudziesty pierwszy wiek?

– Niech pan obieca!

Kobieta tak uczepiła się jego rękawa, że Erwin bał się, że go urwie.

– Niech pan go zapyta! – błagała.

Erwin spojrzał z wyrzutem na żonę, lecz dziękował Bogu, że nie nosi kapelusza z kwiatami i mówi normalnym głosem.

– Muszę już iść. – Z trudem wyszarpał się z objęć Karlikowej. – Nie wolno mi rozmawiać o sprawie z nikim.

Kapelusz upadł na ziemię i potoczył się pod ścianę, ale elegantka nie zwróciła na to uwagi. Powtarzała, łkając:

– To dla mnie jedyny sposób, by ujawnić prawdę. Proszę mi tego nie odmawiać. Pan też ma córkę!

– Mam areszt domowy, to pani zapewne wie. Dlaczego? Jakim prawem? Wolałbym być zatrzymany i odbyć proces jak najszybciej. Nie wiem, co ze mną będzie. Jak zadbam o rodzinę, jeśli uznają, że zrobiłem to z wyrachowania? Wie pani, dlaczego mnie trzymają? Ja też nie. Chce pani znać moją opinię? To śledztwo jest preparowane. Przeciwko komu i na czyje zlecenie, chuj mnie to obchodzi. Nie widziałem pani dziecka, nie wiem nawet, jak wygląda. A dyrektora spotkałem tylko raz. Podpisał zlecenie na wykonanie usługi i nawet na mnie nie spojrzał. Jestem w tej sprawie osobą całkowicie przypadkową!

– Klemens zrobił to z zemsty – szepnęła złowieszczo kobieta. – A pana wezwano tak wcześnie, bo ktoś musiał zmiażdżyć ciało. On to zaplanował! To zacieranie śladów. Użył pana jak narzędzia. Chce się pan godzić na takie traktowanie?

Ostatnie słowa powiedziała dość głośno, ale Erwin już uciekał. Biegł, ile sił w nogach, i nie oglądał się za siebie. Eskortujący go funkcjonariusz ledwie za nim nadążał.

– Ja chcę panu pomóc!

Erwin zatrzymał się na końcu korytarza. Kobieta wykorzystała ten moment i znów go dopadła.

– Jak się pani nazywa? – stanął w obronie Długosza policjant.

Wyjął notes i postukał w nim długopisem.

– Margot Karlikowa – odparła z godnością kobieta. – A moja córka Gertruda, ale wszyscy mówią na nią Trudka.

Zniżyła głos i zwróciła się do Erwina.

– Wiem, że pan widział Trudkę w zamku. Nie trzeba kłamać.

Była zadziwiająco spokojna. Po chwilowym wybuchu nie było już śladu.

– Niech panowie nie mówią nikomu, że tutaj byłam.

Erwin nie odpowiedział. Spojrzał kolejno na świadków tej dziwnej rozmowy i zdało mu się zabawne, że w ciągu godziny słyszy klątwę swojego dzieciństwa już trzeci raz.

– Jo nie byda godoł, bo to nie moja sprawa. A za nich nie ręczę.

– Wskazał oczekujących pacjentów, którzy wgapiali się w niego, jakby byli na darmowym spektaklu. – Trzeba było się wpierw zastanowić, nim wykrzyczała pani swoją tajemnicę postronnym. Są lepsze sposoby na utrzymanie sekretów niż awantury.

– Milczenie nie zawsze popłaca – odcięła się. – Czasami jest największym złem, jakie robi sobie człowiek. A to, co powiedziałam, jest prawdą, nie sekretem.

Erwin żachnął się.

– Życzę powodzenia w dochodzeniu do prawdy. I hartu ducha, bo donoszenie na zwierzchnika to podcinanie gałęzi, na której się siedzi. Na miejscu dyrektora Polheimera zwolniłbym panią natychmiast oraz dorzucił jeszcze wilczy bilet.

– Klemens nie jest już szefem tej placówki – odparła zimno.

– I nigdy więcej nie będzie, choć Bóg mi świadkiem, że wolałabym, by było inaczej.

Po czym chwyciła spod ściany swój kapelusz, wyprostowała go i włożyła na głowę, jakby zakładała koronę.

– A gdyby się pan namyślił, będę zobowiązana. Chcę tylko, żeby Albert Dudek usłyszał to pytanie z ust innych niż moje. Chwyci trop. Wiem, że tak zrobi. To dobry policjant. I rozwiąże tę sprawę.

***

Bożena dała znak Hubertowi, by zaczekał w śluzie, i zastukała w okrągłą szybkę. Zobaczył w niej człowieka w kitlu, którego twarz przysłaniała mleczna przyłbica. Meyer zastanawiał się, co doktor widzi przez to zamglone pleksi.

– Przepraszam za spóźnienie, Kaziku.

– Nic nie szkodzi, pani Bednarkowa. My tutaj mamy więcej czasu niż wy po swojej stronie – odparł mężczyzna, jakby sam był już duchem. – Ale gotowi jesteśmy nieustannie. Czas to problem żywych.

– To człowiek, o którym opowiadałam. – Gospodyni wskazała Meyera. – Niech pan nie wspomina o naszej wizycie nikomu.

– Szanuję swoje stanowisko, szefowo. Nie w smak byłoby mi je stracić. A zresztą, z kim miałbym rozmawiać? Moją świątynią jest cisza.

– To dobrze, że się rozumiemy.

Ruszyli za mężczyzną w kierunku ściany przypominającej damską garderobę: ściany przesuwne z tafli luster, w głębi wnęki z wieszakami. Wisiały tam tylko fartuchy z grubej gumy. Mężczyzna wysunął jedną z szuflad, a ich oczom ukazały się męskie stopy wystające spod białego prześcieradła.

– Przepraszam cię, chłopcze. – Mężczyzna zwany Kazikiem zwrócił się do zwłok jak do żywego. – To już nie potrwa długo. Obiecałeś mi, że wytrzymasz. Masz gościa.

Bożena obrzuciła Huberta napastliwym spojrzeniem, jakby bała się, że po wystąpieniu Kazika stchórzy i ucieknie. On jednak chwycił róg prześcieradła i odsłonił ciało. Przyjrzał się twarzy martwego i przekonał się, że to ta sama osoba, którą Bożena pokazywała mu na zdjęciu, a której wizerunek widział dziś w gazecie. Miał przed sobą Kostka Bednarka.

– Też rozmawiam ze zmarłymi – wyjaśnił, z trudem panując nad drżeniem głosu.

Kazik przyjął tę informację równie obojętnie jak dane pogodynki i oddalił się, by odwiesić płachtę na pobliski hak.

– Kto ci to zrobił? – Hubert pochylił się nad białą twarzą trupa i szeptał: – Dlaczego odszedłeś? Jaką tajemnicę skrywasz?

Aż podskoczył, kiedy Bożena się wydarła. Odwrócił się. Szedł ku nim Kazik z piłą do cięcia czaszki i zestawem narzędzi.

– Spokojnie, pani Bednarkowa. – Pracownik uspokoił chlebodawczynię. – Łyżka do gałek ocznych mi upadła. Zaraz pójdę po następną, bo wciąż nie mam tutaj zlewu.

– Przyniosę ci – zaoferowała się Bożena.

– Nie. – Gestem powstrzymał ją profiler. – Nie będziecie go kroili na moich oczach.

Bożena wymieniła spojrzenia z Kazikiem, który nie ukrywał gorzkiego zawodu.

– Takie dostałem polecenie – oświadczył z nadzieją. – Coś się zmieniło?

Hubert wyprostował się.

– Kim pan jest, jeśli wolno spytać?

– A pan? – rezolutnie odparował Kazik.

– Emerytem. Pracowałem w służbach mundurowych – zaczął Hubert, ale Kazik mu przerwał.

– Żartowałem. Wiem, kim pan jest. Wierzy pan w ślady ludzkiego zachowania i eksploruje umysły sprawców. Słusznie, bo jak łapać socjopatów, skoro nie wiadomo, jak oni myślą i co czują.

– Większość z nich ma z tym problem.

– To nie do końca prawda. Jestem kimś takim jak pana klienci – odrzekł z dumą Kazik.

Hubert odruchowo podniósł lewą brew.

– Spokojnie, jeszcze nikogo nie zabiłem – zaśmiał się Kazik, jakby udało mu się opowiedzieć przedni dowcip. – Trzy lata medycyny, a potem mnie wylali. Piłem, ćpałem i waliłem po mordzie, kogo się dało. Pan Bednarek, mąż tej kobiety – wskazał Bożenę – zaciągnął mnie siłą na detoks, a potem dał pracę. Musiałem swoje odsiedzieć, ale jak wróciłem, miejsce na mnie czekało. Pamięta pani, jak to było? Robię już u was dwudziesty drugi rok. Z małymi przerwami na kicie.

Hubert poczuł, że włoski na karku lekko stają mu dęba.

– Bardzo dobrze pamiętam, Kaziku – skwapliwie przytaknęła Bożena.

– No i na incydent z armią.

Bożena odchrząknęła.

– Kazik jest ideowcem. Zgłosił się sam na misję i pojechał do Afganistanu. Nawet nas nie uprzedził.

– Jest pan wojskowym? – zainteresował się Hubert. Wzmógł czujność.

– Służyłem jako sanitariusz, jako wolontariusz.

Meyer zastanawiał się, ile potrwa ten wstęp, bo walczył ze znużeniem i chęcią ucieczki jednocześnie, choć do dzisiejszego dnia nie sądził, że te dwa odczucia mogą iść w parze.

– Wolałbym jak najszybciej przejść do meritum – rzekł, a słowa te Kazika wielce ucieszyły.

– Nie będę panu opowiadał, co przeżyłem. – Przerwał, zawahał się i jednym ruchem ściągnął przyłbicę.

Hubert wolałby zostać ostrzeżony. Lewa część twarzy mężczyzny była zniekształcona. Oko miało kolor brudnej wody. Drugie było czujne, taksujące, niczym u drapieżnika. Kazik napawał się grymasem lęku i obrzydzenia, jaki odruchowo wykwitł na twarzy profilera, i Meyer już wiedział, że temu wybitnie inteligentnemu człowiekowi nic nie umyka.

– Jeden Arab przyłożył mi spluwę do głowy. – Kazik skorzystał z chwili stuprocentowej uwagi obecnych. Pławił się w niej, rozkoszował tą chwilą. – Bóg chciał, że zamek się zaciął i broń wybuchła mu w dłoni. Zginął na miejscu. Ja miałem tylko poparzenie czwartego stopnia. Wtedy pan Bednarek znów mnie uratował. Opłacił kursy korespondencyjne i zatrudnił. Na co dzień zajmuję się tanatokosmetyką. Praktycznie stąd nie wychodzę. Śpię tam, na materacu.

Pokazał zamknięte drzwi.

– Dzięki temu nie tracę czasu na zbędne czynności, jak choćby stanie w korkach. Nie chwaląc się, w toalecie pośmiertnej jestem najlepszy w tym kraju. Tylko Dzitek z Görlitz ma większy staż ode mnie. Czasem przyjeżdża, wymieniamy się nowinkami. Pani Bednarkowa daje mi wtedy wolne.

– Fascynujące – przerwał mu Meyer. – I współczuję. Naprawdę.

– Nie ma czego. – Kazik uśmiechnął się i dodał, wyraźnie się chełpiąc: – Tak jak już mówiłem, jestem zdiagnozowanym socjopatą. Nie umiem żyć wśród ludzi. Nudzą mnie. Nie to, co zmarli. Czasami przywożą N.N., bo na rzecz miasta Bednarkowie świadczą też usługi charytatywne...

– Tego nie musisz opowiadać, Kaziku – zaoponowała Bożena.

– No dobra – zgodził się niechętnie. – Choć to najciekawsza część mojej pracy...

– Kazik jest zawodowcem, choć bez papierów – wtrąciła zupełnie niepotrzebnie Bożena. – Nie możemy oficjalnie skorzystać z jego opinii.

– Fachurą praktykiem – sprostował Kazik. – A papier mi niepotrzebny. Jezus też nie miał kwita, że niezły z niego cieśla, nie? Sporo ćwiczę, wie pan? Tylko wtedy można być naprawdę dobrym.

– W czym dokładnie? – zainteresował się Meyer, lecz nikt nie był łaskaw go oświecić.

Nie dopytywał się więcej, bo gdyby przyznali, że tną ludzi powierzonych im do pochówku, by Kazik mógł się szkolić, Hubert musiałby zawiadomić władze. Wolał tego uniknąć. Już i tak mieszał się w nie swoje śledztwo.

Ustawili się nad ciałem.

– Sekcja była wykonana na odwal się – zaczął Kazik autorytarnym tonem, jakby składał raport zwierzchnikowi. Wręczył Meyerowi zdjęcia i odpis ekspertyzy biegłych. Był to ten sam plik, który Hubert czytał wcześniej.

– Brak udziału osób trzecich, ple, ple, ple. Pokroili chłopca byle jak. Szwy krzywe. Jak ja mam to teraz zamaskować? – poskarżył się i pokazał mankamenty na klatce piersiowej oraz głowie.

– To nasz najmniejszy problem, Kaziku – niecierpliwiła się Bożena. – Mów, co znalazłeś.

– Nie przechodzimy po kolei? – zezłościł się.

Był jak dziecko, któremu najpierw odebrano przyjemność pobawienia się piłą, a teraz bez uprzedzenia zmienia mu się harmonogram. Meyer uśmiechnął się. Na miejscu Bożeny nie drażniłby akurat tego pracownika. Może nie pójść tak łatwo jak z Dagmarą.

– On naprawdę lubił Kostka – usprawiedliwiła Kazika Bożena. – Często rozmawiali.

– Nic pani nie rozumie – przerwał jej bezceremonialnie. – To tylko trudna zagadka. I niech pani nie bierze tego do siebie. Lata temu położyłem życie na waszej szali. Póki wy chcecie dla mnie dobrze, ja robię dobrze wam.

Bożena założyła ręce na ramiona. Meyer widział, że walczy ze sobą, by nie opieprzyć Kazika, ale tanatopraktyk nie zwracał na jej miny uwagi.

– Chłopak był bystry – perorował. – Było z kim pogadać. Nie nudził mnie wcale, jak na przykład pani.

Hubert lekko się wycofał i przyjrzał tej dziwacznej parze. Pasja Kazika była szczera. Wiedział, że jest wybrakowany, lecz znalazł sposób, by być potrzebny. Mógłby czynić zło, lecz zamiast tego spełniał się w swoim fachu. Frustrację gasił na czas i zgadzał się z tym, jak życie go ukształtowało. Do tej pory Hubert nie spotkał wielu socjopatów, którzy mieliby tak wysoką świadomość deficytów swojego mózgu. A może to tylko gra, rodzaj manipulacji? Nie mógł tego wykluczyć. Wolał jednak wierzyć, że skoro facet wybrał sobie Bednarków na ludzi, których dopuszcza do swojego świata, stara się okazywać swoje oddanie najlepiej, jak potrafi. Jego postawa zafrapowała Meyera. Co innego Bednarkowie. Czy zdają sobie sprawę, że w obejściu trzymają drapieżnika? Wątpił.

To Bożena przerażała Huberta bardziej. Nie płakała, nie drżała. Jakby na stole leżał nie jej syn, lecz anonimowy klient. Zastanawiało go to. Zwłaszcza w kontekście słów zwolnionej już recepcjonistki.

– Mogę zostać z Kostkiem sam na sam? – spytał, a widząc miny obojga, dodał: – Jeśli znajdę coś, czego tutaj nie ma, konfrontację mamy z głowy. A poza tym czuję, że pan Kazik rzuca mi wyzwanie.

– Podobasz mi się, Meyer – rzekł z uznaniem tanatopraktyk. – Zróbmy tak.

– Nie ma mowy – zaoponowała Bożena. – Mów, co znalazłeś, bo na jutro trzeba przygotować tych od paproci. Obiecałam im full service. Będzie premia.

– Zrobi się, szefowo.

– Pokaż mu tę dziurkę.

Kazik założył przyłbicę i Meyer zauważył, że ma pod nią wmontowane specjalne szkła.

– Tylko martwi nie śpieszą się nigdzie – westchnął ciężko.

– Patrz pan i zastanów się dwa razy, zanim powiesz, że tu nic nie ma.

Hubert musiał się pochylić, by cokolwiek dostrzec.

– Ślad po szczepionce. Dziwnie zabliźniony.

– Przepraszam cię, chłopcze, ale to dla twojego dobra – rzekł czule do zmarłego Kazik. Włączył lampę i skierował snop światła na ramię Kostka.

– Teraz pan widzisz?

I Hubert zobaczył. Ślad był ledwie widoczny. Gdyby nie sina obwódka, można go było przeoczyć.

– Jakby kółko.

– Mówiłam ci – podniecała się Bożena. – Zapewniam cię, że ta ranka nie powstała u nas.

Hubert nawet na nią nie spojrzał.

– Gdyby zadano ją pośmiertnie, obwódki by nie było.

– Zuch chłopak z naszego psychologa – cieszył się Kazik. – Sporo umarłych musiał już widzieć.

Zamknął dokumenty.

– Sam byś tego nie znalazł, co?

– Tak sądzę – przyznał Meyer. I dodał: – Dziwne, że patolog pominął ten ślad w opinii...

– Przeoczyć nie mógł. A co wpisał i dlaczego, nie moja rzecz – oświadczył Kazik. – Ja tylko to znalazłem.

– Nie jest łatwo sfałszować ekspertyzę. Czyta ją wiele osób. To duże ryzyko. Kto robił opinię?

– Sam szef – odparła Bożena. – Wcale mi nie wierzyłeś, przyznaj.

Hubert myślami był gdzieś indziej.

– Co to może być?

Pochylił się znów nad ciałem.

– Kiedy ci to zrobił? Dlaczego? Kto?

– Przede wszystkim kto – weszła mu w słowo Bożena i wszystkie refleksje uleciały.

Hubert wyprostował się. Spojrzał na Kazika z uznaniem.

– Następnym razem przyjdę z kimś z papierami. Może autorem ekspertyzy... Bądź gotowy do konfrontacji. Rozumiesz?

– A przychodź. Ale pamiętaj, że to ja pierwszy wykryłem znamię.

– Znamię? – zapowietrzyła się Bożena.

Kazik rozłożył ręce.

– Mógł coś brać ten twój synek, pani Bednarkowa. Dziurka nie była używana tylko jeden raz. Może i nieprzypadkowo te węże spłonęły.

– Nie wszystkie – zaprotestowała Bożena. – I nie fanzol mi tu głupot, Kaziku, bo kto się kłuje w tym miejscu? Pomijam już to, że niewygodnie... Latem, w podkoszulku, ślad zwracałby uwagę.

– A czy ja mówię o igle? – zaśmiał się nerwowo Kazik.

– Więc o czym?

– Nie rozumiem się na gadach, pani Bednarkowa, ale w mojej opinii to mógł być wypadek przy pracy. Albo i zabójstwo. Kto wie?

– Rozwiążesz to? – Bożena spojrzała na Huberta.

– Jak najszybciej chcę mówić z Sabiną – rzekł. – I wejść do tego domu, gdzie Kostek zmarł.

Kazik zasłonił już ciało i wsuwał je do szuflady.

– Śpij, chłopcze. Jesteś w dobrych rękach. Czuję, że niedługo będziemy cię już gościli.

Odszedł w głąb hali, nie siląc się na pożegnania. Mamrotał pod nosem, że tyle roboty, a płaca marna i zawsze na wczoraj.

– Przecież ci, którzy umarli, chcą być wysłuchani. A żywych ciągle gdzieś gna, jakby byli nieśmiertelni. Zapominają, że wkrótce i oni będą w tym samym miejscu. I to jest bez sensu.

– Nie zwracaj uwagi. – Bożena zniżyła głos do szeptu. – Jest przeszczęśliwy.

Hubertowi cisnęły się na usta pytania o treningi Kazika na N.N., jedyną spalarnię molekularną w kraju i wolontariat dla miasta, o których tak bardzo Bożena nie chciała rozmawiać, ale żadnego nie zadał. Podziękował za karteczkę z zanotowanym adresem szpitala, którą mu podała.

– Nie wpuszczą cię, bo poza swoim adiutantem Neliszer nikogo nie przyjmuje. Przegoniła nawet nową szefową instytutu. I ponoć odmówiła przekazania kluczy. Musieli zmienić zamki w jej gabinecie.

– Nie zaszkodzi spróbować.

– Mogę pójść z tobą?

– To zły pomysł.

– Szkoda... Chciałam jej spojrzeć w twarz.

– I przestań ją nękać artykułami.

– Przecież ja ich nie piszę! – oburzyła się. – Dziennikarze sami szukają.

– Masz na to wpływ. Nie kłam.

– Sądzisz, że gdybym miała na cokolwiek wpływ, moje dziecko leżałoby w lodówce zamiast na cmentarzu?

– Gdybyś nie miała, Kostek byłby już pochowany. Jesteś silna jak skała.

– Myślisz, że mi z tym dobrze? Ledwie się trzymam. A ty jesteś ostatnią osobą, przed którą chciałabym okazać słabość.

– Okazywanie słabości to oznaka człowieczeństwa.

– Wolałbyś, żebym leżała w depresji i nie mogła się ruszyć! Tak twoim zdaniem powinna cierpieć kobieta? – Parsknęła. – Przeszłam przez taki etap, ale nie mam już na to czasu. Muszę doprowadzić do ujawnienia sprawy!

Patrzył na nią tak zapienioną w złości i wiedział, że jest w tej rozpaczy sama. Podszedł, otoczył ją ramionami, przytulił. Pozostała sztywna. Nie rozkleiła się. Jednak kiedy tylko delikatnie pogładził ją po włosach, zaraz pękła i przywarła do niego całym ciałem. Płakała.

– Pomożesz nam, prawda? Mogę na ciebie liczyć?

– Dopóki nie będę miał kompletu danych, nic nie publikujesz – zażądał. – Nie dajesz cynku reporterom ani znajomym. Milczysz o naszym układzie przed mężem, a zwłaszcza przed córką. Żebym mógł pracować, potrzebuję warunków. Wiem, że nienawidzisz Sabiny, ale nie dolewaj oliwy do ognia. To, co robimy, jest na granicy prawa. Zgadzasz się?

Zadarła głowę, spojrzała mu w oczy. Przypominała teraz siebie sprzed lat: żarłoczną, zadziorną i pieruńsko ambitną. Uśmiechnął się rozbawiony.

– Tak naprawdę nic się nie zmieniłaś, dziołszka. Nic a nic.

Zrobił jej tym wyznaniem przyjemność i wiedział o tym. Tak samo jak ona wiedziała, że to nie był czczy komplement. Potrafiła go docenić.

– Jeśli nie uszanujesz tego warunku, koniec z nami – podkreślił.

– Już to kiedyś słyszałam. – Przełknęła głośno ślinę. Odsunęła się od niego, jakby bała się, że ktoś wejdzie i zobaczy ich razem. – Dokładnie to samo ultimatum.

– Dotrzymałem słowa.

Pochyliła głowę.

– Ja też.

Zastanawiała się chwilę, a wreszcie wyciągnęła rękę. Hubert uścisnął ją.

– Jeszcze jedno. Skoro i tak Kostek jest u was, nie będzie problemu z pobraniem próbki?

– Myślisz, że to wymyśliłam? To twój syn. Wiesz o tym.

– Nieważne, co wyjdzie, i tak przyjrzę się tej śmierci. Ale jeśli możesz to dla mnie zrobić, zgódź się. Chcę mieć pewność. To tylko eliminowanie lęków. Mam ich w nadmiarze. Prawie nie śpię, uwierz.

– Kiedyś zrobiłabym dla ciebie wszystko. – Zawahała się. – Ale dziś? Jestem częścią familii. Co z mężem, teściami, kuzynami, córką?

– Nikt się nie dowie. To sprawa między nami.

– To też kiedyś już słyszałam. – Westchnęła zrezygnowana.

– Czy nie dotrzymałem słowa?

– Niestety dotrzymałeś. Chociaż wolałabym, żebyś je złamał, skurwielu.

W tym momencie w jej orzechowych tęczówkach jak w zwierciadle odbiły się całe doświadczenie życiowe, siła jej charakteru i piękno duszy, ale też żal. Hubert pojął, jak bardzo się mylił, mówiąc, że Bożena się nie zmieniła. Jednak ona też popełniła błąd, pozwalając sobie przejrzeć się w jego oczach, co pojęła za późno. Próbowała się ratować: mrugała, odwracała głowę. Wszystko na nic. Meyer już wiedział, czego Bożena pragnie. I nie była to prawda, jak zapewniała, lecz zemsta.

***

Człowiek nie chce widzieć tego, co ma przed oczyma, dopóki to coś go nie roztrzaska. Margot Karlikowa wyszła ze śląskiej Poradni Zdrowia Psychicznego jak niepyszna. Spotkanie z inżynierem Długoszem wyobrażała sobie inaczej. Wydał się jej człowiekiem stojącym na skraju przepaści, a za każdym razem, kiedy bywał w zamku, by naprawić windę, widziała w nim silnego i opanowanego mężczyznę skałę. Takiego, o jakim marzyła całe życie. Jakże się rozczarowała!

Wsiadła do białego smarta pożyczonego jej przez żonę Klemensa, która, o ironio, namówiła Margot na rozmowę z Długoszem. Karlikowa do ostatniej chwili zwlekała i zdecydowała się, dopiero kiedy Sylwia zdradziła jej w sekrecie przyczynę donosu na własnego męża. O tym, co Margot usłyszała, nie była w stanie myśleć bez nerwów. Drżącą ręką otworzyła drzwi autka i ruszyła, nie patrząc w lusterka, z takim impetem, że omal nie rozbiła zabawki żony Polheimera. Szczęście, że kierowca SUV-a wykazał się czujnością. Pogroził jej pięścią i rzucił kilka niewybrednych słów o damulkach w kapeluszach siedzących za kierownicą bździn na kółkach, po czym zachował bezpieczny dystans w postaci dwóch buforowych pasów ruchu. Ale Margot była wciąż tak pogrążona w myślach, że nawet nie zwróciła na to uwagi. W kwadrans była na wylotowej z Katowic, a półtorej godziny później znów na zamkowym parkingu.

Gdy mijała oznakowane taśmami policyjnymi miejsce tragedii, zwolniła do pięciu na godzinę. Zaparkowała, zajmując dokładnie trzy miejsca, i wcale nie zamierzała się przestawiać, gdyż Dudek zabronił wjazdu postronnym. Dlatego bardzo się zdziwiła, gdy zobaczyła Grzesia Brachaczka w pełnym umundurowaniu i z lizakiem w dłoni. Wcześniej widywała policjanta tylko na spotkaniach amatorskiego klubu teatralnego, do którego należał razem z narzeczoną. Młody mężczyzna skinął jej uprzejmie na powitanie, ale z oczu wyczytała poczucie wyższości, której nie miał, kiedy wychodził na scenę. Ten mundur przydaje chłopcu odwagi, odgadła i przestraszyła się, że zaraz ją wylegitymuje, a dokumentów Sylwii nie miała. Ale młody policjant zaoferował tylko, że przeparkuje wóz dyrektorowej.

– Zna pani najnowszą plotkę? – mruknął, kiedy oddawał jej kluczyki.

– Jeszcze nowszą niż przedłużenie aresztu dla Klemensa?

– Przysyłają do nas profilera.

– Kogo?

– Faceta, który łapie seryjnych morderców. Nie oglądała pani *Mindhunter*? Polski Holden Ford, a raczej John Douglas, bo tak naprawdę nazywał się ten psycholog behawioralny, którego życie zekranizowano. Zresztą ta babka z *Milczenia owiec* też była wzorowana na nim. O Hannibalu Lecterze musiała pani słyszeć.

– Nie mam zdrowia do kryminałów, Grzesiu. Doświadczyłam wystarczająco przemocy w swoim życiu.

Spojrzał na nią dziwnie.

– Pani?

Poprawiła kwiatek przy kapeluszu.

– Miałam męża sadystę.

– Aha – zdołał wydusić Grześ. – Nie wiedziałem.

– To już przeszłość. Żadnej tajemnicy ci nie zdradzam. Każdy w zamku wie, dlaczego przyjechałam tu z Trudką. – Machnęła lekceważąco ręką. – A po co przysyłają psychologa?

Policjant nie od razu odpowiedział.

– Nie wiadomo, ale szef strasznie się wkurzył. Ten profiler jedzie z Katowic, a to nie nasz rejon.

– Wychodzi na to, że sprawa jest krajowa.

– Jasne! Tylko dlaczego? Albert zapowiedział ekipie, że przeczołga gościa tak, że sam zrezygnuje. Jeden fałszywy ruch, a wywali tego Meyera na zbity pysk.

114

– Co on ma badać? – Margot zmarszczyła brwi. – Sprawa praktycznie zamknięta. Pogrzeb Artura był w niedzielę. I to nie u nas.

Grześ obejrzał się na wejście do hotelu zamkowego, jakby się kogoś spodziewał. Ponieważ było pusto, pochylił się do aktywistki kulturalnej i wyszeptał:

– Pan Klemens się nie przyznaje. A narzędzia jak dotąd nie znaleziono. Może to zbrodnia w interwale? Dzieło dewianta... Pani nie ogląda kryminałów, ale psycholog rzadko konsultuje sprawy rzędu konfliktów domowych. Jeśli wystarczy dojście operacyjne, nikt nie robi profilu.

– Profilu?

– To lista cech nieznanego sprawcy. Żeby zawęzić grono podejrzanych. Skoro go przysyłają, szukają podobieństw w modus operandi. Karty wizytowej mordercy albo innej mapy mentalnej.

– Czego? – Margot była oszołomiona. – Nie wiem, Grzesiu, co chcesz mi powiedzieć. Przecież w zamku na stałe jest zameldowanych ledwie pięć osób. Z pracownikami raptem będzie dwudziestu podejrzanych. Ty też do nich należysz, bo regularnie przychodziłeś do kółka teatralnego z Julką.

– Rozumie pani bardzo dobrze – powtórzył Grześ stanowczo, jakby przejrzał zabójcę Artura Sroki na wskroś. – A jeśli nie, to wkrótce pani pojmie.

Margot zasłoniła usta, by nie krzyknąć z przestrachu.

– Myślisz, że Klemens zabił więcej osób? To on jest tym seryjnym?

– Ciszej – obsztorcował ją młody policjant i odprowadził na bok. – Jeśli tak jest, jak podejrzewam, to ten Meyer zostanie. Albertowi nie uda się go przegonić. A psycholog weźmie nas wszystkich na spytki i odkryje każdą tajemnicę. On ma swoje sposoby. Zobaczy pani.

Brachaczek się wyprostował. Margot patrzyła na niego z podziwem. Dlaczego dotąd nie wpadła na to, by na amatorskiej scenie wystawić kryminał? To wymarzona rola dla Grzesia! Była pewna, że zagra ją wystrzałowo.

– Gdyby pojawiły się nowe okoliczności, coś pani by zobaczyła... – Zawahał się, by odchrząknąć.

Margot zaś pomyślała, że tak właśnie zachowuje się Albert Dudek, kiedy ma do zakomunikowania złą wiadomość. Czyżby Albert był idolem Grzesia?

– Gdyby pani coś widziała, znalazła, coś przyszłoby pani do głowy... Wie pani, gdzie mnie szukać. Walczę o awans.

Margot wahała się, czy nie powiedzieć o tym, co usłyszała od Sylwii, ale uznała, że na ujawnienie tej tajemnicy jest jeszcze za wcześnie. Najpierw powinna porozmawiać z córką. Ustalić stan faktyczny. Czy nie tak w kółko mówią w kryminałach?

– Znam twój numer, Grzesiu.

Uśmiechnęła się i zamrugała rzęsami, jakby wciąż miała szesnaście lat, a przystojny policjant parł do niej w zaloty. I dopiero gdy stała już pod swoimi drzwiami, szukając klucza, zorientowała się, że nie podziękowała młodzieńcowi za zaparkowanie smarta.

***

– Jesteś głodna, kotku? – krzyknęła, widząc światło pod drzwiami córki.

Trudka od lat uczyła się w trybie domowym i okazała się uczennicą wielce zorganizowaną. Matka nie musiała jej gonić do zajęć. Trudka działała we własnym rytmie i każdego roku przynosiła do domu świadectwo z czerwonym paskiem. Wyjątkiem była ta klasa, którą dziewczyna prawdopodobnie będzie musiała powtórzyć z powodu braku zaliczeń, ale Margot sądziła, że ten trudny czas mają już za sobą. Ponieważ jednak z pokoju Trudki nie dobiegał żaden dźwięk, zapukała dwukrotnie i dopiero wtedy nacisnęła klamkę.

– Gdzie byłaś?

Gertruda pośpiesznie zamknęła klapkę komputera, a z jednego ucha wyjęła słuchawkę. Sączył się z niej stłumiony *Bad guy* Billie Eilish.

– W Katowicach.

Margot przyjęła lekceważący ton, ale obie wiedziały, że oto nastąpiła bezgłośna eksplozja. Od jedenastu lat w tym domu zakazane było wypowiadanie nazwy ich rodzinnego miasta. Matka prawie nigdy nie opuszczała Mosznej i dopiero po wstawiennictwie dyrektora Polheimera zgodziła się na lekcje malarstwa Trudki w stolicy Górnego Śląska, ale też tylko pod warunkiem, że Klemens będzie z nią jeździł osobiście. Polheimer przywoził więc nastolatkę do szkoły i ją stamtąd odbierał. Nigdy nigdzie nie wychodzili ani nie zatrzymywali się po drodze. Wszystko po to, by uniknąć spotkania Trudki z kimkolwiek z przeszłości. Ostatnio sytuacja bardziej się skomplikowała, ale wydawało się, że wyszły już z kłopotów. Rzecz w tym, że od kilku dni ich wybawca miał je jeszcze większe niż one przed laty. Jeśli dyrektor ostatecznie zostanie usunięty ze stanowiska, ich dalszy pobyt w bezpiecznej kryjówce zawiśnie na włosku.

– Co tam robiłaś?

– Służbowo. – Margot machnęła ręką i odwróciła się, by zwiać do kuchni. – Nic ważnego. Zrobię ci zapiekankę ziemniaczaną. Z mięsem czy cukinią?

– Wszystko jedno. Twoja zapiekanka zawsze jest pyszna.

Trudka włożyła drugą słuchawkę do ucha i zdawało się matce, że nie będzie dociekać, lecz ona tylko kliknęła w platformę online, na której była zalogowana, pozamykała wszystkie okna, a potem zerwała się od biurka i stanęła przy zlewie obok matki. Kiedy Margot na nią spojrzała, poczuła ciarki na plecach, jakby miała do czynienia nie z córką, lecz przebiegłym śledczym.

– Ja nie mogę sama jeździć na zajęcia. – Trudka zaczęła powoli, lecz dobitnie. – Nie wolno mi zakładać kont na Instagramie ani tweetować. Mam zakaz kontaktu z przyjaciółmi. A ty sobie jeździsz służbowo do taty?

– Nie do taty. – Margot była w konfuzji. – Dlaczego tak pomyślałaś?

– To do kogo?

Margot odwróciła się do zlewu, zabrała się do obierania ziemniaków. Córka wyjęła z szuflady nóż i dołączyła do matki.

W milczeniu kroiły warzywa, przygotowywały mięso. Kiedy zapiekanka była gotowa i wstawiły ją do pieca, dziewczyna znów podjęła wątek:

– Nie musisz ze mną rozmawiać.

– O czym, kotusiu? – zaszczebiotała Margot, jakby mówiła do pięciolatki. – Nie ma o czym opowiadać.

– Okay. – Trudka odłożyła nóż. Rzuciła ścierkę na blat. – Skoro ty możesz, ja też chcę jeździć na zajęcia.

– Dziecko, ty nie masz jeszcze szesnastu lat! – zaoponowała. – To więcej niż sto kilometrów. Znajdę ci kogoś tutaj albo w Opolu.

Ale Trudka nie słuchała.

– Rysunek mam dwa razy w tygodniu i sprawdziłam już autobusy.

– Nie ma mowy! – wzburzyła się Margot.

– Obiecałaś mi korepetycje z angielskiego. Znalazłam native speakera. To Amerykanin. Może przygotować mnie na uczelnię w Stanach.

– Chyba oszalałaś?

– A co mi szkodzi? – Trudka przekrzywiła głowę i uśmiechnęła się kpiąco. – Tata mnie zobaczy? Wielkie rzeczy! Zmieniłam się. Nawet by mnie nie poznał. Zresztą to, co było między wami, mnie nie dotyczy. Czego tak naprawdę się boisz?

Matka dopadła córkę i posadziła ją siłą na krześle. Sama uklękła u jej stóp.

– Już nie pamiętasz, jakie piekło przechodziłyśmy?

Dziewczyna pokręciła głową. Była znudzona.

– Miałam pięć lat. Co mogę pamiętać? Trzymasz mnie w tym zamku jak zakładniczkę.

– Jest pandemia. Nie tylko ty musisz siedzieć w domu.

– Nie o tym mówię – zirytowała się dziewczyna. – To, że ty się go boisz, nie znaczy, że ja muszę. Nie chcę żyć jak szczur.

Margot wstała, sprawdziła temperaturę w piekarniku.

– Czasami się zastanawiam, kto tutaj jest matką, a kto córką – mruknęła.

– Ja tylko chcę mieć przyjaciół. Żyć jak inni.

– Jednego już sobie zorganizowałaś i zobacz, jak na tym wyszłaś! – Szarpnęła córkę, ale zaraz ujęła jej twarz w dłonie. Przyjrzała się źrenicom. – Znów ćpasz?

W oczach Trudki zobaczyła łzy. Pożałowała, że była wobec niej brutalna.

– Tylko raz spróbowałam trawki.

– Raz?

– Kilka razy. I co z tego?

– To z tego, że musiałam cię wyciągać z poprawczaka! Gdyby nie moje znajomości i pomoc Sylwii... Gdyby Polheimerowie nie znali dyrektora ośrodka w Zawierciu... – Zawahała się. – Nie wiem, jak by się to potoczyło, dziecko. Przez tego chłopca mogłaś zostać skazana. Byłabyś młodocianą przestępczynią! W imię jakiegoś kaprysu chciałaś przekreślić wszystko, co tyle lat budowałyśmy?

– Przecież wiesz, jak było. Tyle razy o tym rozmawiałyśmy!

Trudka była wściekła. Margot podeszła, by ją przytulić, ale dziewczyna się odsunęła.

– Znów będziesz na mnie wrzeszczeć? A może lepiej obraź się i jak zwykle zamknij mnie w pokoju. Czujesz się bezpiecznie, kiedy siedzę u siebie i nie mogę wyjść, prawda?

– Dziecko, ja się o ciebie martwię. Kocham cię! Chcę cię chronić...

– Ten dom jest gorszy od poprawczaka! – krzyknęła Trudka. – Tam przynajmniej miałam przyjaciół!

– Co powiedziałaś?

– Nic. – Trudka pochyliła głowę.

– Wolałaś tam zostać?

– Nie – wysyczała przez zaciśnięte usta. – Nie wolałam.

W tym momencie matka straciła cierpliwość.

– Wiesz, że może przez ciebie zginął Artur? Powiedz lepiej prawdę, z kim właściwie romansowałaś!

– Nie mów tak do mnie. – Gertruda ukryła twarz w dłoniach. – Nic do mnie nie mów!

Rozpłakała się.

– Nie możesz mieć przyjaciół, zrozum.

Margot roznosił gniew. Podnosiła głos coraz bardziej.

– Twój ojciec to człowiek zaburzony. Nie spocznie, póki się na mnie nie zemści. Nie jesteś pełnoletnia. Rodziny nie mamy. Kto się tobą zajmie, gdyby mnie zabrakło? Dziecko, pomyśl racjonalnie.

– To niech cię wreszcie zabije i będę miała spokój! – wrzasnęła Trudka i wybiegła z kuchni. – I tak nie mam normalnego domu i nie będę już miała, bo oboje jesteście pierdolnięci.

Margot z trudem łykała powietrze. Nie mogła uwierzyć, że zwykła sprzeczka przerodziła się w taką awanturę, która do złudzenia przypominała kłótnie z mężem, z tym że teraz to ona odgrywała rolę agresora, a nie – jak kiedyś – ofiary. Stała oniemiała długą chwilę, aż wreszcie otworzyła okno i spostrzegła córkę wybiegającą na dziedziniec wewnętrzny. Zamek wciąż otoczony był przez funkcjonariuszy, więc Margot uznała, że dziecko jest bezpieczne. Trudka nie mogła opuścić pałacowych budynków bez śladu. Co najwyżej zaszyje się w parku i dostanie kataru.

Wykręciła numer w wewnętrznej linii zamku i poprosiła Grzesia Brachaczka, by powiadomił ją, gdyby Trudka próbowała wyjść. A potem usiadła na taborecie i oparła dłonie o podbródek. Nie chciało jej się płakać. Trawił ją żal oraz poczucie winy. Biła się z myślami, próbowała znaleźć rozwiązanie, ale nie wiedziała, jak wyjaśnić nastolatce chowanej pod kloszem, że Klemens, którego do tej pory miała za dobroczyńcę, jest ich największym wrogiem. Jak ustrzec dziecko przed konsekwencjami traumy, która – jak Margot się obawiała – była już jej udziałem? Zacisnęła pięści i poczuła w piersi żar, który dławił gardło, lecz błyskawicznie osuszał łzy. Oto przyszedł wreszcie gniew. Margot pojęła, że ukojenie może dać jej tylko odwet. Jeśli okaże się prawdą, że Klemens, mieniący się jej jedynym przyjacielem, wykorzystał jej zaufanie i uwiódł Trudkę, osobiście go zabije, zdecydowała.

Rozległo się trzykrotne piknięcie. Zapiekanka ziemniaczana z mięsem i cukinią była gotowa.

**

Zbiegając po schodach, Trudka obejrzała się na pałacowe okna, by upewnić się, że matka za nią nie pójdzie. Nie pierwszy raz pokłóciły się tak karczemnie, więc była przekonana, że gdy wróci, obie udadzą, że wszystko jest po staremu. Wiedziała, że mama ją kocha i chce dla niej jak najlepiej. Po prostu zapomniała, jak to jest, kiedy się dorasta i chce mieć kawałek świata tylko dla siebie. To nie była prawda, że Trudka nie pamiętała tego piekła, jak matka nazywała czas swojego małżeństwa, bo wspomnienia przychodziły w nieoczekiwanych momentach i nastolatka rozumiała więcej, niż powinno dziecko w jej wieku. Pewnie dlatego z listy wspomnień wyparła pijaństwo ojca, podbite oczy i posiniaczone ramiona mamy, a potem jej nagłą ucieczkę z domu i plotki sąsiadów. To za sprawą tych ostatnich matka boi się wracać na stare śmieci. Wstydzi się, że zostawiła córkę z potworem, jak do dziś nazywa tatę Trudki, i zabrała ją ze sobą, dopiero gdy kochanek ją porzucił.

Za to wyraźnie Gertruda pamięta twarze przyjaciół z dzieciństwa. Była przekonana, że gdyby się tam zjawiła, nie tylko rozpoznałaby kumpli, choć podobnie jak ona przez te lata się zmienili, ale też polubiliby jej chłopaka. Gdyby żył...

Biegła teraz leśnym traktem, nie czując chłodu ani zmęczenia. Przeciwnie, miała wrażenie, że im dalej jest od zamku, tym bardziej siły jej wracają. Zaistniała sytuacja tylko utwierdziła ją w przekonaniu, że nie wolno jej zwierzyć się mamie z ciążącego jej sekretu, choć wczoraj taki plan powzięła. Wiedziała już teraz, że mama jest osobą słabą i jeśli Trudka nie zadba o własny interes, mama nigdy nie pozwoli jej żyć normalnie. A dziewczyna nie wyobrażała sobie, że najbliższe lata miałaby spędzić w zamku, choćby i w luksusowych – jak dotychczas – warunkach, co Margot podkreślała nieustannie. Była jeszcze jedna sprawa: wdzięczność. Trudka czuła się jak kopciuszek przygarnięty przez wielkich państwa, którzy wprawdzie okazywali jej sympatię, lecz dziewczyna czuła, że pod spodem jest litość, a jeszcze niżej pod nią – pogarda. Drugi raz uciekać z domu pod wpływem emocji nie zamierzała. Zapłaciła za to zbyt słoną cenę. Teraz powinna się przygotować lepiej. Po śmierci Artura zamek wciąż pełen był mundurowych, a Trudce zostało jeszcze tyle rozumu, by wiedzieć, że niektóre sytuacje trzeba przeczekać. W to, że dyrektor Polheimer miał jakikolwiek związek ze śmiercią jej chłopaka, nie wierzyła. Kto mógł to zrobić? Jej zdaniem wielu. O swoich podejrzeniach powiedziała tylko jedynej przyjaciółce – Adeli. To ona nauczyła Trudkę kląć, oczywiście nie przy mamie, lecz w myślach. Od razu robiło jej się lepiej i czuła się silniejsza, jak Daenerys, Diabolina albo właśnie Adela, która w przeciwieństwie do Trudki była waleczna, charyzmatyczna i niczego się nie bała. W porównaniu z Gertrudą czy nawet jej matką przeszła prawdziwą gehennę, a jednak podniosła się z tego. Zbudowała swoje życie na nowo. Siła przyjaciółki niezwykle Trudce imponowała.

W okolicy karmnika dla zwierząt nastolatka zwolniła. Zanim spod strzechy wyjęła zawiniątko w folii aluminiowej, które ukryła tam rano, rozejrzała się dokładnie. Nikogo w pobliżu nie spostrzegła, więc odwinęła pakunek, by sprawdzić, czy zawartość wciąż jest zjadliwa. Był tam kawałek bagietki, ser, dwie kiełbaski oraz jabłko – tyle, ile udało jej się wykraść rano z pałacowej kuchni. Dołożyła do zawiniątka dwadzieścia złotych i nowy bilet miesięczny na okaziciela, który zdobyła od sekretarki Polheimera, kłamiąc, że swój zgubiła. Teraz będzie mogła go odzyskać wraz z legitymacją. Jak na razie jej plan przebiegał bez przeszkód. Wiedziała, że Adela będzie narzekać, że Trudka załatwiła tak mało pieniędzy, ale kieszonkowe dostanie dopiero za tydzień, a nie chciała okradać matki.

Pobiegła przez las do zabudowań gospodarczych. Skobel wejściowy do starej stodoły był zamknięty od zewnątrz. Odetchnęła z ulgą, że koleżanka jest bezpieczna. Prześlizgnęła się przez otwór wejściowy, znów bacznie się rozglądając, a potem stała bez ruchu, czekając, aż wzrok przyzwyczai się do ciemności. Wreszcie ruszyła, zdecydowana przekonać przyjaciółkę do wyjazdu z Mosznej jeszcze dzisiejszej nocy.

Wtem usłyszała szelest. Aż podskoczyła i z trudem stłumiła krzyk. Odwróciła się gwałtownie. To tylko szczur przemykał pod sianem.

– Adela? – szepnęła. Odpowiedziała jej cisza. – Jesteś?

Bez odzewu.

Trudka sprawdziła każdy załom budynku. Weszła na ambonę i rozejrzała się po kompleksie. Po przyjaciółce nie było śladu. Kiedy przetrząsała kupę szmat w kącie, które rozpoznała jako własność Adeli, w jej ręce wpadł nóż z zieloną rączką. Był to nieduży rzezak lekko wyszczerbiony na czubku i bardzo podobny do tego, którym przed godziną obierała z matką warzywa. Podniosła go do szpary, przez którą przenikało światło. Na ostrzu dostrzegła brunatne zacieki. Trudka podniosła szmaty, w których został ukryty. One też były miejscami zakrwawione. Wśród nich dostrzegła kurtkę myśliwską. Oblał ją zimny pot. Poczuła prąd, niczym kropla zimnej wody wolno sunący po rozgrzanym ciele wzdłuż kręgosłupa. Okrycie należało do dyrektora Polheimera. I było tylko jedno takie w regionie. Klemens chwalił się, że podarował mu je potomek Wincklera, który kilka lat temu był tu ze świtą prawników z Katowic, by obejrzeć rodzinne włości przodków.

Wyciągnęła komórkę i wybrała numer przyjaciółki. Zamiast jej głosu usłyszała automatyczną sekretarkę. Nie wytrzymała, rozpłakała się.

– Adela, coś ty najlepszego zrobiła? – jęczała i dopiero po chwili dotarło do niej, że w ten sposób rzuca podejrzenie także na siebie.

Natychmiast się rozłączyła. Wtedy też uświadomiła sobie, że koleżanka, gdziekolwiek jest, ma jej imienną kartę miejską wraz z legitymacją, a jeśli ją złapią i wsadzą do więzienia za zamordowanie Artura, mogą przypomnieć sobie także o niej. Poczuła lęk, a jednocześnie satysfakcję, że już kilka dni temu zameldowała mamie o zgubieniu karty. Czasami kłamstwo się wypełnia, pomyślała.

Zabrała pozostawione rzeczy przyjaciółki i wrzuciła je do kozy. Po namyśle dołożyła do nich kurtkę dyrektora. Spaliła każdy kawałek tkaniny na popiół, który pieczołowicie rozsypała za stodołą. Nóż umyła w strumyku, a potem pokroiła nim kiełbasę, ser oraz bułki, które przyniosła koleżance, bo przypomniało jej się, że jest strasznie głodna, a może już nigdy więcej nie spróbuje matczynej zapiekanki.

***

Hubert zakładał, że będzie miał trudności w dostaniu się do sali, gdzie leżała Sabina, a nawet jeśli udałoby mu się nakłamać pielęgniarkom, i tak nie miał pewności, czy kobieta zgodzi się na rozmowę. Gdyby w przeszłości nie obiecali sobie, że nie będą się kontaktowali, mógłby użyć wytrychu prowadzonego śledztwa. Znał ordynatora i przesłuchiwał już w tym szpitalu, więc pozwolenie byłoby do załatwienia, ale nie chciał mieć świadka upokorzenia. Dobrze, że nakazano nosić maseczki. Sabina nie odkryje jego zmieszania. Wszystkie te wahania, obawy i lęki nie spowolniły jego ruchów. Przeciwnie, szedł miarowym krokiem, jakby ruszał do boju, choć – musiał to przyznać – nie czuł takiego stresu, nawet gdy wkraczał do pokoju przesłuchań na konfrontację z przestępcami. Cóż, oni byli mu obojętni – to tylko obiekty do przeanalizowania. Sabina zaś swego czasu zalazła mu za skórę. Nigdy do końca nie rozgryzł tej kobiety. Leczył się z romansu z nią kilka lat, choć zaraz po rozstaniu zaręczył się i wkrótce ożenił z Anką. I więcej nie pozwolił, by ktokolwiek namieszał mu tak w głowie i w życiu.

Skinął głową facetowi w kitlu, którego mijał w korytarzu. Doktor musiał wziąć Huberta za pracownika szpitala, bo przywitał się z nim jak ze starym znajomym. Nie zatrzymał go, nie spytał, dokąd się wybiera. Może wziął go za kogoś innego? Meyer odetchnął z ulgą jak po wyczerpującym biegu i pomyślał, że maski się przydają. Bandyci pewnie błogosławią covid. Nigdy w historii świata nie mieli takiego eldorado anonimowości. Wdusił trójkę i wstrzymał oddech. Drzwi zamknęły się, winda ruszyła bardzo powoli, ale zasieki miał już za sobą. Teraz czekał go test o wiele trudniejszy: czy Sabina wyrzuci go z sali od razu, czy pozwoli wyjaśnić powód przybycia?

– Co pan tu robi? – rozległo się, jak tylko wysiadł z windy, a po chwili zwalista kobieta z ciemnym wąsikiem zablokowała mu drogę.

– Jestem z policji – wydukał Hubert, ponieważ było to pierwsze kłamstwo, które przyszło mu do głowy.

Nie zadziałało. Pielęgniarka ciskała gromy z oczu.

– A co mnie to obchodzi? Gdzie pana przepustka, ochraniacze? Co pan sobie wyobraża? Jest pandemia!

Zawróciła go do swojego kantorka i posadziła na krześle pod ścianą niczym przedszkolaka w kozie. Poczuł się jak na dołku.

– Legitymacja! – atakowała, jednocześnie stukając w panel telefoniczny. – Mam tutaj gliniarza. Wpuściłeś go, to teraz go sobie odbierzesz, Rysiu. Nie mam czasu na słuchanie twoich pierdół! Są procedury. Oddział ma być odizolowany. Czy wiesz, jaka jest kara za nietrzymanie się przepisów? Nie zamierzam stracić roboty przez twoje papieroski i śniadanka! – Rzuciła słuchawką.

Meyer zaś pojął, że skoro nie ma go kto odebrać, światełko w tunelu się tli.

– Jakieś papiery? – syknęła wrogo smoczyca, jak ją w duchu przechrzcił Meyer. – Zanim Ryszard się doturla, mam pana zanotować.

Odwróciła się i zaczęła grzebać w szafie. Położyła na blacie fizelinowy płaszcz, rękawiczki i osłonki na buty.

– Naprawdę sądzi pani, że ten sprzęt uchroni mnie przed koroną? – mruknął pod nosem Meyer, uznawszy, że nie ma nic do stracenia, bo zaraz i tak wyleci stąd na zbity pysk.

– Kto mówi o covidzie, człowieku! Mam tu pacjentów z sepsą, po poparzeniach... Same tragiczne przypadki. Każdy z nich cieszyłby się, gdyby miał jedynie symptomy koronawirusa. Tylko ukoronowani mają dziś względy. Na nich czekają łóżka i respiratory. Reszta ma umierać w domu i najlepiej po cichu. Kogo obchodzi dziś zawał, rak albo udar? Lepiej niech mnie pan nie wnerwia! Muszę to wydać. Podpisz się pan tutaj. Inaczej nie wejdziesz.

Wskazała kamerę nad biurkiem. A potem wyciągnęła rękę po dokument. Hubert nałożył rękawiczki i wsunął jej w dłoń dowód osobisty.

– Co to ma być? – Zmarszczyła brwi nie mniej krzaczaste od jego własnych. – Gdzie blacha?

– Jestem operacyjny.

Odłożyła dokument, jakby był przeterminowany, i tym razem nacisnęła tylko jeden przycisk. Czerwona lampka zaczęła migotać.

– Przepustka albo pan wylatujesz. I nie myśl pan o taktycznym odwrocie. PESEL i nazwisko już zapamiętałam.

Hubert uśmiechnął się.

– Jeśli będę chory, chciałbym leżeć na pani oddziale.

Pierwszy raz popatrzyła na niego z sympatią.

– Ktoś pan? – W jej głosie dosłyszał ciekawość.

– Powiedzmy, że stary znajomy profesor Neliszer.

Pudło. Na czole smoczycy znów zbierały się gradowe chmury.

– Lepiej powiedz, z jakiego szmatławca jesteś, bratku! Dręczycie tę biedną kobietę, a ona umiera! Wstydu nie macie, hieny!

– Jestem psychologiem. Zajmuję się psychologią śledczą. Profiler, słyszała pani? Quantico? Huddersfield? Komenda Wojewódzka Policji w Katowicach? – zagajał, chwytając się wszystkiego, ale nie było łatwo. Każdy strzał był kulą w płot.

– Nie. – Kobieta pokręciła głową. – Zabawiać się nie mam czasu!

Machała tak gwałtownie rękoma, jakby chciała wznieść swoje olbrzymie ciało w przestworza.

– Jak nie masz pan przepustki ani legitymacji, to znikasz stąd w try miga. Masz szczęście, że nie ma komu cię wyrzucić, bobyś leciał z tych schodów, pieronie! Skoro tak, sama to zrobię.

Szarpnęła go i popchnęła do wyjścia ewakuacyjnego.

– A jeszcze cały korytarz będę musiała przez ciebie dezynfekować, pismaku. No już, chopie, fora ze dwora. Nic pomyślunku, a jeszcze życie innych naraża. Też mi policjant! Kogo przyjmują do tych gazet?

– Nie jestem z gazety! – oburzył się Hubert. – Ma pani przecież mój dowód. Przedstawiłem się. A Sabina jest moją znajomą. Z dawnych lat. Swego czasu bardzo bliską znajomą.

– Wszyscy dziennikarze tak mówią – prychnęła. – Tylko oni przynajmniej przyłażą w płaszczach ochronnych. Taki stary, a nic sprytu, oleju w głowie.

Mijali kolejne sale, a Hubert łypał w otwarte drzwi, czy nie dojrzy gdzieś Sabiny, ale najgroźniejsza pielęgniarka świata zaraz to zauważyła.

– Przecież jej grozi sepsa. Trzymamy ją tam.

Wskazała drzwi śluzy otwieranej za pomocą kodu.

– Chyba na głowę żeś pan upadł, żeby tak włazić bez pozwolenia. Masz szczęście, że jestem w dobrym humorze.

– Ciekawe, co się dzieje, kiedy jest pani w złym.

I tym razem nie udało mu się jej rozśmieszyć, ale przynajmniej przestała go popychać.

– Nie jestem z prasy – zapewnił. – Wiem, że na Sabinę jest nagonka w mediach. Ale pani wygląda mi na osobę myślącą i widzę, że profesorowa znalazła w pani sojusznika. Ja też nim jestem. Proszę zapytać, czy zechce ze mną mówić. Zajmę tylko chwilę. Ktoś pragnie ją zniszczyć. – Zniżył głos. – Jestem tu nieoficjalnie. W dobrej wierze.

Kobieta długo się wahała i był pewny, że zaraz znów się rozwrzeszczy, ale tylko zmrużyła oczy.

– Nie podlizuj się pan. Aż tak przystojny nie jesteś – rzuciła, ale widział, że mięknie. – A poza tym Sabina Neliszer sama jest profesorem. Nie żoną jakiegoś dupka w oczkach.

Wtedy ze szczytu schodów wynurzył się mężczyzna w kombinezonie ochrony. Był mniejszy od smoczycy i totalnie wyluzowany.

– Co znowu, Marysiu?

– Nico, Rychu. Jak to jest, że kiedy ciebie potrzebuję, zawsze jesteś w terenie?

– Przerwa śniadaniowa była.

– Ja też jestem głodna, ale pacjentów nie zostawię na pastwę losu z intruzami – burknęła, po czym zwróciła się konfidencjonalnie do Huberta. – Pan sam to załatwi. Tylko pamiętaj, coby nie zaglądać za zasłonę. Dobrze radzę.

A potem spojrzała na ochroniarza.

– Rysiu, pilnuj pod drzwiami. Jak tylko pani Sabina krzyknie, że dosyć, wyrzuć pchlarza za próg. Żeby mi nie było jak ostatnim razem. Tak ją zdenerwowali, że musiałam ją uśpić.

– O, mamy dziś humorek – zaśmiał się ochroniarz, kiedy pielęgniarka oddaliła się do swojego okienka. – Pan też z firmy?

Hubert wykonał nieokreślony ruch głową.

– Z jakiego wydziału byli tamci?

– Bo ja wiem? Też po cywilu, ale wyglądali jak z jakiegoś FBI. W garniakach i pod krawatami.

– To nie kryminalni – zmarkotniał Meyer. – Blachy pan sprawdził?

– Chce pan, żebym sprawdził pańską?

Meyer odnalazł się w sytuacji. Podał mu zwinięty banknot.

– Abwera – mruknął. – Byli krótko. Bardzo krótko. Przyszli po jej kompa. Musiał być cenny, bo strasznie się rozwrzeszczała. Marysia dała mi za to jobów.

– Nic nie planuję rekwirować.

– Poza komórką i kluczami do chaty nic jej nie zostało – odparł ochroniarz i wpisał kod, nie zasłaniając go wcale dłonią.

Hubert zapamiętał numery, choć wiedział, że co kilka dni powinny być zmieniane. Szklane drzwi kliknęły. Dalej poszedł już sam.

***

– Sabina? – Hubert przymknął drzwi izolatki. Wpatrywał się w nieruchomy cień za zasłoną. – Słyszałem, co się stało.

Podszedł bliżej.

– Przyjmij wyrazy współczucia – dodał.

Cień się poruszył.

– Znam cię? – Kobieta odchrząknęła, a oddech z miarowego stał się urywany.

– To ja, Hubert. Pamiętasz mnie? Hubert Meyer.

– Nie odsłaniaj tej szmaty – rzuciła szorstko, a potem już łagodniej: – Coś kojarzę.

Uśmiechnął się, bo czuł, że i ona się uśmiecha, choć zdawało mu się, że słyszał cichy syk.

– Kurewsko źle się czuję, Meyer.

– Wierzę.

– Kupę lat. Szkoda, że nie mogę zobaczyć, jak się zestarzałeś. Ale pewnie się trzymasz. Praca i kobiety najlepiej konserwują. Wystarczy spojrzeć na Clooneya.

– Też posiwiałem. I wciąż jestem rozwodnikiem.

– Ja jak zwykle owdowiałam.

Znów odgłos urywanego śmiechu. Hubert nie zawtórował. Znał ją i wiedział, że żartem przykrywa zdenerwowanie.

– Co cię sprowadza?

– Zgadnij.

– Prowadzisz dochodzenie przeciwko mnie. Nieoficjalnie, bo sprawa jest czysta. Prokurator dzwonił wczoraj, że zamykają za tydzień. Nic na mnie nie mają. Wiesz o tym? – Umilkła na chwilę. – Pewnie ta rura cię wezwała. Bożenka, moja niby teściówka.

Meyer nie wiedział, co odpowiedzieć. Wsłuchiwał się w głos Sabiny i go nie rozpoznawał. Miał ochotę zajrzeć za zasłonkę i przekonać się, czy to faktycznie ona.

– Wiesz, że to była moja pierwsza myśl po śmierci męża?

– Jaka?

– Poprosić cię o pomoc. I zadzwoniłabym, gdyby nie ten cholerny pożar. Od tamtej pory leżę tu i gniję. Śniłeś mi się ostatnio.

– To jakaś plaga – mruknął.

– Co mówisz?

– Nic, głośno myślę. Co to za historia, Sabino? Z tym Kostkiem.

– Ano kryzys wieku średniego – westchnęła, a potem głos jej się załamał. – Inni zwą go miłością. Ty nie zrozumiesz, ale trupy są, więc mamy styczną.

– Dlaczego chciałaś do mnie dzwonić? A raczej, dlaczego tego nie zrobiłaś?

– Nie mogłam znaleźć numeru – wypiła się. – Na Facebooku cię nie ma.

– Komórka wisi na stronie. Mogłaś też napisać.

– Może wiedziałam, że przyjdziesz? – Rozległ się charkot, jakby się dławiła. Pokasłała chwilę, a potem długo milczała.

On też się nie odzywał. Był pewien, że przekrzywiła zawadiacko głowę i się uśmiecha, bo wypowiedź znów okrasiło syknięcie.

129

– Ty pierwszy – wychrypiała. – I przy okazji medal za pokonanie Marysi.

– Nie było łatwo – przyznał. – Smoczyca pierwsza klasa. Kocha cię jak rodzoną córkę.

– Dobra z niej kobieta. Kiedyś dziecko jej uratowałam. Potrzebowała zrobić testy, a NFZ nie chciał za nie bulić. To wzięłam na budżet instytutu. Lubię być bohaterką, wiesz przecież. Nie sądziłam, że jeszcze się spotkamy. I że będzie pamiętała. Mnie jej nazwisko nic nie mówiło.

– Ona pamięta. Gdyby nie mój urok osobisty, zleciałbym ze schodów przy pierwszym starciu.

Po drugiej stronie zapadła cisza.

– Przepraszam cię, ale mam tutaj wianuszek dziennikarzy. Marysia stara się mnie chronić. Na dłuższą metę to nic nie da. Ale próbuje. – Zawahała się. – Umieram, wiesz? Nic już ze mnie nie będzie. Fajnie, że wpadłeś, Meyer. Jest okazja się pożegnać.

– Przestań.

– Te rany się nie goją. Dobrze, że choć trochę pobawiłam się w życiu. Widać starczy. Wiesz, myślałam, że mam przed sobą wszystko. Cały świat. Cokolwiek wybiorę. Że dopiero się rozkręcam i tyle jeszcze mam do zrobienia. A okazuje się, że życie sprowadza się do opakowania dla duszy i tego, czy ktoś, kogo kochasz, również je posiada. Boję się kostuchy. Uwierz mi, kurewsko się jej boję. Nie chcę odchodzić, ale wiem, że tak się stanie.

Hubert przysunął sobie stołeczek. Sabina poprawiła zasłonę, choć nie było nawet milimetrowej szpary.

– Słuchaj... – Szukał słów, by ją pocieszyć, ale nie pozwoliła mu.

– Mów, po co przyszedłeś – rzuciła całkiem innym tonem.

Zawsze go zachwycało, że tak błyskawicznie bierze się w garść.

– Mam akta – zaczął. – Przeczytałem je.

– I?

– Mam kilka pytań. Bo widziałem też ciało.

Znów się rozkleiła. Meyer już wiedział, że jest z nią bardzo źle. Nie była sobą. Poddała się.

– Nie pozwolili mi się z nim pożegnać. Nie mogę się stąd ruszyć. Już chodziłam, ale wiesz, sepsa... Zabronili mi pojechać na pogrzeb. Chciałam tylko być obok, jak go chowają. Nie wychodziłabym z auta... Nie będę już gęgała. Koniec zwierzeń.

– Słuchaj, ja go widziałem.

– Kogo?

– Kostka.

– Więc ten pogrzeb to fejk?

– Bożena trzyma go u siebie.

Sabina zaśmiała się. Słyszał charkot i syczenie.

– Dobrze się czujesz?

– Bez głupich uwag, Meyer. – Prychnęła. – Mówiłam ci, że się kończę... Ale to dobrze. Bardzo dobrze. Choć raz jej nienawiść może się przydać.

Nie odpowiedział.

– Nie zabiłam go – wyznała nagle. – Ani żadnego z nich.

Hubert nadal milczał.

– Domyślam się, że z doniesieniami medialnymi jesteś na bieżąco.

– Nie bardzo. – Odchrząknął. – Mam w cholerę swoich spraw. Głowa odkręca się od zadań.

– Nie kłam. Czarna wdowa, zdejmij maskę i tak dalej. Musiała ci pokazać.

– Jedną gazetę widziałem przypadkiem. Tak mi przykro, Sabino.

Tym razem ona się nie odzywała.

– A według ciebie co się stało? – zapytał.

Nie zastanawiała się nawet chwili.

– Medycznie? Nie mam pojęcia. Gdybym była na chodzie, zrobiłabym wszystko, żeby się dowiedzieć, ale te chuje nie pozwalają mi pójść samej do toalety. Położyliśmy się wieczorem, a w nocy, bo wciąż budzę się czasami około trzeciej, zauważyłam, że śluza do terrarium jest uchylona. Poszłam sprawdzić, czy żaden z węży się nie wydostał. Zamknęłam pomieszczenie, sprawdziłam ze dwa razy, czy zamek działa, i poszłam do kuchni napić się wody. – Zawahała się. – Kiedy wróciłam, chciałam się przytulić i poczułam, że on jest zimny. Nie oddychał.

– Zimny czy sztywny?

– Ciało już tężało. Zadzwoniłam po pogotowie, ale przyjechali tylko po to, żeby stwierdzić zgon. Resztę pewnie znasz. Wszystko jest w papierach.

– W papierach nie ma wszystkiego. Jak ci mówiłem, byłem dziś w chłodni u Bożeny.

– Co odkryłeś?

– Ranę na ramieniu. Jak od ukłucia.

Odruchowo uchyliła zasłonę, a zaraz potem ją przytrzymała.

– Co ty mówisz?

– Rana nie została zadana pośmiertnie. Ktoś ją przeoczył. Świadomie czy nie – nie ma jej w raporcie. Na jutro umówiłem się z człowiekiem od sekcji. Znam go. To rzetelny ekspert. Pracowałem z nim przy wielu sprawach.

– Co mi imputujesz?

– Jesteś biotechnologiem. Zajmujesz się mikrobiologią i wirusologią. Czy w domu miałaś jakieś odczynniki, próbki... Sam nie wiem... – Meyer się miotał.

– Pytasz, czy trzymałam w domu wirusy? A może komórki, które nimi zarażałam? Pytasz, czy robiłam na mężach eksperymenty? Bo przecież obaj poprzedni zmarli w moim łóżku – wychrypiała Sabina, a choć ton przybrała kpiący, żadne z nich nie roześmiało się ani razu.

– Musiałem spytać, wybacz. Spostrzeżenie Bożeny nasuwa się samo.

– Wiem, za czym ona lobbuje. To samo mówiła dziennikarzom. I prokuratorowi. Jestem na bieżąco. Tak samo jak czas od śmierci do zgłoszenia. Cztery godziny. Jej zdaniem miałam kupę wolnego, żeby zatrzeć ślady. Jak wiesz, w sprzątaniu jestem bezkonkurencyjna.

– Nie musisz szydzić.

– Zeznaję – warknęła. – A od porządków domowych mam młodą Ukrainkę. Wolę swój cenny czas poświęcić na pracę naukową.

Umilkła.

– Był już jad węża, trucizna z cisu, potas w litrach, a kiedy to wszystko nie dało rezultatu, wymyśliła wirusa. Po tobie, Meyer, spodziewałam się większej wnikliwości. Ty też uważasz, że jestem modliszką? – Na chwilę umilkła. – Po co miałabym go zabijać? Był piękny, zdolny, mądry. Uwielbiałam go. I kochałam jak nikogo na świecie. Sorry, Hubert. Mówię, jak było.

– Czasami miłość wystarczy aż nadto – mruknął, ale nie spytał, czy z wzajemnością. – Motyw często bywa osobisty.

– Dobrze. – Sabina odetchnęła głęboko. – Powiem ci wszystko, co chcesz wiedzieć, i będę współpracowała. Mnie bardziej zależy na wyjaśnieniu tej sprawy, bo w przeciwieństwie do Bożeny mogę już nie zdążyć. Poza tym nawet gdybym wróciła do zdrowia, nie mam po co żyć i dla kogo. Kostek był wszystkim, co na stare lata mogło mi się trafić. Żałuj, że nigdy nie kochałeś i nikt ciebie nie kochał, jak my siebie nawzajem. Wiesz, że on był całkiem do ciebie podobny? Wizualnie, bo emocjonalnie to jak wojna i pokój. Ty jesteś oczywiście wojną.

Wysunęła rękę zza zasłony i Hubert zdziwił się, że nie ma na niej śladu oparzeń. Dłoń była gładka, choć poznaczona wypukłymi niebieskimi żyłkami, a paznokcie pomalowano na intensywny róż. Kobieta szarpnęła szufladkę, jakby wskazywała, gdzie Hubert powinien szukać, i zabrała rękę.

– Znajdziesz tam klucze i pilota do bramy. Podam ci kody. Obejrzysz nasz dom. Możesz grzebać i szukać, gdzie chcesz. Nie mam przed tobą żadnych tajemnic. Jeśli zaś chodzi o cis, to domena ludów przedromańskich. Stosowano go głównie do samobójstw. Podobno Celtowie wykorzystywali tę truciznę już trzy tysiąclecia przed naszą erą. Czy wyobrażasz sobie mnie podczas pełni księżyca strugającą korę i drącą liście?

– Jeśli szczerze, bez trudu – odparł Hubert i lekko się uśmiechnął, choć nie mogła tego zobaczyć.

– Fakt – odparła już łagodniej. – Ale jak sam zwróciłeś uwagę, jestem biotechnologiem i na wirusach trochę się znam. Nie ma opcji, że nie zostawisz śladu. Gdybym chciała zabić Kostka, zrobiłabym to inaczej. Nikt by się nie zorientował.

Hubert powstrzymał się przed komentarzem, że tak właśnie to wygląda po wstępnej analizie akt.

– W jaki sposób?

– Węże.

Hubert czekał na ciąg dalszy.

– Ale nie jadusy. Mieliśmy takich tylko trzy i były pod nieustanną kontrolą. Kostek dostał je od kumpla, który pracuje w organizacji ochrony zwierząt. Zostały przechwycone z transportu i to właśnie za ich sprawą musiałam zrezygnować z garderoby, bo węże potrzebowały odpowiednio zabezpieczonych ciągów wentylacyjnych, metalowej moskitiery w oknie i przede wszystkim śluzy. Każde pudełko, w którym mieszkał wąż, było podgrzewane specjalną matą. Tam nie było żarówek, Meyer. Nie wiem, jakim cudem wybuchł ten pożar i to ledwie tydzień po śmierci Kostka. Eksperci mówili o zwarciu, ale ja w to nie wierzę. Gdybym się lepiej czuła, zleciłabym ponowną analizę. Jeśli masz kogoś, zrób to. Pokryję koszty. Bożena mówi ci o moich morderczych zapędach, ale ja uważam, że to ma związek z tym, co robię w instytucie. Wiesz, co robię, prawda?

– Nie mam pojęcia.

– To, co biotechnolodzy na całym świecie. Szczepionka, czyli złoto dzisiejszych czasów. Odpowiednik bomby atomowej. Broń, która daje władzę i ustawia na nowo mapę świata. Nie muszę ci mówić, że jesteśmy bardzo blisko. Problem w tym, że koronawirusy wciąż mutują. Trudno za tym nadążyć. To tak w skrócie. Ale jest ktoś, kto w razie czego wszystko ci objaśni. Mój doktorant – Adam Winek. Podam ci do niego namiar.

Hubert zniecierpliwił się. Przerwał jej wywód.

– Jak byś to zrobiła, żeby nie było podejrzeń?

– Przegłodziłabym Siatę.

– Siatę?

– Naszego największego węża. Pytona siatkowego. Ma pięć metrów długości. To bydlę skoczyłoby do żarcia, a zęby o długości dwóch centymetrów rozorałyby ci dłoń do kości. Nie zdążyłbyś dojechać na pogotowie. Wykrwawiłbyś się na miejscu.

Hubert zamarł. Bardzo chciałby zobaczyć teraz twarz Sabiny.

– Ile macie tych węży?

– Mieliśmy dziewięćdziesiąt sześć.

– Dlaczego nie sto? – wyrwało się Hubertowi.

– Kostek nimi handlował. To były głównie regiusy, jak mówiłam. No i jedna siata. Jadowite były tylko trzy: *trimeresurus insularis*, żararaka rogata i naja.

– One wciąż są u was w domu?

– Zostały tylko dwa. Siatka i Piksel. Przy okazji jak będziesz, nalej im, proszę, wody.

***

Dopiero kiedy opuścił szpital, zastanowił się, co jest z nim nie tak, że wybiera tak zwariowane kobiety. Bożena była szalona, ale przy Sabinie to nudziara bez fantazji. Głowa mu pękała, w gardle piekło. Kiedy wychodził, najgroźniejsza pielęgniarka świata machała mu na pożegnanie, uśmiechając się tak, jakby słyszała ich rozmowę i wiedziała, że Hubert wróci. A on nie chciał wracać. Nie chciał zajmować się tą sprawą. Robić portretu wiktymologicznego ani pisać profilu. Nie zamierzał wchodzić w drogę prokuratorowi, który zamykał sprawę. Ani rozmawiać ponownie z oszpeconym na wojnie Kazikiem. Owszem, zaintrygowało go, jak zginął ten podobny do niego chłopak, jednak poza ranką z niebieską obwódką nie było żadnego punktu zaczepienia, a pracy pobocznej miał od cholery. Wiedział jednak, że nie pozbędzie się tak łatwo ani jednej ze swoich byłych.

– Ale się wpierdoliłem – mruknął i włączył się do ruchu.

„Zamek Moszna powiadomiony o interwencji".

Wiadomość od Weroniki zamigotała, kiedy tylko wyszedł z trybu samolotowego.

„Kto prowadzi?"

„Na razie lokalna komenda, ale dla bezpieczeństwa wzięłam nadzór nad tą sprawą".

„Wiele możesz" – odpisał.

„O której będziesz?" – padło w odpowiedzi.

Wbił cel w nawigację. Kobieta o atłasowym głosie podała mu godzinę przybycia.

„15.37" – wystukał.

„To idę pozwiedzać" – wpadła wiadomość, a kolejne przychodziły jedna po drugiej: „Nie cieszą się, jak się domyślasz. Za to w zamkowej restauracji do wszystkiego podają genialne bułeczki. Zjadłam ze dwadzieścia. Do łososia polecam makowe. Aha, dyrektor ma motyw w przeciwieństwie do alibi. Lokalni politykierzy – nowego kandydata na jego miejsce".

Hubert nie czytał dalej. Rzucił telefon na siedzenie i przycisnął gaz do dechy. To kolejna sprawa, w której miał brać udział, gdzie śledztwo prowadzono przeciwko komuś, a nie analizowano dowodów. Więc na urlopie czekało go gruntowne sprzątanie. Meyer, w przeciwieństwie do Weroniki, akurat tej czynności szczerze nienawidził.

***

– I po co się pan tak śpieszył, komisarzu Mayer?

– Meyer, przez „e", wystarczy – skorygował ze stoickim spokojem Hubert i uścisnął dłoń jowialnego mężczyzny, który już z daleka wyglądał na tutejszego szeryfa.

Siedzieli w ogromnej sali zwanej czarną, bo wszystko było w kolorze mokrego asfaltu, a Hubert bał się czegokolwiek dotknąć, by nie zostawić śladów.

– Stopnie są zbędne, choć zakończyłem karierę w firmie na młodszym inspektorze.

– Tym bardziej szkoda pańskiej fatygi, inspektorze. Radzimy sobie doskonale. – Albert Dudek udał, że przyjmuje dane. – Jutro będą zarzuty. Może przed wyjazdem czegoś pan skosztuje? Zamkowa kuchnia uchodzi za najlepszą w okolicy.

– Słyszałem coś o makowych bułeczkach. Niestety, lubię pracować z pustym żołądkiem. Lepiej mi się myśli. Dziękuję za ofertę.

Po czym podniósł głowę i udał, że podziwia stiuki, jakby całe życie marzył tylko o tym, by zwiedzać pałace i zamki.

– Pięknie tu u was. Jakie to szczęście, że trup padł na podjeździe. Zawsze to mniej sprzątania.

Komendant spojrzał na Meyera uważniej.

– Dla zamku wielka szkoda – odrzekł całkiem serio. – Za jakiś czas historię tej zbrodni będzie można dołączyć do lokalnych legend. Mamy ich całkiem sporo. Choćby ta o białej damie. Guwernantka pojawia się głównie latem.

– Może na wakacjach turyści bywają częściej pijani?

– Nie sądzę, żeby to miało związek – obruszył się Dudek.

– Wiele osób widziało tego ducha. Pani również, Margot?

– zwrócił się do nerwowej, ufryzowanej na lata dwudzieste kobiety, która podawała im herbatę w zastawie wyglądającej na część zbiorów muzealnych.

Hubert odmówił napoju. Nie chciał zniszczyć filiżanki.

– Zamek bez ducha to jak kobieta bez serca – rzekł.

– Racja, jeśli legenda ma powstać, to i tak powstanie – odparł policjant. Ale kiedy tylko kobieta opuściła salę, pochylił się do Meyera. – Oglądałem pana w telewizji. Jak pan tak naprawdę pracuje?

– Samodzielnie, jeśli o to pan pyta. Przesłuchuję świadków, zbieram dowody, bywam na oględzinach. A jeśli trzeba, zlecam reoględziny. Analizuję materiał zdjęciowy i filmowy. Czasami robię prowokacje. Zapewniam, że moja obecność nie ma nic wspólnego z kontrolą. Szanuję pana autorytet i nie zamierzam go podważać. Chciałbym, by mi pan zaufał i pozwolił spojrzeć na materiał z innej perspektywy.

– Czyli z jakiej?

– Behawioralnej. Chodzi o ślady zachowania. Można powiedzieć, że łączę zebrane przez detektywów nitki i pomagam w obraniu tropów. Jeśli, rzecz jasna, istnieje wola współpracy.

– Jesteśmy do dyspozycji. – Dudek uśmiechnął się fałszywie, a Meyer zdał sobie sprawę, że facet zrobi wszystko, by utrudnić mu pracę. – Chcemy współpracować – dodał komendant.

– Tylko przy czym? Sprawca już zatrzymany.

– To ja jestem dla pana. Nie odwrotnie. – Hubert odwdzięczył się tym samym rodzajem uśmieszku. – Ślady zachowania analizuję samodzielnie, ponieważ wiem, że ich zbieranie nie jest konieczne do materiału procesowego. Chętnie natomiast skorzystam z tego, co już macie.

– Jest tego całkiem sporo. Wygląda na to, że dyrektor Polheimer nie wróci prędko za stery, więc zastąpi go zaufana osoba. Kobieta. – Dudek mrugnął do Meyera. – Żeby było poprawnie politycznie.

– Jasna sprawa.

– Waleska Szulc już czeka u siebie na rozmowę z panem.

– Była świadkiem tragicznych wydarzeń?

– Niestety nie. – Komendant rozłożył ręce w udawanym geście bezradności. – Ale zna dyrektora od lat. To jego podwładna.

– Której nie awansował? – dokończył Hubert, a widząc minę komendanta, odchrząknął. – Sam wyznaczam marszrutę przesłuchań. Mogę pracować tutaj czy woli pan, żebym odwiedzał świadków w domach?

– Niech pan czuje się jak u siebie. Ta sala panu odpowiada?

Meyer zrozumiał, że chcą nałożyć na niego cenzurę, mieć go na oku i w razie czego – przyblokować. Przesunął kartkę w kierunku policjanta.

– Co to jest?

– Lista osób, z którymi chcę rozmawiać.

Albert wziął ją w dłonie i zaraz odłożył, jakby go sparzyła.

– Tylko trzy nazwiska.

– Zgadza się.

– Sławomir Sroka już w zamku nie pracuje. To zresztą poszkodowany. Składał zeznania dwukrotnie. Jego żona także. Rozważają, czy nie zostać oskarżycielami posiłkowymi w procesie Klemensa Polheimera.

Hubert z trudem powstrzymywał śmiech.

– Zatrzymaliście go na cztery osiem. Nie ma aktu oskarżenia.

– Jutro będzie miał zarzuty. Dowody są mocne.

– Narzędzia zbrodni brak. Ciało zostało zmasakrowane, więc adwokaci się tego chwycą, by podważyć przyczynę zgonu. Jest tylko jeden świadek.

– Zgadza się. Żona.

– Właśnie.

– Żona podejrzanego.

– I to według pana wystarczy? Sprawdził pan, ile dyrektorowa zyskuje w razie rozwodu? Może to dla niej okazja do sczyszczenia konta męża i szansa na rozwód z orzeczeniem winy. Mają dzieci?

– Niestety.

– Na pana miejscu wstrzymałbym się z konferencją prasową i nie atakował Polheimera, bo jeśli wyjdzie, a stanie się to na dniach, dokona srogiej pomsty.

– Dowody są mocne – powtórzył Dudek. – Ale chętnie usłyszę, co pan proponuje. Człowiek uczy się całe życie.

– Proszę o kilka dni na zbadanie śladów, ustalenie ostatniej linii życia ofiary, przesłuchanie kluczowych świadków i stworzenie profilu wiktymologicznego. Jak się pan domyśla, do tego właśnie potrzebuję rodziców poszkodowanego, a niestety nie znam miejsca ich pobytu. Ojciec jest aktywny w mediach, zwłaszcza społecznościowych. Powstało wiele grup sympatyzujących z nim i nawołujących do wyjaśnienia sprawy. Trzeba to ukrócić. Na pana miejscu porozmawiałbym z panem Sroką seniorem, by do czasu stworzenia aktu oskarżenia nie nakręcał ludzi, bo szkodzi śledztwu. Ludzie boją się mówić, powtarzają plotki i gruntują sądy oparte na domysłach. Potrzebne nam żywe dane. Fakty, bez zabarwienia subiektywnego. Im więcej narośnie wokół tej sprawy legend, tym trudniej będzie ją rozwiązać.

– Przecież jest już rozwiązana.

– Czyżby? – Meyer przekrzywił głowę. – Wobec tego moja wizyta to czysta formalność. Jeśli nie mogę prosić o wsparcie, oddalę się z tej komnaty. Chciałbym móc wykonywać swoje obowiązki.

– Niech więc pan je wykonuje. – Dudek nie ukrywał wrogości. – Nie rozumiem, do czego ja i moi ludzie jesteśmy panu potrzebni. Poza sprawą Sroki mamy moc innych zadań.

– Absolutnie nie będę was potrzebował – zapewnił Meyer. – Proszę jedynie o ustalenie miejsca pobytu ojca zabitego. Resztą zajmę się sam.

Albert Dudek wskazał drugie nazwisko na kartce.

– Erwin Długosz. Zwolniliśmy go. Jego zeznanie jest w aktach.

– Wolałbym wezwać go na wizję, ale jeżeli to niemożliwe, mogę go przesłuchać po powrocie na Śląsk. Z tego, co wiem, tam właśnie stacjonuje.

– W Rybniku – potwierdził Dudek i zerknął na Meyera, z trudem hamując gniew. Odłożył kartkę.

– Trzecie nazwisko jest pańskie. – Meyer skinął głową. – To nie pomyłka.

– Nie słyszałem jeszcze, by w sprawie zeznawał szef jednostki prowadzącej dochodzenie.

– To tylko rozmowa, nie zeznanie. Jej treść nie znajdzie się w aktach. Jak pan wie, jestem powołany do sprawy operacyjnie.

– A więc mam wybór? – Dudek uśmiechnął się i pogładził po wydatnym brzuchu, cały zadowolony. – Niniejszym kategorycznie odmawiam.

– Nie dziwi mnie to – oświadczył profiler. – Z tego, co się dowiedziałem, są panowie skonfliktowani. A dochodzenie prowadzone jest przeciwko Polheimerowi. Czy życzy pan sobie odwiedzin wewnętrznych? Ponieważ jeśli to prawda, powinien pan oddać sprawę osobie zapewniającej śledztwu obiektywizm.

– Potwarz! – ryknął Dudek. – To ja prowadzę dochodzenie! Ta propozycja jest niezgodna z procedurą. Zgłoszę to zwierzchnikom.

– Zdziwiłbym się, gdyby pan nie spróbował tej drogi – odparł Hubert i wyjął komórkę. Zaczął wykręcać numer. – Może pan to zrobić przez telefon lub osobiście. Prokurator Weronika Rudy z prokuratury okręgowej jest do pana dyspozycji. Tak między nami to ona doniosła mi o bułeczkach i uczuliła na cienie tej sprawy. Przesłuchanie pana to jej pomysł, by wyjaśnić wszelkie niejasności. – Hubert zniżył głos. – Tak jak powiedziałem, rozmowa nie będzie miała protokołu.

Dudek z pewnością obmyślał odwet, więc Hubert kuł żelazo, póki gorące:

– Skoro teraz nadarza się sposobność, miejmy to z głowy. Dane są mi potrzebne do stworzenia opinii typologicznej podejrzanego.

Dudek wstał, podszedł do drzwi i otworzył je szeroko.

– Proszę się wynosić albo pana wyprowadzą.

Hubert nie ruszył się. Leniwie odsunął rękaw i spojrzał na zegarek.

– Dyrektora trzyma pan bezprawnie. Skoro prokurator nie postawił zarzutów, Polheimer już teraz powinien być na wolności. Spróbujmy wspólnie przeanalizować dane i zapobiec skandalowi.

– Zapewniam, że zarzuty będą postawione.

– Nie sądzę.

Dudek aż się zapowietrzył. Takiej zniewagi nie przeżył od lat.

– To nie jest dobry początek współpracy, panie Meyer. Przez „e” – podkreślił.

– Nie jest, ale nie zostawia mi pan wyboru. Śledztwo prowadzone jest przeciwko jednej osobie, a nie w sprawie. Aby uratować pana stanowisko, radzę zniwelować mankamenty.

– To groźba?

– Niestety tak.

– Nagrywa pan to?

– Po co? Znam zgromadzony materiał. Teczka liczy trzydzieści stron. Przeanalizowałem całość przy kawie z eklerką. Jedyny świadek zdarzenia to żona Polheimera, która widziała postać przemykającą krużgankami. Nie ma pan narzędzia zbrodni, paluchów, żadnego materiału biologicznego do porównania. Nie wie pan nawet, gdzie do zbrodni doszło. Zarzutów domaga się pan na podstawie oskarżenia ojca chłopaka, plotek i zeznania kobiety, która tej nocy była pijana w sztok.

Dudek zamknął drzwi. Podszedł do profilera.

– Jest pan bezczelny!

– Być może. – Wzruszył ramionami Hubert. – Tak się jednak składa, że prokuratorka, która ma nadzór nad sprawą, spędziła dzisiejsze popołudnie z Sylwią Polheimer. Bardzo się martwi, czy jeśli dojdzie do oskarżenia, adwokaci nie obalą go jednym ciosem. Potrzebujemy czegoś mocniejszego, jeśli życzy pan sobie, by wróg pozostał za kratami.

– Dlaczego wciąż pan powtarza, że Klemens to mój wróg? Jest wręcz przeciwnie. Znamy się od lat.

– Z mizernym skutkiem.

Meyer wskazał znów kartkę, na której widniały tylko trzy nazwiska, i gestem poprosił o jej odwrócenie.

– Reoględziny, przeszukanie pomieszczeń rodziny Sroków, wizja lokalna – odczytał komendant.

– Planowałem to zrobić dzisiejszej nocy – uśmiechnął się Hubert. – Jest pan tutaj szefem głównym. Wierzę, że tak. W raporcie stoi, że Artur Sroka zginął między północą a czwartą. Ciało zostało przemieszczone. Erwin Długosz zmiażdżył je około szóstej. Skoro nie może uczestniczyć w wizji, ktoś go zastąpi. Słyszałem, że mają państwo tutaj amatorski teatrzyk. – Znów spojrzał na zegarek. – To ledwie kilka godzin, ale może uda się nam zobaczyć zamkowego ducha? Wcześniej opędzimy przesłuchania i zrobimy konfrontacje.

– Po co ta hucpa, inspektorze Meyer?

Dudek zastygł w pozycji niedowierzania.

– Może i pan ma rację, że Artura zabił Polheimer – odparł Hubert. – Ale nie musi tak być. Moim zdaniem sprawca mieszkał w tym zamku. To nie był nikt z zewnątrz. Jeśli pan się pomylił i to nie Polheimer, zabójca wciąż tu jest. Chciałbym go sobie obejrzeć na waszej scenie.

– Dlatego domaga się pan wezwania Sławomira Sroki? Na jakiej podstawie uważa pan, że zabił własnego syna?

– Zawierzam panu cel mojej strategii i liczę na dyskrecję, gdyż pracujemy razem. Zgadza się?

– To się okaże.

– Dziś w nocy, podczas przedstawienia, zrozumie pan, że zabójca kryje się w cieniu życia ofiary.

– Co pan ma na myśli?

– Dlaczego? Jak? Kto? Taką kolejność zwykle obieram. Pan uczynił odwrotnie.

– Moi ludzie pracują do osiemnastej. – Dudek bronił się słabo, ale Meyer widział, że jest zaniepokojony wizytą wydziału wewnętrznego i nadzorem prokuratury okręgowej. – I tak już robią nadgodziny.

– Zróbmy to dziś w nocy, bo od jutra powinienem być w Katowicach. Będzie pan miał mnie z głowy – oznajmił Hubert, co Dudek przyjął z zadowoleniem.

– Kolejna sprawa?

– Muszę nakarmić pytona siatkowego.

***

W pokoju unosił się duszący zapach perfum i czuli go wszyscy poza Meyerem. On widział tylko zaczerwienione białka, podpuchnięte oczy i drżące dłonie. Kobieta była pobudzona, mówiła dużo i często płakała, co jakiś czas zerkając na drzwi. Dudek nie zgodził się, by Meyer przesłuchiwał ją sam, bo jak twierdził, Sylwia Polheimer była w szoku.

– Wiem, że pani już zeznawała – zaczął łagodnie psycholog. – Proszę tylko o powtórzenie, co widziała pani tej nocy. – Stanął przy oknie. – Być może to kwestia wieku, ale z tej odległości nie widzę nic poza zarysem sylwetki, pani wybaczy.

– Pan mi nie wierzy?

Sylwia znów wybuchnęła rozpaczliwym szlochem.

– Miał na sobie kurtkę jeździecką – powtórzyła. – Z emblematem na plecach. Poznałabym ją w piekle, bo Klemens dostał ją od prawnuka Wincklera. Każdy w zamku o tym wiedział.

Hubert dał kobiecie znak, by podeszła i stanęła obok niego.

– Proszę spojrzeć.

Niechętnie zwróciła twarz na podjazd.

– Gdzie pani widziała męża? W którą stronę biegł?

– Najpierw zobaczyłam Artura. On jeden w zamku jest taki wysoki i szczupły.

Hubert zwrócił uwagę, że kobieta użyła czasu teraźniejszego. Nic nie powiedział. Pozwolił, by kontynuowała.

– Znam wszystkich pracowników mieszkających w Mosznej i okolicy. Blond czupryna, błękitna kangurka i rurki typu slim.

Wiem, że to był on, bo ktoś go zawołał. Widziałam jego twarz, odwrócił się.

Hubert sprawdził coś w aplikacji.

– Tamta noc była pochmurna. Lampy były włączone?

– Wszystko widziałam wyraźnie – zapewniła kobieta.

– Co było dalej?

– Do Artura podbiegł mój mąż. Gonił go przez dziedziniec aż do żywopłotu. Chłopak uciekał, miał przewagę, ale potem potknął się, coś się stało. Mąż dopadł go w okolicy żywopłotu, rzucił go na krzaki, a potem zadał cios. Zemdlałam z nerwów. Musiałam leżeć nieprzytomna do rana. Kiedy wstałam, zdawało mi się, że to był sen, bo na dziedzińcu nie było nikogo. Ani ciała, ani żywego człowieka. Nikt się nie kręcił. Panowała cisza, jak zawsze.

– Mąż był u siebie?

Kobieta potwierdziła.

– A kurtka zniknęła? – upewnił się Meyer.

– Tak jak powiedziałam. Nie było jej na wieszaku. Zauważyłam to, zanim zeszłam na późne śniadanie, którego ostatecznie nie zjadłam z wiadomych przyczyn.

– Słyszała pani, kiedy mąż wrócił? Rozmawialiście?

Sylwia Polheimer pokręciła głową.

– Słyszałam, jak wchodzi pod prysznic. Mamy oddzielne sypialnie... Kiedy upewniłam się, że na podjeździe nie ma zwłok, poszłam do łóżka, zasnęłam. Obudziłam się około południa. Spałam, o dziwo, dobrze, choć ten koszmar w pamięci mi został. Myślałam o nim, kiedy schodziłam na dół. Wtedy powiedziano mi, że jest afera z konserwatorem windy. Natychmiast zwierzyłam się Margot, a potem panu komendantowi. Nie przypuszczałam, że pan Dudek zaaresztuje Klemensa. Sądziłam, że najpierw to sprawdzicie... – Ukryła twarz w dłoniach. – Ja naprawdę nie chciałam tego widzieć. Nie zamierzałam pogrążać mojego męża. To wszystko zdarzyło się tak szybko...

Hubert przyglądał się jej w skupieniu.

– Ile pani tego wieczoru wypiła?

– Dwie lampki, może więcej.

– Kelnerki mówiły o trzech karafkach domowego.

– Nie wypiłam wszystkiego. Jedna się stłukła. – Mówiąc to, kobieta zacisnęła pięści. – Co pan sugeruje?

Hubert zamiast odpowiedzieć spojrzał na Dudka, a potem na barek, na którym stały mocniejsze alkohole w kryształowych karafkach.

– Możemy zostać przez chwilę sami?

Komendant niechętnie wyszedł.

– Jak było między wami? Mieliście problemy, zatargi? Czy przed tą sytuacją miała pani wobec męża jakieś zarzuty? Przemoc, manipulacje?

– Nie. – Sylwia kręciła głową. – To święty człowiek. Zawsze mnie wspierał, pomagał. W każdej sytuacji mogłam na niego liczyć. Kiedy zredukowano moje stanowisko, zatrudnił dla mnie coacha. Bóg nie dał nam dzieci. Mamy tylko siebie. Ślub braliśmy siedemnaście lat temu, ale znamy się cztery lata dłużej. Jesteśmy jak zrośnięci.

– Dlaczego zaświadczyła pani przeciwko mężowi? Nie widziała pani twarzy sprawcy. Co zdarzyło się miesiąc, pół roku, rok przed tym wydarzeniem? Zdrada? Klemens miał kochankę?

Sylwia długo nie odpowiadała.

– Nie wiem – rzekła w końcu.

– Nie wie pani? Ale podejrzewa?

Podniosła głowę.

– Wie pan, dlaczego piję? – Zawahała się, by wzmocnić efekt. – Z nudów.

Hubert przypomniał sobie noworoczne flaszki.

– Mam to samo. Pani się nie przejmuje. I żeby zapomnieć. To klasyk.

– Nie zapomnieć. – Pierwszy raz się uśmiechnęła. – Pamiętać.

– O czym?

– O tym, jaki mąż jest dla mnie dobry. Jak mnie kocha. Chociaż nie mogę mu dać potomka.

– Badaliście się?

– Na wszelkie możliwe sposoby. Ale jak miałabym zajść w ciążę, skoro od jedenastu lat ze sobą nie śpimy?

Hubert milczał.

– Od jedenastu. Bo wtedy drugi raz poroniłam, a niedługo później przygarnęliśmy moją przyjaciółkę. Z dzieckiem.

– Margot Karlikową i jej córkę? O nich pani mówi?

Sylwia odwróciła się do drzwi i wyszeptała:

– Niech pan nie mówi o tym Albertowi. Nikt nie wie i chcę, by tak zostało. Mój mąż nie jest pedofilem. Wolę już, żeby okazał się mordercą.

– Dlatego pani skłamała?

– Nie kłamałam – zaoponowała. – Prawda jest taka, że Klemens się poddał. Przestał wierzyć, że kiedykolwiek będziemy mieli własne dzieci, i wszystkie uczucia przelał na cudzą córkę. Dla Trudki był w stanie zrobić wszystko. Woził ją na zajęcia, rozmawiał z nią, troszczył się o nią, kiedy chorowała, i denerwował, kiedy wpadła w kłopoty. Zachowywał się jak ojciec. Dokumentnie przejął tę rolę. A ja? Zeszłam na boczny tor. Patrzyłam na to i pozwalałam, bo wiedziałam, że on tego potrzebuje. Kochał pan tak kogoś, żeby poświęcić siebie?

– Nigdy – przyznał Hubert. – Dlatego jestem sam.

Sylwia uśmiechnęła się słabo.

– Margot to wszystko wie, choć początkowo zaprzeczała, kiedy podjęłam ten wątek. Powinien pan z nią pomówić. To ona pierwsza wysnuła teorię o zemście na Arturze. Nie znosiła tego chłopca i cieszyła się, że nie będzie mieszał Trudce w głowie.

– Cieszyła się z jego śmierci?

– Źle to ujęłam – speszyła się dyrektorowa. – Nie płakała po nim. Raczej odetchnęła z ulgą.

– Dlaczego?

Sylwia zawahała się.

– Jej zdaniem Artur nie był najlepszą partią dla jedynaczki.

– Co pani ma na myśli, mówiąc, że Klemens pokochał tę małą? Doszło do czegoś więcej?

Sylwia krążyła koło barku jak ćma wokół lampy. Hubert dał jej znać, że może sobie nalać. Pokręciła głową, ale była tylko bardziej rozdrażniona.

– Ojcował jej. Woził, komplementował, obdarowywał prezentami... Spędzał z Trudką więcej czasu niż z kimkolwiek. A ona rosła, dojrzewała i zobaczy pan, jest teraz piękną młodą kobietą. Margot też kiedyś była oszałamiająca, to geny. Wtedy na horyzoncie pojawił się Artur, syn ciecia, w którym mała się zadurzyła. Zrobili razem ten włam, potem był epizod z narkotykami, poprawczak i zemsta Sroki. – Zniżyła głos. – Ludzie w zamku mówią, że Artur uderzył Klemensa z zazdrości. I że mój mąż, no wie pan, ostatnio kochał Trudkę nie tylko platonicznie.

Urwała, bo wszedł Dudek.

– Przywieźliśmy z aresztu Polheimera. Jesteśmy gotowi do eksperymentu. Niestety Długosz jest niedostępny.

Hubert wymienił spojrzenia z Sylwią, która prosząco mrugała powiekami.

– Dziękuję za szczerość. – Położył dłoń na jej ramieniu. – Niech pani chwilę odpocznie, bo za kilka godzin zacznie się właściwy spektakl.

Spojrzał na butelki stojące na barku.

– Powiem, kiedy będzie pani wolna.

Opuściła głowę i zacisnęła usta. Hubertowi zdawało się, że z trudem powstrzymuje się przed triumfującym uśmiechem. Podszedł do sekretarzyka i podniósł okulary leżące na stosie dokumentów. Miały wyrafinowany koci kształt, z boku były inkrustowane cyrkoniami.

– To pani męża?

Kobieta spięła się, wyraźnie zaskoczona.

– Moje, do czytania.

– Tej nocy miała je pani na nosie?

– Na odległość widzę bardzo dobrze – odparła niezwykle spokojnie. – Z bliska już gorzej. Peseloza – spróbowała żartu.

– Podobnie jak ja – uśmiechnął się Hubert. – Ale proszę o dyskrecję.

Spojrzał na plik dokumentów. Wśród nich wypatrzył zwinięty w rulon wydruk badania USG. Obok stał krem na rozstępy i leżał listek preparatu z żelazem. W kąt sekretarzyka wsunięto paczkę plastikowych pudełek z zakrętką. Takich, jakie można kupić w każdej aptece do badania moczu. Kilku brakowało.

– Dziś w nocy proszę je mieć pod ręką. – Hubert wskazał okulary. – Od tego może zależeć, czy kolejne miesiące pani mąż spędzi za kratami, czy trafi tam ktoś inny.

**

I bez blasku księżyca wewnętrzny dziedziniec lśnił jak stół przed sekcją. Uruchomiono wszystkie możliwe lampy. Funkcjonariusze, którzy eskortowali Polheimera, mogli podziwiać wieżyczki zamku Wincklerów, wszystkie te gargulce i maszkarony oraz rzeźby nad oranżerią. Budowla zdawała się bajkowa, magiczna, jakby księżyc w pełni zamierzał brać udział w przedstawieniu, a tego dnia był ogromny. Nie było trudno uwierzyć, że za chwilę krużgankami przemknie legendarna biała dama. Zamiast niej z bocznego wyjścia pomiędzy filarami wynurzył się Grześ Brachaczek. Szedł najpierw powoli, udając, że się ukrywa, ale potem ruszył biegiem na przełaj, przecinając schody aż do pałacowego skweru.

Hubert przez krótkofalówkę dał sygnał, by włączono stoper. Jeden z ludzi Dudka skierował kamerę na Grzesia. Funkcjonariusze popchnęli do wyjścia dyrektora. Klemens rozejrzał się bojaźliwie i poczłapał za policjantem.

– Biegnij! – zagrzewał go do większej aktywności Albert. – Szybciej!

Ponaglenie zmotywowało jedynie młodego funkcjonariusza, który dał susa w głąb parku, jakby startował w zawodach, i po chwili zniknął za żywopłotem. Klemens, zataczając się, potykając na schodach, podążył za młodziakiem. Poruszał się jednak tak wolno, że nie miał szans się do niego zbliżyć.

– Rura! Nagrywamy to! – poganiał go komendant, a pozostali zapamiętale mu wtórowali.

Choć eksperyment był roboczy, wszyscy wczuli się w swoje role.

Hubert i Weronika stali za plecami Sylwii Polheimer, która przykleiła się do okna swojej sypialni, jakby zamierzała skoczyć za mężem. Sięgnęła po okulary, odłożyła je. Pokręciła głową.

– To nie był on.

– A kto?

– Nie mam pojęcia. – Po jej policzkach płynęły łzy. – Ale to nie Klemens. Tamten był mniejszy, żwawszy. Nie wlókł się jak niedźwiedź. Był jak kot. Pomyliłam się. – Wydmuchała nos w chusteczkę, którą podała jej Werka. – Miał tylko kurtkę Klemensa.

Hubert odwrócił się do Weroniki.

– Znaleziono ją?

– Jeszcze nie.

– Kto mógł ją zabrać? – Hubert zwrócił się do żony Klemensa.

– Każdy, kto bywa w zamku – odparła, ocierając łzy. – Żyjemy tutaj jak na wsi. Nawet drzwi nie zamykamy.

– Proszę zrobić listę osób, które mają dostęp do pani mieszkania.

Sylwia podniosła głowę. Była zaszokowana.

– Praktycznie wszyscy.

– Wobec tego może kogoś pani wykluczy? – zniecierpliwiła się prokuratorka. A widząc, że Sylwia jest w kompletnej rozsypce, dodała, wskazując miejsce inscenizacji, którą odgrywali: – Powiedziała pani, że sprawca był mały.

Hubert przerwał kobietom.

– Proszę spojrzeć teraz.

Scenę odegrano jeszcze raz. Tym razem za Grzesiem pobiegła jego narzeczona. Miała na sobie policyjną kurtkę, ewidentnie za dużą. Sylwia założyła okulary, znów zdjęła.

– One nic nie pomagają – poskarżyła się. – Ten ma figurę bardziej przypominającą tamtego.

– To była kobieta – powiedział Meyer.

Sylwia nie ukrywała zdziwienia.

– Jest pani wolna. – Hubert poklepał ją po plecach. – Mówiłem, że to nie potrwa długo.

Wyszli.

***

– Chcesz mi coś powiedzieć? – zaatakowała Trudkę matka, kiedy odeszły od okna.

Jak wszyscy obecni w tej chwili w zamku, obserwowały zza zaciągniętych stor, co dzieje się na wewnętrznym dziedzińcu.

– W jakiej sprawie? – Dziewczyna przyłożyła dłoń do ust. Ziewnęła głośno. – Zasypiam na stojąco. A jutro rano jadę do Katowic.

– Nigdzie nie jedziesz, córko.

– Obiecałaś. Z powodu tego głupiego zatrzymania Klemensa przepadną mi zajęcia z rysunku.

– Naprawdę uważasz, że to teraz twój największy problem?

– Zobaczysz, że ten wysoki, ubrany na czarno go wypuści. Margot nosiło. Odskoczyła od okna i zaczęła zmywać.

– Zostaw, mamo, jutro wstawię do zmywarki.

– To mnie uspokaja.

Dziewczyna podeszła do matki i objęła ją w pasie.

– Niepotrzebnie się denerwujesz.

– Denerwuję się, bo nie wiem, co się z nami dzieje – przyznała kobieta i odwróciła się twarzą do Trudki. – Nie mówisz mi wszystkiego. Przecież wiesz, że mamy tylko siebie.

– Nie martw się. To wszystko, co było, już za nami. Teraz będzie tylko dobrze. Żadnych sensacji.

Margot wytarła dłonie, odstawiła płyn do naczyń.

– Nie będę się martwiła, jeśli powiesz mi, co jest między tobą a Klemensem.

Dziewczyna wyprostowała się.

– Co miałoby być? To nasz wujek. Twój przyjaciel. Mąż cioci Sylwii.

– Wiesz, o czym mówię. Nie jesteś już dzieckiem.

– Mamo, przestań mnie dręczyć.

Margot chwyciła córkę za rękę. Trudka zaczęła mrugać gwałtownie.

– Dlaczego mi nie wierzysz?

– Wierzę ci, dlatego pytam.

– Więc zapytaj wprost.

– Czy ty... on i ty... czy wy... – Margot nie była w stanie dokończyć.

– Nie, nie uprawialiśmy seksu. – Pałeczkę przejęła Trudka.

– Nigdy się nie całowaliśmy. Nie robił mi obleśnych propozycji. Fuj, ble, daj spokój. Co ty w ogóle wymyślasz? Może powinnaś sobie kogoś znaleźć? Sama tego chcesz i ponosi cię fantazja.

– Fantazja?

W Margot oburzenie walczyło z uczuciem ulgi. Nie wiedziała, co myśleć, ale ucieszyła się, że Trudka tak zareagowała. Mają z Klemensem niemałe problemy, więc Sylwia nie myśli jasno. Musiała się pomylić...

– Jest dla mnie jak starszy kolega – zapewniła Trudka.

– Bardzo starszy, fakt, ale w przeciwieństwie do ciebie nadąża.

– Roześmiała się. – Lubię go. Nie zawsze rozumiem, ale mu ufam. Daje mi oparcie, jakiego nie miałam, bo naszego taty już nie pamiętam. Kiedy uciekłaś, zajmowała się mną babcia. A potem zabrałaś mnie ze sobą i nie dałaś szansy go poznać.

Margot zaoponowała, ale Trudka nie dała jej dojść do słowa.

– Wiem, że był dla ciebie niedobry, ale zrozum – mam w sercu taką jakby dziurę. Nie wiem, czym mogłabym ją wypełnić. Ani go kocham, ani nienawidzę. Klemens nigdy nie zastąpi mi taty, bo jest obcy. Nie darzę go uczuciem. Ale przyjaźnimy się. Powiedziałam mu o sprawach, o których kiedyś powiedziałabym tobie.

– Kiedyś? – wydukała Margot. – A teraz już nie?

– Tak, mamo – potwierdziła córka. – Rozmawialiśmy o seksie, chłopakach, całowaniu się, marzeniach i ciąży. Nawet aborcji.

– Dlaczego ze mną o tym nie rozmawiasz? – Margot była bliska płaczu. – O usuwaniu ciąży? Powiedziałaś jemu, a nie mnie?

– No i właśnie o to mi chodzi. – Trudka skrzywiła się. – Cokolwiek zacznę, kończy się wyciem i jękami. Mówię ci, że z Klemensem mogę gadać o wszystkim. On nigdy się nie denerwuje. A często mamy odmienne zdanie. Żałuję, że nie posłuchałam go w kilku sprawach. Wiesz jakich...

Przerwała, bo po twarzy Margot płynęły łzy. Stała osłupiała, z pochylonymi do przodu ramionami, jakby była małą dziewczynką, którą ukarano za coś, czego nie zrobiła, aż Trudka pożałowała matki. Podeszła, przytuliła ją, a potem odprowadziła do łóżka. Usiadła obok, wzięła za rękę.

– Jak będziesz dalej się tak zachowywała, to przestanę ci ufać. Nigdy nie powiem ci prawdy. Będziemy konwersowały tylko o pierdołach. A gdy mnie zapytasz, powiem to, co pragniesz usłyszeć, czyli poprawne politycznie bzdety.

– To wy rozmawiacie też o polityce?

– Pierdoły. Chcesz tego? – podkreśliła Trudka. – Kocopały. Bon moty. Bla, bla, bla.

– Nie – wyszeptała przerażona Margot, z trudem powstrzymując się przed kolejnym wybuchem.

– Dobrze, to tę sprawę mamy załatwioną. – Córka poklepała matkę po plecach, jakby luzowała poduszkę. – Zostaje tylko wydrukować rozkład autobusów. Musisz przyzwyczaić się do tej myśli, mamo, że choć okoliczności się zmieniły, nie zamierzam spędzić w tym klasztorze ani dnia więcej. Ty możesz zostać w swojej bajce, jeśli ci pozwolą, ale ja wyjadę. Rozumiesz? Jak najdalej od tego miejsca. I nie idzie o ciebie. Ani o Klemensa. Nawet Artur nie ma z tym nic wspólnego! Chodzi o mnie.

– Córko, ty masz dopiero szesnaście lat!

– Dobranoc, mamo. Przemyśl to sobie i wyśpij się dobrze, bo jutro masz przesłuchanie – powiedziała Trudka i zamknęła drzwi do swojego pokoju.

Wiedziała, że matka nie wejdzie. Nigdy nie wchodziła.

***

– I co o tym sądzisz?

Weronika zatrzymała się przed swoim pokojem. Hubert mieszkał na drugim końcu korytarza. Wszystkie drzwi były identyczne i nie miały numerów. Różniły się kolorem wycieraczki przed wejściem, który był tożsamy z kolorem breloka dołączonego do kluczy.

– Żona pomówiła go z zazdrości o tę małą czy naprawdę się pomyliła?

– Sądzę, że mamy tylko kilka godzin snu, który z pewnością niektórym nie będzie dziś dany, więc pogadajmy jutro, co? Chciałbym zostać sam.

– Myślałam, że masz już jakieś wnioski.

Hubert westchnął ciężko.

– Mamy do czynienia z pięciokątem.

– Pięciokątem?

– Mąż, żona, przyjaciółka oraz jej dziecko i na to wszystko wchodzi młody chojrak, który rozbija dobrze funkcjonujący układ.

– Rozumiem, że każdy z boków tej figury może być podejrzany.

Werka rozejrzała się po korytarzu.

– To rzeczywiście nie najlepsze miejsce na dyskusję. Z tego, co mówiła dyrektorowa, ściany w zamku mają uszy.

– Oczy zapewne też – dodał Meyer.

Wera obrzuciła spojrzeniem sufit i załomy sztukaterii, ale kamery były dobrze zamaskowane. Porozumieli się bez słów. Kobieta otworzyła swój numer i nie zapalając światła, ruszyła prosto do okna. Otworzyła je na oścież. Hubert widział jej profil, kiedy błysnęła zapalniczką. Dokładnie zamknął drzwi i dołączył do Wery. Palili twarz przy twarzy, wpatrując się w zacieniony dziedziniec. Hubert miał ochotę wyciągnąć dłoń, pogładzić Werę po policzku, ale kiedy kobieta sięgnęła po napełnioną wodą szklankę stojącą na zewnętrznym parapecie i wrzuciła do niej niedopałek, na jej serdecznym palcu błysnęły obrączki. Profiler natychmiast zgasił papierosa i odwrócił się do wyjścia.

– Spektakl widzieliśmy oboje – rzekł. – Prześpijmy się z tym, a jutro zweryfikujemy hipotezy.

– Co z kurtką Klemensa?

– Sprawca podszył się pod dyrektora z rozmysłem.

– Ojciec chłopaka?

Hubert przysiadł na parapecie. Wyjął z paczki następnego papierosa.

– Wydalony ze służby, sfrustrowany, wściekły nędzarz. Ale nie musi być zabójcą. Na śmierci syna nic nie korzysta.

– Dlaczego się zaszył? Udzielił dziesiątek wywiadów, a potem się schował.

– Może jest tak, jak mówią pracownicy. Kiedy Polheimer go wyrzucił, nie miał gdzie się podziać. Znalazł lokum i szuka jakiejś pracy?

– A kobiety? Sprawcą nie musi być mężczyzna. Chłopak był młody, szczupły. Pił, ćpał. To nie był sportowiec ani tęgi osiłek. Jeśli nóż był ostry, nie trzeba było wielkiej siły, by zadać trzy celne ciosy. Nie wiemy, czym go zasztyletowano.

– Wiemy całe nic i jak na razie kręcimy się w kółku wyznaczonym przez Dudka. Jaką masz pewność, że dyrektorowa nie wymyśliła sceny na dziedzińcu w pijackim widzie? Nie zabezpieczono tam śladów krwi.

– Nigdzie ich nie zabezpieczono – potwierdziła Weronika.

– Gdzie zginął Artur?

Na to pytanie żadne z nich nie znało odpowiedzi.

– Jedyny pewnik to ciało zmiażdżone na podjeździe – podjął znów wątek Hubert. – Załóżmy, że sprawca przygotowuje atak, skutecznie go dokonuje, a potem ukrywa zwłoki i je przemieszcza, by utrudnić zebranie śladów. Byłby typem zorganizowanym. Przy takim założeniu nie pozwoliłby sobie na gonitwy, które z pałacowych okien mogli zobaczyć wszyscy, także przypadkowi goście z hotelu.

– W pandemii nikogo tu nie kwaterują – weszła mu w słowo Wera. – Grono świadków możemy zawęzić do mieszkańców i obsługi zamku.

– Nawet gdyby do konfliktu doszło, sprawca zorganizowany poczekałby na inną, sposobniejszą okazję – kontynuował Hubert. – Artur mieszkał z rodzicami w domku myśliwskim na skraju parku. Zabójstwo w lesie jest anonimowe i łatwiej wykopać sześciometrowy dół, niż bawić się w przedstawienie. Mielibyśmy tylko zaginięcie dziewiętnastolatka.

– Ale tej drogi nasz człowiek nie wybrał.

– Zamiast niej oferuje nam spektakl. Przejechany trup, dużo hałasu i prosta droga do Polheimera, z którym Artur miał otwarty konflikt.

– Więc to inscenizacja?

– Dopiero w drugim akcie. Pierwszy był spontaniczny.

– Czyli działał pod wpływem emocji i zbrodni nie planował?

– Zbrodni nie – potwierdził Meyer. – To, co wydarzyło się później, i owszem. Być może nie wszystko poszło po jego myśli, więc starał się odzyskać kontrolę nad sytuacją? Teatr z trupem na podjeździe wymagał dobrej logistyki. I ryzyka. Ale podjął je, bo wiedział, że przekaz będzie mocny.

– Co przez to rozumiesz?

– Ma wspólnika. Uczestniczył w dzisiejszym eksperymencie.

– To ktoś z zamku? Dlatego nalegałeś na tę farsę?

Hubert potwierdził.

– Ta osoba jest bezpośrednio zagrożona, bo może go wydać.

– Zabije ponownie? – upewniła się prokuratorka.

– Nie pod okiem ludzi Dudka i nie w zamku. Jest na to zbyt sprytny.

– Mamy ich wszystkich wziąć pod obserwację? To nierealne.

– I głupie, bo sprawca zorientuje się, że przy nim chodzimy. Bądź pewna, że on jest na bieżąco. Obserwuje przebieg dochodzenia i pozostaje w gotowości. Nie chcemy, żeby nabrał ochoty na usunięcie pomocnika. Lepiej już pozwolić Dudkowi błądzić i robić swoje.

– Czyli co?

– Odkryjemy, jakiego sekretu strzeże sprawca. Jeśli wziąć pod uwagę, że tutejsze tajemnice są jawne, trupów wkrótce może być więcej.

Werka chwilę trawiła tę hipotezę.

– Człowiek, którego szukamy, ma wiele do stracenia. To dlatego wyciągnął Artura na drogę.

– By zmusić wtajemniczonych do milczenia? I dlatego wieszczysz, że posunie się do kolejnych zabójstw?

Hubert skinął powoli głową.

– Nie wiemy, dlaczego Artur dostał kilka razy nożem, ale wiemy, że pani Polheimer coś ukrywa, a inni nie mają interesu, by puszczać parę z ust. Każdą zmowę milczenia można złamać, jeśli wyodrębni się najsłabszy element.

– Masz pomysł, kto może nim być?

– Każde z nich. Nawet sam szeryf Dudek.

– Chyba pora nie służy twojej dedukcji, Meyer – prychnęła Wera.

– Nie mówię, że świadomie mataczy, ale jest zbyt zaangażowany. Wie znacznie więcej, niż znajduje się w dokumentach. Wskazał leżące na biurku akta.

– Choćby to tuszowanie włamań, pobić i gwałtów.

– Domniemanych – skorygowała Wera.

– O tym przecież mówię. Załatwiali to jak we wspólnocie plemiennej. Na dobrą sprawę nie ma pewności, czy do tych przestępstw w ogóle doszło. Każdy z zainteresowanych sprzedaje własną wersję. Gdyby nie było trupa Sroki, możliwe, że też uciszyliby jakoś sprawę.

– Więc nasze plany na jutro ulegają zmianie?

– Tego nie powiedziałem – zaoponował. – Jestem totalnie za powrotem. Chciałbym po prostu przesłuchać jak najwięcej osób. Profile wolę pisać przy własnym biurku. Przyznasz, że sytuacja jest inna, niż sądziliśmy.

– Widzimy się na śniadaniu – odparła Wera. – Uzgodnimy, co dalej.

– Gdybyś mogła pomóc w ustaleniu, gdzie przebywa ojciec poszkodowanego. I może pojechalibyśmy do tego Erwina, konserwatora windy? Rybnik nie tak daleko. Warto kuć żelazo, póki gorące. Może facet widział coś więcej? W tej windzie spędził sporo czasu, a jest z zewnątrz.

– Co z małą?

– Ma szesnaście lat. Wypadałoby ją przesłuchać w obecności matki.

– Więc zaczynamy od szefowej teatrzyku?

– Możemy zdecydować rano? – Hubert sięgnął po akta. – Będziesz tego potrzebowała czy mogę wziąć jako lekturę do zasypiania?

Wera sprawdziła godzinę. Dochodziła trzecia.

– Bierz, skoro nie zamierzasz spać.

***

Choć pokój Huberta znajdował się na drugim końcu korytarza, profiler szedł do niego kwadrans. Od dziecka nie widział kilku odcieni zielonego, a właśnie taki kolor mu przypadł. Dostał się do pomieszczenia, metodycznie eliminując te, do których jego klucz nie pasował. Rzucił dokumenty na stolik, ściągnął przepocone ciuchy i wygrzebał z torby czyste bokserki. Planował szybko wziąć prysznic, a potem zabrać się do pierwszego rysu profilu. Ledwie odkręcił wodę, ciszę przeciął zduszony krzyk. Zaświecił górne światło i przywarł do ściany. W fotelu siedziała wyfiokowana panienka w za dużej policyjnej kurtce. Hubert sięgnął po ręcznik i owinął się nim w pasie.

– Przepraszam, nie chciałam pana przestraszyć. – Zachichotała, teatralnie przysłaniając oczy.

– To nie ja się darłem. – Ze złością wciągał te same dżinsy i T-shirt. – Co pani tu robi?

– Jestem narzeczoną funkcjonariusza, który brał udział w wizji.

– To tylko roboczy eksperyment – poprawił ją. – Nie odpowiedziała pani na moje pytanie.

Wstała, wyprostowała się. Ruszyła do niego leniwym krokiem, po drodze rozpinając napy kurtki. Hubert przestraszył się, że pod spodem jest goła.

– Nie powinno pani tu być – podkreślił. – O towarzystwo nie prosiłem.

Uśmiechnęła się pobłażliwie, jakby liczyła na taką właśnie reakcję.

– Nie przyszłam pana podrywać. – Zniżyła głos do szeptu. – Kocham Grzesia.

– Dlatego włamała się pani do mojego pokoju i czekała, aż ściągnę gacie?

Udała spłoszoną, jakby ją obraził, ale odczytał to jako część strategii.

– Chciałam opowiedzieć coś w zaufaniu. – Zawahała się. – Przepraszam raz jeszcze.

Pochyliła głowę jak skarcona dziewczynka i odmaszerowała do drzwi.

– Halo! – podniósł głos, a potem nagle przycichł, bo uświadomił sobie, że jest w pracy i nie potrzebuje dodatkowych kłopotów. – Jak zareagowałaby pani, gdybym naszedł ją w domu?

– Zadzwoniłabym po Grzesia.

Wskazał telefon.

– Proszę to zrobić. Wolałbym, żeby narzeczony nie miał wątpliwości, co ciemną nocą robiła pani w moim numerze.

Znów rozległ się chichot.

– Niech pani mówi, co ma pani do zakomunikowania, i się wynosi. – Ta kokietka zaczynała go drażnić. – Więc?

– Przyszłam, bo coś widziałam.

– Teraz? – szydził. – To musi być coś wstrząsającego, skoro nie mogło zaczekać do rana.

Pokręciła głową i nie zachichotała, co samo w sobie było już postępem.

– Nie wiem, czy to ważne. Ale dziwne. Doprawdy, nie mam pojęcia, jak to interpretować.

Hubert podszedł do hotelowej lodówki. Wyjął z niej piwo. Rozlał do dwóch szklanek. Upił łyk z jednej z nich. Drugą podał młodej kobiecie.

– Na odwagę.

Dziewczyna wzięła napój. Trzymała go w dłoni, ale nie piła.

– Dziś, zanim pan przyjechał, odwiedziłam Grzesia, mojego chłopaka. Miał jeszcze służbę, więc poszłam się przejść do zamkowego parku. Pogoda była piękna. Poszłam daleko i się zgubiłam. Nagle zobaczyłam biegnącą postać. To była dziewczyna. Oglądała się za siebie, jakby się bała, czy ktoś ją zobaczy, a potem podeszła do karmnika dla zwierząt i wyjęła pakunek. Sprawdzała, co w nim jest, coś dokładała. Poszłam za nią. Wkrótce spomiędzy drzew wyłoniła się stara stodoła.

Hubert słuchał, nie odzywał się.

– Już całkiem nie wiedziałam, gdzie jestem i jak wrócę, ale ciekawość była silniejsza. Ukryłam się za drzewami. Obserwowałam. Strasznie długo siedziała w tym budynku. Prawie zrezygnowałam. Już miałam dzwonić do Grzesia, żeby mnie odebrał, ale nagle zaczęłam się bać.

– Czego?

Dziewczyna zawahała się.

– Nie wiem. Jej i tego, jak się zachowywała. To było jak na filmie. Ja gram z Grzesiem w tutejszym kółku teatralnym, może pan słyszał. Mamy takie zadania, jak budować napięcie, i ja czułam, że to zaczyna być niebezpieczne.

Umilkła. Nie odzywała się jakiś czas.

– Co było dalej? Bo to nie koniec?

– Wyciszyłam telefon i nie odbierałam, choć Grześ już mnie szukał. Patrzyłam, jak dzwoni kolejny raz, i ani razu nie podniosłam słuchawki. Czułam, że muszę być cicho i nie mogę się ruszyć. Bałam się jeszcze bardziej.

– Dlaczego? – powtórzył Hubert.

– Że mnie zauważy, nakryje... Nie wiem, jak by zareagowała na to, że ją szpieguję. Ta dziewczyna paliła rzeczy w metalowej beczce. Popiół rozsypała na okolicznym błocie. Potem jadła. Zdawało mi się, że trwa to całe wieki.

– Nie podeszła pani do niej? Nie spytała, po co to robi?

– Jedną z rzeczy, które spaliła, była myśliwska kurtka Klemensa.

– Jest pani pewna?

– Wszyscy znaliśmy ten ciuch.

– Z jakiej odległości pani to widziała?

– Nie wiem, nie mam orientacji w terenie, ale rano mogę panu pokazać. Byliśmy tam z Grzesiem tylko raz...

Pochyliła głowę i nawet z tej odległości widział, że się zawstydziła. Zastanawiał się dlaczego. Ta historia nie stawiała jej w złym świetle.

– Kim jest ta dziewczyna, którą pani śledziła?

Brak odpowiedzi.

– Zna ją pani?

Skinienie głową.

– Rozumiem, że to miejsce ustronne.

– Prawie nikt tam nie bywa.

– Dlaczego nie wspomniała pani o tym podczas eksperymentu? – zapytał. – Po co ta szopka?

– Grześ zakazał mi mówić. Nie chciał, żebym z panem rozmawiała. Podobno Albert was nie lubi i wolałby, żeby pan z nimi nie pracował. A mój narzeczony jest ambitny. Za wszelką cenę pragnie zostać w zespole Alberta. Pan nie zna tutejszych układów.

Hubert odchrząknął.

– Kim była ta dziewczyna?

– To druga sprawa. Grześ też dlatego nie chciał, żebym z panem rozmawiała.

– Mogła pani pójść do komendanta Dudka.

– Nie uwierzyłby mi.

– Dlaczego?

Wzruszenie ramion. Długie milczenie.

– Zna ją pani?

– Oczywiście.

Hubert miał dość ciągnięcia jej za język. Wiedział, że skoro zadała sobie trud, by nocą dostać się do jego pokoju, zależy jej, by poznał to nazwisko.

Usiadł, założył ręce na ramiona. Czekał.

– Trudka Karlikówna – wyznała wreszcie. – Córka pani Margot, kierowniczki naszego teatru.

Udał, że nie robi to na nim wrażenia.

– Palenie tych rzeczy odbyło się wczoraj. Zanim przyjechałem, tak?

Potwierdziła skwapliwie.

– Czy Grześ dzieli się z panią informacjami ze śledztwa?

– Nie, w żadnym razie.

– Ale rozmawiacie o tym?

– Niezbyt. Głównie rozmawiamy o przygotowaniach do ślubu. Jest z tym trochę pracy i nie we wszystkim się zgadzamy. Nasi rodzice mają różne wizje tej ceremonii.

– Rozumiem – uciął Meyer. – I nie wypytuje pani narzeczonego o postępy śledztwa? Nie ciekawi pani to?

– Chciałabym, żeby sprawa została jak najszybciej rozwiązana – zapewniła. – Jak chyba wszyscy w okolicy. Inaczej zamek nie może być ponownie otwarty.

– Skoro nie mówicie o dochodzeniu, to skąd pani wiedziała, że kurtka jest ważna?

Podniosła głowę. Pierwszy raz miała czujne, przytomne spojrzenie. Żadnych rumieńców, chichotów i wdzięczenia się.

– A jest?

– Nie mogę odpowiedzieć.

Speszyła się. Zacisnęła ręce na szklance i upiła łyk piwa. Nie smakowało jej najwyraźniej, bo skrzywiła się.

– Z odległości zdołałam dostrzec tylko ten charakterystyczny emblemat – wyjaśniła. – Mówiłam, że nie wiem, czy to jest ważne. Po prostu dziwne wydało mi się, że ktoś w lesie, z dala od zamku, pali w starej beczce jakieś rzeczy. Na dodatek...

– Tak?

– Kiedy opowiedziałam o tym Grzesiowi, zakazał mi rozmawiać z panem...

– To panią skłoniło do przyjścia? – Hubert zamyślił się, a potem ujął jej dłonie i spojrzał jej głęboko w oczy.

– Jak się pani nazywa, bo zapomniałem?

– Julka Prochownik. Proszę mi mówić po imieniu.

– Słuchaj, Jula, założę się, że twój ślub będzie taki, jak sobie wymarzyłaś, prawda?

– Gdyby nie covid, pewnie tak by było.

– Ale sukienka, dekoracje, lista gości, zespół... Umiesz przekonać do tego Grzesia, co?

– Może.

Patrzyła na niego zaniepokojona.

– Nie wyglądasz mi na kobietę, którą zdoła zastraszyć narzeczony. Choćby i był starszym posterunkowym.

Puścił do niej oko. Spięła się, wyjęła ręce z jego dłoni.

– Co pan sugeruje?

– Powiedz mi w końcu prawdę, Jula.

– Powiedziałam!

– Dobrze. To teraz mi wytłumacz, dlaczego nie posłuchałaś narzeczonego. Po co tak naprawdę przyszłaś?

Odprężyła się momentalnie, a na jej twarzy wykwitł uśmiech zadowolenia.

– Bo ja od dawna uważam, że Trudka coś ukrywa.

Hubert przyjrzał się donosicielce.

– Co dokładnie?

– Nie jest taka święta, za jaką wszyscy ją mają.

Hubert z trudem powstrzymywał uśmiech. Tylko lewy kącik ust poszedł nieznacznie do góry, a za nią synchronicznie podniosła się lewa brew. A więc przygnała ją tutaj babska zawiść. Czyżby nastoletnia Trudka wpadła w oko młodemu policjantowi?

– Pan nie powie nikomu, prawda?

– O czym? Nic konkretnego mi jeszcze nie zdradziłaś.

– A kurtka, palenie rzeczy...

– Co ukrywa Trudka? I co łączy ją z twoim narzeczonym?

– Zupełnie nic. – Patrzyła mu prosto w twarz. – Powiedziałam panu wszystko, co wiem.

Teraz to ona schwyciła go za dłonie.

– Proszę, niech pan mnie nie wyda.

Wahał się dłuższą chwilę.

– Na razie możemy się tak umówić. Ale jeśli zajdzie potrzeba, złożysz zeznanie.

Dziewczyna nabrała powietrza, jakby chciała coś dodać, lecz w końcu je wypuściła. Zanim Meyer sformułował kolejne pytanie, zerwała się z fotela. Hubert patrzył, jak biegnie korytarzem i dopiero przy schodach stawia szklankę, nie roniąc nawet kropelki. Pomyślał, że tyle dobra się zmarnowało. Zamknął drzwi na klucz, choć już wiedział, że nie bardzo go to zabezpiecza przed intruzami, i zaległ w łóżku, nie trudząc się kąpielą. Kręcił się jednak długo. Wreszcie wstał i poszedł po szklankę, na której były odciski palców Julki Prochownik i jej czerwień wargowa. Zanim włożył materiał porównawczy do opakowania na dowody rzeczowe, odlał resztkę piwa do swojej szklanki i wypił w kilku łykach. Zasnął, ledwie przyłożył głowę do poduszki.

Dzień szósty
5 stycznia 2021 – wtorek

– Wróg mojego wroga jest moim przyjacielem.

Meyera wyrwał ze snu uradowany głos Waldka.

– Chyba mam dojście do informatora, który znał Białego i miał na pieńku z Japą. Kolo zna naszą femme fatale. Okazuje się, że Ewelina Psikupa to rozchwytywana sztuka.

Hubert walczył z bólem głowy. Miał wrażenie, że nie spał wcale.

– Jak się nazywa kobita Białego? – dopytał, bo był pewien, że się przesłyszał.

– Nazywała – padło w odpowiedzi. – Miesiąc temu złożyła wniosek o zmianę nazwiska. Ale po ojcu było jej Psikup. Jak się domyślasz, źle znosiła żarty wrogów. Przyjaciele zwracali się do niej Gloria.

– Typowe zachowanie gratyfikacyjne. Z litości, ale jej pewnie się podoba.

– Raczej, skoro stoi w papierach jako nowa propozycja nazwiska. I powiem ci, że pasuje. Solarium, kaloryfer na brzuchu i zdjęcia w legginsach na Instagramie. Twarz łatwa do przewidzenia. Bimbaliony selfie w lustrze.

– Czarna czy tleniona?

– Ruda. Puściłem ci screena, obacz ją sobie.

Hubert otworzył wiadomość. Patrzyła na niego bywalczyni siłowni i klubów z aerobikiem. Była znacznie mniej atrakcyjna, niż sądził, lecz z pewnością niegłupia. Oczy drapieżnika. Twarz przeciętna. Osoba, która uśmiecha się cały wieczór, nie piśnie słowa w towarzystwie, lecz kiedy coś idzie nie po jej myśli – klnie i planuje pomstę. Atakuje bez ostrzeżenia. Za kilka lat zrobi dobrą partię. Wtedy klub fitness zamieni na jogę, a sukienkę w panterkę na beżowy chałat z kaszmiru. Ambitny i zajadły typ. Sprytna osoba, która nie cofnie się przed niczym. Jeśli ktoś stanie na jej drodze, zniszczy go bez pardonu.

– Ten twój diler to dla niej chwilówka – rzekł Meyer, resztę refleksji zostawiając dla siebie. – Trzeba się śpieszyć.

– Może już jest za późno – mruknął nieco zaskoczony Szerszeń. – Pojawił się pewien szkopuł...

– Zmieniła port? – odgadł Meyer i zawahał się, nim spytał: – Z kim teraz się prowadza?

– Koleś ma swój program w tiwi. Jeździ stopem po świecie.

– W pandemii?

– Musieli to nagrać wcześniej.

– Więc Psikupa nie chlapnie już niczego. Nie ma interesu wracać do brzydkiej przeszłości. To dobrze.

– Z jednej strony niby dobrze, ale z drugiej słabo. Derma miał motywację, by Białego wysadzić. Ponoć wciąż lubi tę Glorię, a podróżnik mu przeszkadza.

– Komplikacje są zawsze – podsumował Hubert. – Twój człowiek zna klienta, którego poszukujemy?

– Zasadniczo powinien, gdyż to jego brat.

– Niedobrze.

– Czy ja wiem? Derma to młodszy brat. Oferma w rodzinie. Mają kosę.

Hubert włączył na głośnomówiący i rozpoczął toaletę.

– Chyba przy mnie nie sikasz?

– Najpierw chciałem umyć zęby.

– Nie brzmisz tak, jakbyś cokolwiek mył, a słyszę lecącą wodę – odciął się Szerszeń. – Kiedy wracacie?

– Tu też się skomplikowało. Sprawa nie wygląda tak, jak sądziliśmy.

Opowiedział pokrótce, a na zakończenie dorzucił anegdotę o nocnej wizytatorce.

– Nie możesz opędzić się od tych niewiast. Co one w tobie widzą?

– Kiedyś nie uciekały mi z pokoju.

– Mnie nigdy żadna nie wlazła.

Hubert nie chciał iść w rozmowie w tę stronę.

– Dobra robota. Umawiaj Dermę i działaj. Psikupę ogarniemy. Może to i lepiej, że ma nowego fagasa.

– A ty?

– Chcecie czekać na nas? Nawet jeśli dziś skończymy, jednego świadka mamy w Rybniku, a wygląda na to, że dotrzemy tam późną nocą.

– Kogo?

– Konserwator przeklętej windy. Ktoś z tutejszych wrabia go w sprawę.

– My możemy go zrobić – zaoferował się Szerszeń. – Wolałbym, żebyś sam zagadał z absztyfikantem Psikupy.

– Tym podróżnikiem?

– Z Dermą. Nie byłoby dobrze, żeby któryś z nas wziął go na rozwałkę. Oficjalnie jesteśmy poza firmą. To może zwrócić uwagę.

– Racja – rzekł Hubert bez przekonania.

Wyglądało na to, że robota pęcznieje mu w rękach. Czuł się trochę jak przed laty, kiedy tygodniowo miał na biegu kilkanaście spraw, a telefon się urywał.

– Pogadam z szefową i dam znać.

Zaśmieli się obaj. Pierwszy uspokoił się Szerszeń.

– Ale nie mówisz tak, bo Werka jest pod prysznicem?

– Zapewniam cię, że prowadzimy się wzorowo.

Szerszeń odchrząknął.

– Nie wiem, czy to dobrze, czy źle.

– Bardzo dobrze – odparł Hubert i znów zmienił temat: – Jak trzyma się Doman?

– Lepiej niż przed wizytą u ciebie, choć wczoraj próbował wykończyć mnie trzema litrami.

– Sądząc po głosie, nie było tego tak dużo.

– Oszukiwałem – przyznał Szerszeń. – Wiesz, co myślę?

– Żałujesz?

– W żadnym razie. Zosia wyrzuciłaby mnie do motelu z Ukraińcami. Doman może się prowadzić, jak chce, ale ja muszę być na oriencie cały czas.

– Pytasz, czy odesłać przesyłkę Domana do nadawcy? – zgadywał Hubert.

Szerszeń się zaniepokoił.

– Już teraz? Ostatnie ustalenia były inne.

– Sam nie wiem, czy nie lepiej odesłać od razu.

Hubert spojrzał na zegarek. Miał jeszcze tylko kwadrans.

– Zadbaj o oryginalne opakowanie.

– Jesteś pewien?

– Nie. Wy decydujecie.

– Pogadam z nim – obiecał Szerszeń. – A co do Psikupy...

– Streszczaj się, Waldek, bo śniadanie mi odjedzie, a potem mam taki młyn, że nie wiem, czy będzie czas się odlać.

– Trzeba ją wykorzystać na wabia. Dziewczyna lubi pozory, więc będzie łatwo ją wkurwić. A kiedy człowiek jest zły, to gorzej myśli. Może popełni jakiś błąd.

– Kogo chcesz złowić?

– Niech namówi do współpracy brata Dermy.

– Tak byłoby najprościej – przyznał Hubert. – Skoro odcina się od przeszłości i chce być elegantką, zmusi go, żeby milczał albo gadał za nią. A nawet gdyby on puszczał farbę, ona nie piśnie nikomu oraz nigdy. Bo to brzydko pokazywałoby ją w nowym towarzystwie. Co innego możemy jej zaoferować? Forsy nie mamy. Spraw w narkotykach nie prowadzimy. Derma działa w branży, której nie wspieram. Ty, jak się domyślam, też...

Szerszeń słuchał w milczeniu. Hubert umył już zęby i wahał się, czy zdąży przeprowadzić drugie podejście prysznicowe, zanim do pokoju wtargnie jakaś kobieta. Jeśli miałby wybierać, wolałby Weronikę. Choćby darła się i utyskiwała, że Meyer się grzebie.

– Jesteś? – upewnił się psycholog.

– Słucham cię i zastanawiam się...

– Nad czym?

– Wygląda na to, że Biały miał wyjątkowo długi jęzor. To mnie martwi.

– Skoro powiedział Psikupie, to wiedzą też inni – zgodził się z przyjacielem Hubert. – Trzeba dać cynk w mieście, że szykuje się obława. A jak babsko się wystraszy, sama zmusi Dermę, żeby zeznawał i ją oczyścił. Zgodzimy się na to. Tylko tyle możemy jej zaoferować. Układ. Załatwimy ją jej własną bronią.

– Czyli jaką?

– Milczeniem. Miecz obosieczny na awanturne cwaniary.

***

Margot czekała na Meyera na dziedzińcu. Prosił, by na spotkanie przyprowadziła również córkę, ale była sama. Nie skomentował tego, choć nieobecność nastolatki w świetle nocnych rewelacji wydała mu się wielce podejrzana, ale nie chciał jej spłoszyć.

– Przejdźmy się. – Wskazał wejście do zamkowego parku.

Kobieta obejrzała się na Dudka i dopiero kiedy komendant nieznacznie skinął jej głową, podążyła za Hubertem. Bardzo ostrożnie drobiła kroki w swoich fantazyjnych czółenkach wiązanych na kokardkę welurową tasiemką, jakby pragnęła je ocalić od błocka zalegającego ścieżki. Zima tego roku zaskoczyła wszystkich siarczystym mrozem, ale od wczoraj było na plusie, więc śnieg stopniał, ujawniając leśne podłoże pełne nadgniłych liści.

– Chyba że wolałaby pani zostać w pałacu?

Zaprzeczyła gwałtownie. Widział, że jest spięta i czeka na pytania o Gertrudę, ale uparcie milczał na ten temat.

– Jak się żyje w takim zamku? – zagaił, kiedy oddalili się od budynku głównego i wchodzili w głuszę. Karlikowa wciąż kroczyła jak po linie, co zaczynało go bawić.

– Normalnie. Niczym się to nie różni od życia w leśniczówce. Wszędzie daleko i trzeba robić zapasy jedzenia. W dzisiejszych czasach to zaleta.

– Wcześniej mieszkała pani w leśniczówce?

Popatrzyła na niego, jakby spadł z księżyca.

– Nigdy.

Szli dalej w milczeniu, wsłuchując się w śpiew ptaków.

– Czy to normalna procedura? – zniecierpliwiła się wreszcie i przestała patrzeć pod nogi.

167

Wdepnęła w kałużę, aż zachlapała sobie spódnicę, która sięgała jej kostek. Kiedy uniosła ją do góry, spostrzegł, że pod spodem ma kilka halek. Skąd ona się urwała, pomyślał. Ale nogi miała zgrabne. To musiał jej przyznać.

– Co dokładnie ma pani na myśli?

– Przesłuchanie na spacerze. Chce pan mnie wyziębić?

– Wolałaby pani na komendzie czy niepokoi panią brak Alberta? Zauważyłem, że się przyjaźnicie.

– Znamy się jedenaście lat.

– Odkąd pani przyjechała.

– Jest pan dobrze poinformowany.

– Dlaczego tu zamieszkałyście? Z tego, co wiem, ta posiadłość należy do miasta i nawet dyrektor jest zakwaterowany czasowo. Dla pani wystarał się o pokój w części hotelowej, ale płacicie jak za mieszkanie komunalne.

– Mamy dwudziestotrzymetrowy apartament. Nie uważam, żeby czynsz był zaniżony.

Hubert odchrząknął.

– Mam zadać to pytanie po raz trzeci? Nie jesteśmy na randce.

Kobieta spurpurowiała.

– Sylwia jest moją koleżanką z lat dziecinnych. Mieszkała na Koszutce, jak ja, od dziecka. I potem z mężem... – Urwała.

– Mieliśmy niebieską kartę. Mąż miał zakaz zbliżania się do mnie i córki. Do dziś nie wie, gdzie przebywamy. Musiałam zmienić rejon zamieszkania, by ochronić dziecko. Nie chodziło mi o siebie. Klemens z Sylwią dali mi pracę, a potem ten pokój. Miało być na razie, ale zostałyśmy. Kocham to miejsce.

– Pasuje pani tutaj jak nikt – przyznał z przekąsem Meyer, lecz nie uśmiechnął się, chociaż Margot się tego spodziewała.

– Ściągnąłem sobie orzeczenie waszego rozwodu. Stoi w nim, że wina leży po pani stronie. Zostawiła pani rodzinę i nie dawała znaku życia. Córka była w tym czasie pod opieką ojca, a ponieważ zajmował się poszukiwaniem pani, trafiła do domu dziecka, a później do teściowej. Potem pani wróciła, zabrała córkę i zamieszkała w zamku. Tak po prostu oddali pani Gertrudę? Nie słyszałem jeszcze o takim przypadku.

Kobieta zatrzymała się, opuściła głowę. Był pewien, że płacze, ale nie zamierzał jej pocieszać.

– Uciekłam – wydusiła przez łzy. – Wróciłam tylko po Trudkę.

– Mąż nie wie, że pani jest tutaj?

Skinienie.

– Zmieniła pani nazwisko?

Potwierdzenie.

– Po mężu miałam Urbaś. Karlikowa to nazwisko panieńskie mojej matki. Bartosz nie znał go.

– Nazwiska córki nie mogła pani zmienić legalnie. A jednak zarejestrowała ją pani w szkole pod przybranymi personaliami. Dlatego córka uczyła się w domu? Sfałszowała pani dokumenty.

Margot skuliła się.

– Po prostu wpisałam takie dane. Nikt tego nie sprawdził... Będę miała kłopoty?

Hubert sięgnął do kieszeni i wyciągnął zmiętą kartkę.

– Czy pani wie, że figurujecie w bazie osób zaginionych? W waszej sprawie prowadzone było śledztwo o podwójne zabójstwo i pani mąż był podejrzewany. Umorzono je, lecz nie z braku cech przestępstwa, ale dlatego, że komendant Dudek spotkał się nieoficjalnie z komendantem rejonowym, któremu podlega Koszutka. Czy pani wie, ile problemów miał pan Urbaś? Jest naznaczony w swoim środowisku. Miejscowi mają go za zwyrodnialca.

– Bo on jest potworem! – wyrwało się kobiecie. A potem krzyczała coraz głośniej: – A co to pana obchodzi?! Po co miesza pan mnie do tej sprawy? To nie ma związku!

– Może i nie ma. – Hubert splunął pod nogi i przydeptał plwocinę. – A może i będzie miało. To się okaże.

– Czy potrzebuję adwokata? – przeraziła się.

Zmierzył ją taksującym spojrzeniem.

– Sama powinna pani wiedzieć.

Milczeli oboje, piorunując się wzrokiem. Nagle kobieta odwróciła się na pięcie i nie zważając na błoto, ruszyła w przeciwnym kierunku, z powrotem do zamku.

– Jeszcze nie skończyliśmy.

Stanęła w miejscu, plecami do niego.

– Gdzie pani była w noc zabójstwa Artura Sroki?

Natychmiast się odwróciła. Jej blada twarz była wykrzywiona gniewem.

– U siebie. Pan mnie podejrzewa?

– Czy ktoś może to potwierdzić?

– Moja córka – odparła niepewnie.

– Jest pani przekonana, że córka była z panią?

– Tak.

– Przez całą noc? Nigdzie nie wychodziła?

Tym razem Margot się zawahała. To było tylko kilka sekund, ale Meyer zauważył, że odwróciła wzrok i dopiero potem znów na niego spojrzała.

– Oczywiście.

– To dobrze. – Wskazał, by poszli podmokłą częścią. Na ściółce było znacznie więcej liści. – Nie ma pani innego obuwia? Takie piękne lakierki się zniszczą.

– Trudno.

– Chcę pani coś pokazać – oświadczył łagodniej. – A raczej wolałbym, by pani zaprowadziła mnie w to miejsce. Stara stodoła, karmniki dla zwierząt, metalowa beczka na węgiel.

Skręciła w lewo dziarskim krokiem, jakby chciała mieć to jak najszybciej za sobą. Już nie patrzyła pod stopy. Podniosła tylko wyżej fałdy spódnicy.

– Tam nic nie ma, ale zaprowadzę pana.

– Po drodze proszę powiedzieć, jak to było z romansem Trudki i Artura.

Zaskoczył ją.

– Nie było żadnego romansu.

– Chodzili ze sobą. Wszyscy o tym wiedzieli. Zrobili nawet wspólnie włamanie do gabloty, gdzie znajdują się precjoza Wincklerów. Klemens Polheimer to zatuszował.

– Trudka niczego nie ukradła.

Margot szła tak szybko, aż się zasapała.

170

– Ale Artur tak. Z pewnością jedna kolia nie została odzyskana. W gablocie zamiast niej leży teraz sznur pereł. To znaczy ich replika.

– Wszystkie były replikami. Nie są nic warte. Dzieci o tym nie wiedziały.

– Więc jak to było?

Wskazała pień drzewa i zapytała, czy mogliby chwilę odpocząć. Hubert zgodził się. Usiadła, pieczołowicie rozkładając mokre fałdy spódnicy, jakby zamierzała deklamować wiersz.

– Kiedy przyjechałyśmy, Trudka miała pięć lat. Żyje tutaj całe świadome dzieciństwo. Zna pan już sytuację i wie, że się ukrywałam. Nie mogłam pozwolić, by Bartosz nas znalazł. Zabroniłam jej spotykać się z rówieśnikami, wystarałam się o nauczanie domowe. Początkowo przygotowywałam ją do zajęć, ale potem radziła sobie już sama. Kiedy zaczęła dorastać, obsesyjnie chciała mieć kolegów. Do dziś tak jest. Była jednak grzeczna, karna i odpowiedzialna. Niczego przed nią nie ukrywałam. Owszem, przed laty popełniłam błąd. Nie mogę sobie tego do dziś wybaczyć i dlatego jestem sama. Nie ufam już swoim emocjom. Mąż czerpał przyjemność z dręczenia mnie, kontrolowania, bicia i poniżania. Zgadzałam się przez lata. Dokładnie sześć. Kiedy zaczęłam terapię, dowiedziałam się, że to niewiele. Inne kobiety trwają w czymś takim całe życie. To, że wytrzymałam tych sześć, zawdzięczam głębokiej wierze w Boga. Zaangażowałam się w życie społeczności. Pomagałam w parafii i zaoferowałam swoją pomoc na plebanii. Wikary był tylko trzy lata starszy ode mnie. Zakochaliśmy się w sobie. To znaczy ja się zakochałam. Wynajęliśmy mieszkanie w Chorzowie i postanowiliśmy oboje uciec. On z Kościoła, ja od męża. Kawalerka była malutka, bez łazienki. Nie wiem, co wtedy myślałam. Już teraz nie pamiętam. Zostawiłam Trudkę z ojcem. Otrzeźwiałam po kilku miesiącach, kiedy któregoś ranka na lodówce znalazłam kartkę, że Bóg do niego przemówił, więc on jedzie na misję odpokutować oraz życzy mi wszystkiego dobrego. Od tamtej pory nie chodzę do kościoła. Brzydzę się klerem. I sobą – w dalszym ciągu. Dokonałam apostazji. Ale wierzyć nie przestałam. Myślę, że to było mi potrzebne, żeby przejrzeć na oczy. Spotkałam kolejnego oprawcę. Choć ten drugi działał w białych rękawiczkach, zadał mi nie mniejsze rany. Do dziś czuję się ofiarą i boję się związków. Mam w sobie jakiś błąd, który sprawia, że przyciągam manipulantów. Kiedy wróciłam, mąż był jak odmieniony. Wybierał się na Wschód medytować czy tańczyć z jakimiś kobietami. Wykorzystałam jego chwilowe oświecenie i zgodziłam się na rozwód z orzeczeniem winy, żeby całkowicie się od niego odciąć. Zabrałam dziecko i pojechałam, gdzie oczy poniosą. Na dworcu w Katowicach przypomniała mi się koleżanka z dzieciństwa, która wyszła za mąż za człowieka z Sosnowca. Nie utrzymywałyśmy kontaktu, bo mój mąż był śląskim nacjonalistą i nas odizolował. Zadzwoniłam do Sylwii. Powiedziała, że Klemens objął właśnie funkcję dyrektora zamku. Zaprosiła mnie do siebie.

– Jaki to ma związek z Arturem Sroką? – przerwał jej Hubert.

– Taki, że od pierwszego dnia, kiedy Sroki przybyły na zamek, wiedziałam, że są uciekinierami. Jak my. I czułam, że Trudka może zadurzyć się w tym chłopcu. Dla mnie, jako matki po takich przejściach, byłaby to najgorsza możliwa partia. Martwiłam się, że zajdzie w ciążę i podzieli mój los.

– Tak się stało?

– Stało się coś o wiele gorszego. Trudka zasmakowała wolności.

– To takie straszne?

– Była chowana pod kloszem. Nie zna realiów. Starałam się, by niczego jej nie brakowało. I nagle ucieka z tym chłopcem z domu. Kradną z muzeum te repliki. Włamali się też do kasetki księgowej i zabrali jakieś drobne. Nie było tego dużo. Akurat tyle, by dojechać do Katowic. Jemu znudziło się po dwóch tygodniach.

– Wie pani, gdzie się włóczyli?

– Nie bardzo – przyznała załamana. – Od powrotu Trudka nie rozmawia ze mną szczerze. Zmieniła się, zaczęła mieć swoje tajemnice i czasami przypomina mi swojego ojca. Bywa gwałtowna, despotyczna i chytra.

– Chytra?

– Ostatnio powiedziała, że zgubiła bilet miesięczny, a widziałam w systemie, że się logował i płatność została zaksięgowana. Z mojego portfela ginęły drobne kwoty. Nie mam pewności, czy nie bierze znów narkotyków...

– Była uzależniona?

– Kiedy zatrzymano ją i odstawiono do schroniska dla nieletnich, była pod wpływem metamfetaminy. Przy sobie miała marihuanę i jakieś tabletki.

– Jak udało się to pani zatuszować?

Margot pochyliła głowę.

– Klemens nam pomógł. I komendant Dudek – potwierdziła, a potem nabrała haust powietrza i wyszeptała: – Trudka nie jest już dziewicą. Sądząc po tym, co mówiła, nie doszło do tego w romantycznych okolicznościach.

– Artur ją zgwałcił?

Kobieta zwiesiła głowę.

– Zastanawiam się, czy nie pójść z nią do specjalisty.

– Jeszcze pani tego nie zrobiła? – zdziwił się Hubert. – Ważniejsze były ludzkie języki?

Kręciła głową jak opętana, a w oczach miała łzy.

– Wydałoby się, że sfałszowałam jej dokumenty. A gdybym poszła do poradni i podała nazwisko męża, Bartosz mógłby nas znaleźć. Miałam związane ręce.

Znów płakała.

– Jak było z tym poprawczakiem?

– Zatrzymano ich za włóczęgostwo. Artur miał ze sobą kradzione fanty. Jest pełnoletni, więc dał jej torbę i kazał mówić, że należy do niej. Za pierwszym razem tak zrobiła. Ze strachu. Potem próbowała to odwołać, ale jej groził. Kiedy ich rozdzielono, on trafił do aresztu, a ona do poprawczaka. Wiem, że jego ojciec nachodził ją, żeby wzięła winę na siebie. Przekonywał, że jej szybciej udałoby się wyjść.

– Nie zgodziła się?

– Bała się go – podkreśliła Margot. – Coś okropnego musiało między nimi zajść, bo kiedy wróciła, oświadczyła, że nigdy nie zwiąże się już z chłopakiem.

– Zgwałcił ją? – powtórzył Meyer.

– Nie mam pewności.

Hubert podał kobiecie dłoń i w milczeniu ruszyli do starych zabudowań. Profiler obszedł stodołę dookoła, ale żadnej metalowej beczki do ogrzewania, o której mówiła Julka, nie było.

– Kojarzy pani narzeczoną tego młodego policjanta? Jest bardzo przystojny.

– Grzesia Brachaczka? – rozpromieniła się Margot. – On i Julcia to przemili ludzie.

I zaraz zmarkotniała:

– Takiego zięcia bym sobie życzyła. Nie bandytę z gniazda Sroków.

– Nie lubiła pani Artura?

– Zły nie był – przyznała. – Tylko sfrustrowany. Myślę, że się pogubił. Jego ojciec natomiast to wyjątkowo okropny typ. Podburzał syna do bójek. Podejrzewam, że to on podsunął młodym pomysł, żeby okraść muzeum. Zabezpieczenia były tam wtedy żadne, a ochroniarz wie najlepiej, jak je obejść. – Machnęła ręką. – Matka Artura nigdy się w nic nie mieszała. Gdybym została ze swoim ślubnym, miałabym tak samo wyprany mózg jak Marysia. Bardzo jej współczuję.

Hubert kolejny raz obszedł stodołę dookoła. Zajrzał do środka, poświecił telefonem, ale niczego podejrzanego nie znalazł. Za budynkiem leżała tylko sterta nadgniłych desek. Ulokowano je częściowo pod daszkiem. Hubert kucnął i przyjrzał się drewnu, a potem pociągnął palcem po brzegach tych, których deszcz nie zmoczył.

– Czego właściwie pan tutaj szuka? – zainteresowała się Margot.

Hubert podniósł palec i pokazał grafitowy ślad popiołu. Potem przesunął deski. Na ziemi widniał półokrąg.

– Czy tutaj zwykle stoi metalowa beczka?

Kobieta rozejrzała się bezradnie.

– Nikt tu nie przychodzi. Dawno temu zamierzaliśmy to rozebrać. Stary Sroka miał się tym zająć, ale wolał pić i bić tę biedną Manię.

Hubert już nie słuchał. Wpatrywał się w podłoże, jakby zgubił coś małego. Wreszcie zatrzymał się, ukucnął i założył rękawiczki. Z drugiej kieszeni wyjął pęsetę oraz torebkę na dowody i podniósł do góry nadwęglony kawałek szmaty.

– Jaki kolor miała kurtka dyrektora?

– Zielony oczywiście. I złoty. Jak herb rodu Wincklerów – odrzekła cicho Margot, wyczuwając, że jest świadkiem czegoś istotnego.

Profiler sięgnął po komórkę i wybrał numer Dudka, ale nie mógł się połączyć – nieustannie włączała się poczta głosowa.

– Tu czasem nie ma zasięgu – pośpieszyła z wyjaśnieniem Karlikowa.

Profiler włączył krótkofalówkę i zgłosił Rudy, że potrzebuje techników. Pytała o szczegóły, ale szybko zakończył rozmowę i zwrócił się do Margot:

– Czy Trudka mogła być tak wściekła na Artura, że chciałaby jego śmierci?

Nie doczekał się odpowiedzi, więc dodał:

– Bo tej nocy nie było jej w domu. Wymknęła się, myśląc, że pani już zasnęła. Mogło być około drugiej, może później.

– Ktoś ją widział? – zdołała wychrypieć zbolała matka i rozpłakała się. – Skąd pan to wie?

– Nie wiedziałem – przyznał Meyer. – Pani przed chwilą to potwierdziła.

Margot nie odzywała się. Kontynuował:

– Ale jeśli ją widział, to nie tylko wtedy.

Potrząsnął papierową torebką na dowody.

– Wygląda na to, że w tym zamku wszyscy wszystko wiedzą, lecz nikt nie chce zacząć mówić pierwszy. Łączą was wspólne sekrety. Jestem niezwykle ciekaw jakie.

Margot podniosła dumnie podbródek.

– Widać, że całe życie przemieszkał pan w aglomeracji. Miałam to samo, kiedy tu przyjechałam. Nie mogłam przyzwyczaić się do wszędobylskich oczu. Do tego, że nieustannie jestem obserwowana, a moje zachowanie podlega komentarzom. Plotki docierają za późno, kiedy już się ostro dymi. Jak teraz... Widać, że nigdy pan nie żył na wsi. Okolice zamku to taka osada. Bardzo mała, ale mechanizmy są typowe. – Podniosła obie dłonie. Rozczapierzyła palce. – Jeśli zbrodni dokonał ktoś stąd, ma pan wąskie grono podejrzanych. Selekcji dokona pan bardzo łatwo, bo wszystkie tutejsze sekrety są publiczne. Jeśli zaś pyta mnie pan, czy Trudka miała motyw, by zabić Artura, to potwierdzam. Nienawidziła go bardziej niż ja swojego męża i kochanka razem wziętych. Tak to jest ze zranionymi kobietami, że nie umieją zapomnieć. Nie różnimy się od siebie zanadto i dobrze pan o tym wie. Wiem jednak, że Trudka tego nie zrobiła. Nie zabiła Artura.

– Skąd ta pewność?

– Ponieważ kiedy wróciła do domu tej nocy, Artur jeszcze żył.

– Widziała go pani?

– Dzwonił do mnie. Niestety nie odebrałam. Może pan sprawdzić mój billing. Była czwarta nad ranem.

Hubert wahał się. Nie skomentował.

– Mogę pana zapewnić, że cokolwiek moja córka ma na sumieniu, nie jest to zbrodnia na Arturze. Nie byłaby w stanie sama przemieścić zwłok z dziedzińca na drogę. Do tego trzeba siły, doświadczenia życiowego i dobrej organizacji. Gertruda była wtedy w domu. Mogę zaręczyć. To zrobił ktoś inny. Nie wiem, czy jest zabójcą, ale chciał utrudnić identyfikację i zmylić trop śledczych.

– Chciał, żeby ciało zostało zmasakrowane?

– Tak jest.

– Po co?

– Dla pieniędzy.

– Sugeruje pani, że to zbrodnia na zlecenie?

– Tego niestety nie wiem. – Margot nerwowo kręciła głową. – Wiem natomiast, komu zależało, żeby obciążyć odpowiedzialnością dyrektora. Sama przez długi czas wierzyłam w tę wersję.

Hubert nabrał powietrza i zapytał:

– Jak brzmi nazwisko tego człowieka?

– Zna je pan. – Kobieta wskazała cienką teczkę, którą Hubert niósł pod pachą. – Przewija się nieustannie w tych dokumentach.

Sławomir Sroka przekręcił klucz w zamku i weszli z Manią do środka. Domek był wyposażony we wszystko, o czym wcześniej mogli tylko pomarzyć. Na podłodze miękkie dywany, ściany obwieszone obrazami, których nie rozumiał, ale wiedział, że są wiele warte. Meble na wymiar, wielka plazma w salonie. W pełni wyposażona kuchnia.

– Są wszystkie garnki! I porcelanowa zastawa! – piszczała zachwycona Maria. – To zabytkowy rosenthal!

– Chata niczego sobie, tylko widoku na Katowice brak – mruknął Sławomir, rozsznurowując zabłocone buty. – Dobrze, że chociaż wózek w garażu porządny.

– Mamy też auto, Sławuś?

– Za wachę płacimy sami. Trzeba będzie szybko coś zorganizować, bo z tego, co wiem, ten range rover pali jak smok.

– Ja mogę jeździć komunikacją – zapewniła Mania.

– To się rozumie samo przez się.

Wychylił głowę za drzwi. Po drugiej stronie ulicy zauważył granatowego SUV-a z włączonym silnikiem, ale choć rozpoznał Dermę, nie skinął pasażerom. Wystawił jedynie obuwie przed wejście i wrócił do szalejącej w kuchni Mani, by szturchnąć ją w sprawie butów, ale żona była już boso. Znoszone tenisówki wcisnęła do przepastnych kieszeni. Mąż wyjął je i ruszył, by zrobić z nimi to samo, co ze swoimi kamaszami, kiedy kobieta uderzyła w szloch. Wyła tak rozpaczliwie, aż Sroka się wystraszył, że noże są za ostre i się poraniła.

– Dlaczego Artur tego nie dożył? Bóg powinien zabrać mnie, a nie chłopca, przed którym było całe życie.

– Powinien. – Sroka podszedł do żony i nieporadnie ją przytulił. – Nie zrobił tego. Musimy żyć dalej.

Sięgnął po plik dokumentów leżących na wyspie kuchennej.

– Choćby i w Sosnowcu.

Mania otarła łzy. Twarz wciąż miała wykrzywioną bólem.

– Co z tego, że w Sosnowcu, Sławuś. To nie ma znaczenia.

– Dla mnie ma – burknął. – To za granicą.

Mania łagodnie wróciła do swoich lamentów, więc Sławek wyjął z torby pół litra. Postawił na stole.

– Idź sprawdź, czy jest gorąca woda. Wykąpiemy się, napijemy i zastanowimy, co dalej.

– Co ma być dalej, Sławuś? Nie mamy już dzieciaka.

– Weź się w garść, Mańka. Czwórka Sroczek radzi sobie niezgorzej w Irlandii. I wnuków masz siedmioro. Pomyśl, jaką będą miały minę, gdy wyślemy im widokówkę z tym nowym adresem. A w Wielkanoc rozstawimy stół i zaprosimy wszystkich.

Kobieta rozplątała szal i ściągnęła go z głowy, rozpięła płaszcz. Mąż poczuł kwaśny zapach jej potu.

– Zostaniemy tutaj tak długo?

– Tak właśnie myślę.

Rzucił żonie gniewne spojrzenie. Odruchowo zasłoniła się ramionami. Cios jednak nie padł.

– Nie dam się stąd wykurzyć. O nie! Dosyć biedowania i hajcowania w piecu węglowym. Rzucę też picie, pójdę do roboty. Może załapię się do ochrony jakiegoś bogacza? Wiesz, że po tych artykułach ludzie sami dzwonią z ofertami? Chcą pomagać, robią zbiórki. Dobrze to rozegraliśmy. – Urwał.

Mania patrzyła na męża zaniepokojona.

– Jak rzucisz picie, Sławuś? Wcale nie będziesz pił?

Spojrzała na flaszkę wódki stojącą na blacie.

– Tylko w weekendy – zapalił się Sroka. – Albo po robocie. Zaśmiała się.

– Nie wierzę.

Mąż przyjrzał się kobiecie groźnie, więc natychmiast spokorniała.

– Ty wiesz, co trzeba robić, Sławuś. Żartowałam. Ja naprawdę stoję za tobą murem. Wiesz przecież.

– Idź się wykąpać – westchnął z ociąganiem. – Śmierdzisz. A i ja fiołkami nie wonieję. Trzeba zmyć z siebie szlam i gówna Mosznej. Dosyć tej żebraniny. Nigdy więcej.

Otworzył szafę. Wylosował koszulę i spodnie. Przyłożył do siebie.

– Powinny pasować.

Następnie odsunął drugą część garderoby. Znajdowały się tam sukienki i stos damskiego obuwia. Sroka wyjął długą srebrną toaletę.

– Chyba ją sobie wsadzę na udo – mruknęła z niechęcią Mania. – Ale przecież nie zamierzasz nosić cudzych rzeczy, Sławuś? My tu tylko jakiś czas pomieszkamy. Do Wielkanocy? Jak myślisz?

Sroka nie słuchał szczebiotania żony. Dotykał sukienki, jakby wyobrażał ją sobie na czyimś ciele. A musiało być doprawdy szczupłe i atrakcyjne, bo ubranie więcej odkrywało, niż zakrywało. Kiedy odwiesił rzecz na miejsce, fonia wróciła.

– I popatrz, nie wierzyłeś dyrektorowi – perorowała Mania, stojąc w samej halce i podkolanówkach. – Wiedziałam, że Klemens tak tego nie zostawi. Niepotrzebnie go straszyłeś.

– Co ty robisz, żono?

Mania spojrzała na siebie, poprawiła biustonosz, spróbowała wciągnąć brzuch, ale to była próżna robota, więc zasłoniła się zdjętym swetrem i spodniami.

– Idę się podmyć – wyszeptała strachliwie. – Jak mi kazałeś.

Sroka odwrócił głowę ze wstrętem.

– To idź bystro i nie rozgogalaj się tu! – popędził ją. – Jeszcze kto przez okno zobaczy.

– A kto by tam chciał mnie oglądać – zaśmiała się.

– Przecież o tym mówię, kobieto!

Kiedy znikała w korytarzyku, dorzucił:

– Ten kwadrat to nie robota dyrektora. Jego jałmużny nie potrzebuję.

W odpowiedzi usłyszał tylko syk puszczanej wody i okrzyk radości:

– Jest sól różana! To prawdziwy pałac, Sławuś. Gdyby tylko nasz synek tego dożył...

Sroka podszedł do łazienki i zamknął drzwi. Nie zniósłby kolejnego lamentu. Przyłożył jednak głowę do framugi i szeptał, siląc się na łagodny ton.

– Zobaczysz, wszystko się zmieni. Zaczniemy nowe życie. Cena była słona, ale musimy żyć dla tej czwórki, która pozostała przy życiu.

Kobieta rozbeczała się głośniej. I o to mu chodziło. Szybko pobiegł do salonu, wyjął z torby nowiutkie pudełko z telefonem, włożył do niego kartę i nacisnął listę kontaktów. Zapisano na niej tylko jeden numer. Kliknął, by wykonać połączenie.

– Nowy domek podoba się żonie?

– W Sosnowcu, ale niech będzie.

– Jak się dobrze sprawicie, starszy szeregowy, dostaniecie akt notarialny i kupicie sobie coś nowego. Tam, gdzie tylko chcecie. Choćby i za granicą.

– Już jestem za granicą.

– Na razie jesteś na okresie próbnym, Boku. I nie wkurwiaj chorążego, bo zadanie się skończy, zanim się zaczęło.

– Tak jest, szefie.

– Już lepiej. Za godzinę dostaniesz współrzędne GPS. Odbierzesz przesyłkę i zrobisz z niej użytek.

– Dziś? – zaniepokoił się Sroka.

– Ty, Boku, decydujesz. Było powiedziane, że przygotowujesz się sam. Ma być zrobione na czysto. Jak za dawnych czasów.

– Tak jest – zameldował, a potem odważył się spytać. – Czy je to rzeczy?

– Już niczyje – padło w odpowiedzi. – Trupów. Nie będą nam potrzebne.

Sroka na próżno czekał na dalsze wytyczne. Połączenie przerwano.

Podszedł do blatu w kuchni, odbił denko butelki, a potem wlał sobie do gardła spory łyk na odwagę. By dodatkowo poprawić sobie humor, wrócił do garderoby i zdjął z wieszaka srebrną sukienkę. Zwinął ją w garści. Mieściła się prawie cała. Zanim Mania wyszła z kąpieli, butelka była do połowy opróżniona, a w torbie Sławomira, ukryta pod denkiem, leżała syrenia kreacja.

***

Albert Dudek nie mógł odebrać telefonu od Huberta, ponieważ miał zaplanowane czynności w komendzie. Nie tyle nie mógł, ile nie chciał. Był zły na przyjezdnego, że szarogęsi się na jego terenie, a w psychologiczne sztuczki nie wierzył. Dlatego nie uprzedził Meyera, że na dziś zaplanował konfrontację Klemensa Polheimera z Erwinem Długoszem, i liczył, że tę informację prokuratorka przekaże mu za późno, by Hubert zdążył zmienić plany.

Stał teraz przed lustrem weneckim i popijał herbatę, patrząc, jak kolejno do pomieszczenia wprowadzają podejrzanego i jego wspólnika – co miał nadzieję dzisiejszym eksperymentem udowodnić. Konfrontację zamierzał poprowadzić sam, a stenogram dołączyć do akt dopiero po wyjeździe psychologa z Mosznej. Wiedział od pracowników zamku, że prokuratorka zarezerwowała kolację na siedemnastą, więc najpóźniej o tej porze intruzów będzie miał z głowy.

– Gotowi, szefie – zameldował Grześ. – Rozkuć pana Klemensa?

– W żadnym razie. Szkoda, że nie spytałeś. Trzeba było dać obrączki i temu drugiemu. Teraz już za późno.

– Oni nie uciekną – zauważył młody policjant. – Znam obydwóch. To przemili ludzie.

– Młody Sroka też nie był taki zły – uciął temat Dudek, a potem pozbierał swoje zabawki do metalowej tacy i ruszył do drzwi wewnętrznych.

Nie usłyszał kąśliwej uwagi Brachaczka, który pod nosem, lecz kategorycznie nie zgodził się z opinią przełożonego. I tak by ją zbagatelizował, bo był zbyt zajęty planowaniem strategii przesłuchania. W jego odczuciu było to najważniejsze ogniwo toczącego się śledztwa.

Mężczyźni siedzieli naprzeciwko siebie, na szczytach stołu. Albert zajął miejsce na środku, sprawdził czujnik aparatury nagrywającej, a potem położył przed sobą teczkę z plikiem kartek. Kluczowa była tylko jedna, pozostałe dołożył z podajnika drukarki. Chciał, by myśleli, że ma na nich więcej, niż naprawdę zebrał.

– Nazwisko, zawód, wiek. Czy był pan skazany za składanie fałszywych zeznań? – zwrócił się kolejno do każdego z nich i odczytał formułkę o grożącej im karze w razie mataczenia w śledztwie.

– Erwin Długosz, lat czterdzieści pięć, inżynier. Prowadzę własną działalność. Jednoosobową. Nie byłem.

– Klemens Polheimer, archeolog, dyrektor zamku w Mosznej. Zasiadam w radzie miasta i kilku innych radach. Jestem też członkiem Europejskiego Klubu Biznesu, przewodniczę grupie rekonstrukcyjnej Powstańców Śląskich, jako prezes fundacji „Zdążyć na pomoc" zbieramy co roku środki...

Albert nie dał Klemensowi szansy dokończyć.

– Listę twoich działalności mam w dokumentach. Jeśli będę potrzebował szczegółów – zgłoszę się. Nie musisz się puszyć. Wiek i czy byłeś karany.

Klemens rzucił Albertowi wrogie spojrzenie, ale policjant udał, że to go nie rusza.

– Nie byłem. Czterdzieści trzy.

Erwin Długosz poruszył się niespokojnie na krześle. Złożył dłonie w koszyczek.

– Czemu to ma służyć? Ja tylko przyjechałem naprawić windę.

– Wszystko w swoim czasie – uciął Dudek i spojrzał w lustro, za którym stał cały jego zespół.

– Jesteśmy podejrzani? Czy nie powinienem zadzwonić do jakiegoś prawnika? – nie odpuszczał Erwin.

– A potrzebuje pan takowego?

– Konstytucja mi to gwarantuje. – Erwin nie był już taki bojowy jak wcześniej.

Klemens przysłuchiwał się temu bez entuzjazmu. Jakby znalazł się na nudnym posiedzeniu i nie mógł się doczekać, kiedy opuści pokój, ale nie chciał wyjść na chama.

– Pan coś z tego rozumie, dyrektorze?

Erwin zwrócił się do Klemensa, szukając pomocy.

– Na razie nic a nic.

– Kiedy otrzymał pan zlecenie naprawy windy i ile czasu oraz jak często przebywał pan w zamku? – Albert zwrócił się najpierw do Długosza.

– Dokładnie nie pamiętam, ale wszystko mam na mejlu. Zlecenie, wystawione faktury i korespondencję z asystentką pana dyrektora.

– Radziłbym sobie przypomnieć – pouczył go Albert.

– Niech pan będzie pewny, że wszystko zweryfikujemy.

Erwin spojrzał niepewnie na Polheimera, a potem zaczął mówić:

– Pierwsze zlecenie przyszło trzy lata temu.

– Czy to Klemens zdecydował o naprawie windy?

– Tego nie wiem – przyznał Erwin. – Nigdy osobiście nie załatwiałem spraw z dyrektorem. Zawsze to pani Waleska do mnie pisała. Ona koordynowała sprawę naprawy dźwigu.

– Ile razy był pan w zamku?

– Pięć, może sześć razy.

– Siedem – sprostował Klemens, na co Albert zareagował natychmiast:

– Będzie twój czas na obronę. Teraz słuchaj.

– Nie muszę się przed nikim bronić ani tłumaczyć – nadął się Polheimer. – Nic nie zrobiłem, a ty, Albercie, zapłacisz mi za tę publiczną zniewagę. Podam cię do sądu. Ciebie, nie komendę. Szykuj się na proces i aferę medialną. Nie posiedzisz dłużej na tym stanowisku. Nie zezwolę na to! Bądź pewien, że moja żona uruchomi działania. Do wieczora mnie tutaj nie będzie.

Albert uśmiechnął się szeroko. Z trudem powstrzymał się przed przytykiem, że to właśnie żonie zawdzięcza pobyt w areszcie, i spojrzał na dyktafon.

– Upominam pana ponownie, że zabiera pan czas na wyjaśnienia Erwina Długosza. Proszę się dostosować. Inaczej będę zmuszony eksperyment przerwać.

– Ja ci dam eksperyment – syknął Polheimer. – Zapłacisz mi za tę potwarz.

– Dobrze. – Albert zwrócił się znów do Erwina. – Czyli twierdzi pan, że w ciągu ostatnich trzech lat był pan w zamku pięć lub sześć razy. Rozmawialiście o windzie? Zaprzyjaźniliście się? Musiało tak być, skoro w tak długim czasie pana firmie najczęściej zlecano naprawianie dźwigu, mimo że ekspertów w tej dziedzinie jest na rynku bez liku.

– Z tak bliska widzę dyrektora Polheimera pierwszy raz.

– A to dobre! – Komendant roześmiał się gromko.

– Kiedy to prawda – potwierdził Klemens. – Oczywiście wiedziałem, że przyjechał konserwator. Widziałem go kilka razy ze swojego gabinetu, ale nigdy nie podszedłem, nie uścisnąłem dłoni, nie zamieniłem słowa. – Zawahał się. – Czego dziś żałuję, panie Erwinie, bo udało się panu to, czego dziesiątki lat nie mogli dokonać inni.

Długosz skromnie pochylił głowę.

– Dziękuję.

Nagle Klemens wstał, ruszył do szczytu stołu i zanim Albert zdołał go powstrzymać, wyciągnął dłoń do Erwina.

– Proszę przyjąć moje wyrazy szacunku – dodał i zniżył głos – oraz współczucia. Słyszałem, że w tym incydencie brała udział pana córka.

– Dość – krzyknął Albert. – Proszę natychmiast wrócić na swoje miejsce!

Klemens uczynił to bez słowa komentarza, ale Albert widział, że nawiązała się między nimi nić sympatii.

– Twierdzi więc pan, że nie znaliście się osobiście?

– Tak jest. Polecenia przekazywano mi z sekretariatu.

– Dlaczego wyjechał pan z hotelu o tak wczesnej porze? Mógł pan zjeść z dzieckiem śniadanie, odpocząć i przybyć na rekonesans windy po południu.

Erwin nabrał powietrza, zanim odpowiedział.

– Dzwoniono z hotelu. Musi pan wiedzieć, że z zamiłowania jestem wynalazcą. Kiedy pracuje się nad czymś, a okazuje się, że przyjęty wzór się sprawdza, człowiek odczuwa wielką satysfakcję.

– Znam to ze swojej działki – przyznał Albert. – Z rozwiązywaniem spraw kryminalnych jest podobnie.

Erwin uśmiechnął się wielce zadowolony.

– Kiedy usłyszałem, że winda, którą od stu lat nikt nie jeździł, dzięki mnie będzie funkcjonowała, nie chciałem czekać. Zresztą polecenie było jednoznaczne. Sekretarka sugerowała, żebym zrobił testy, by kiedy dyrektor przyjdzie do pracy, mógł się nią przejechać. Ponoć za kilka dni planowano delegację potomków Wincklerów. Data była kluczowa.

Albert spojrzał na Klemensa.

– To prawda?

– W obliczu późniejszych wydarzeń odwołaliśmy wizytę mecenas Żakowskiej-Winckler. Telefon wykonałem osobiście. Rzecz jasna, nie ujawniając prawdziwego powodu, choć sądzę, że się domyśliła. Pani Zuzanna czytuje gazety na bieżąco.

Albert wyjął z teczki swoją jedyną zapisaną kartkę. Udał, że ją czyta.

– Kto do pana dzwonił?

– Kobieta, nie przedstawiła się. Była tak podekscytowana, że ledwie ją rozumiałem.

– Hmm... – Albert udał, że poszukuje czegoś w zapiskach. – Pamięta pan godzinę tej rozmowy?

– Dokładnie dwadzieścia siedem po piątej. Może pan sprawdzić mój billing.

– Czy to był głos tej samej osoby, z którą zwykle pan współpracował?

– Nie wiem, dzwoniły różne panie. Czasami też pan Sroka. Jego zresztą najczęściej widziałem w zamku.

– Poszkodowanego?

– Jego ojca.

Erwin zawahał się.

– Artura spotkałem tylko raz. W parku. Wtedy nie wiedziałem, że jest synem dozorcy.

– Co pan robił w zamkowym parku? – zainteresował się Albert.

– Hotel, w którym zwykle mnie kwaterowano, mieści się po drugiej stronie zasobów leśnych. Kiedy narzędzia zawiozę już do pałacu, nie muszę nadrabiać trzynastu kilometrów drogi, więc funduję sobie przechadzkę wśród drzew.

185

– I wtedy widywał pan Artura Srokę?

– Tylko raz – powtórzył Erwin.

– Rozmawialiście? Przedstawił się?

Erwin odchrząknął.

– Nie były to okoliczności sprzyjające konwersacjom. Pan Artur był z dziewczyną. A ona była niedoubrana.

– W sensie naga?

– Z pewnością nie miała biustonosza – uciął Erwin. – Szybko się oddaliłem i nigdy z nikim o tym nie rozmawiałem. Gdyby pan nie zapytał, zostawiłbym to dla siebie. Wszyscy byliśmy kiedyś młodzi i napaleni.

– Sugeruje pan, że Artur Sroka, ofiara, był napalony? – Albert powtórzył, sylabizując.

Erwin się speszył.

– Przerwałem im rozbieraną randkę. Nie mam pojęcia, czy byli przed stosunkiem, czy po nim. Ale z pewnością znaleźli się w tym lesie w celach erotycznych. Po prostu zaskoczył ich facet spacerujący po parku. Pojawiłem się nieoczekiwanie, ona krzyknęła, schowała się za Artura, a ja jak najszybciej się oddaliłem. Potem chciało mi się śmiać, bo była goła, a ja patrzyłem tylko na jej twarz. Była bardzo ładna.

– Zna pan tę kobietę?

Erwin pokręcił głową.

– Czy to była Gertruda Karlikówna?

– Zdecydowanie nie – oświadczył pewnym głosem inżynier.

– Wróćmy do kobiety, która dzwoniła z zamku – zniecierpliwił się Dudek. – Proszę powiedzieć, czy to mogła być pani Waleska Szulc albo któraś z sekretarek Klemensa?

– Pani Waleska na pewno nie, bo dzwoniła najczęściej i bez trudu rozpoznaję jej charakterystyczny skrzekliwy tembr. Pozostałych pań tak dobrze nie kojarzę. Ta osoba była młoda i czułem, że jest w emocjach. Niestety, nie jestem w stanie połączyć tego głosu z nazwiskiem.

– Ale mógłby pan, gdyby usłyszał pan próbki?

– Próbki?

– Tak, dźwiękowe.

Erwin zastanowił się.

– Może? Pewnie tak. Jeśli to ważne.

– Bardzo ważne. – Albert odłożył papiery na stół. – Bo widzi pan, w zamku przed siódmą nie było żadnej asystentki, kelnerki, kucharki czy choćby sprzątaczki. Żadna z pracownic nie przyznaje się, że była tej nocy w Mosznej. Monitoring to potwierdza. Słowem, nikt nie mógł dzwonić do pana z zamku.

– Ktoś dzwonił! – oburzył się Erwin. – Numer, który mi się wyświetlił, jest wpisany w komórce jako zamek Moszna. To także zobaczy pan w billingach.

– Sprawdzimy to. – Albert poprawił swój pas z kaburą. – Więc nie wie pan, kto to mógł zrobić?

– Nie wiem.

– A ty? – zwrócił się do Klemensa. – Komu zleciłeś wezwanie Długosza?

Polheimer zaprzeczył.

– O tej godzinie jeszcze smacznie spałem.

– To się okaże – mruknął Albert. – Choć jest to możliwe, bo noc miałeś ciężką. Dziwię się, że po tym wszystkim byłeś w stanie zasnąć.

– Po czym, Dudek? Wiesz przecież, że te twoje hipotezy to stek bzdur.

– Może – prychnął Albert. Widać było jednak, że po tej rozmowie i on nie jest już tak pewny siebie jak na początku. – A jednak ktoś wykonał to połączenie i wygląda na to, że wybrał pana Erwina do konkretnej roboty. Ktoś, kto wiedział, gdzie mieszka, jaki ma numer i że przyjedzie niezwłocznie pod błahą legendą.

– Błahą? – Erwin się zmarszczył. – Mówił pan, że rozumie moją radość.

– Radość owszem – potwierdził komendant. – Niestety płonną. Pałacowa winda wciąż jest popsuta. Nie udało się panu jej wskrzesić.

Erwin zwiesił głowę, jakby Albert uderzył go w pierś. Kiedy ją podniósł, w oczach czaił się lęk.

– Więc ta osoba dzwoniła tylko po to, żebym pojawił się na tej drodze?

– To był fortel – potwierdził komendant. – Ktoś chciał, żeby zniszczył pan ślady zbrodni.

– Dlaczego akurat ja? – zdziwił się Erwin i Albert nabrał nagle przekonania, że inżynier jest tylko narzędziem wiodącego sprawcy.

– Liczyłem, że pan odpowie na to pytanie – odparł komendant.

– Kobieta, która telefonowała, jest ściśle powiązana ze zbrodnią. Wie, kto zabił Artura, lub sama tego dokonała. – Zawahał się.

– Na tym etapie nie możemy niczego wykluczyć. Więc jeśli pan ma jakieś informacje, które mogłyby mi się przydać, słucham...

– Ktoś nas wykorzystał – wtrącił się Klemens, ale Dudek i tym razem nie dał mu dokończyć.

– Wyciąganie wniosków z danych to moja działka, dyrektorze Polheimer. Powiedz lepiej, kto kontaktował się z Erwinem Długoszem. A także kto był tej nocy w zamku i mógł wiedzieć, że naprawa windy to tak pilna dla was sprawa.

Przesunął w stronę Klemensa czystą kartkę, na której dyrektor zaczął wypisywać kolejne nazwiska.

– Wróćmy do tej ślicznotki, którą widział pan z Arturem w lesie. – Albert zwrócił się do inżyniera. – Pracownica zamku? Stara, młoda?

Erwin z trudem otrząsał się z szoku.

– Młoda, bardzo ładna. Wtedy widziałem ją jedyny raz.

– Rozpozna ją pan?

Erwin powoli skinął głową.

– Takich twarzy się nie zapomina.

Albert nadusił przycisk pod stołem i po chwili do pokoju zajrzał Brachaczek.

– Zawołaj mi tu rysownika. Chcę zobaczyć tę rusałkę.

A potem znów zwrócił się do dyrektora.

– Potrzebuję listy pracowników i współpracowników zamku. Ze zdjęciami. Gdzie Grześ to znajdzie?

– W moim biurku – odparł Klemens, jakby dopiero teraz uwierzył, że mają do czynienia z zaplanowaną zbrodnią. – Waleska wam pomoże. Co to może znaczyć, Albercie? Zapewniam, że zrobię wszystko, byś sprawę rozwiązał. Wypuścisz mnie?

– Przykro mi, Klemensie. Groźba mataczenia istnieje nadal.
– Albert zerknął na zegarek. – Mało czasu na zebranie dowodów. Jeśli się nie uda, wrócisz do domu. Nie trzymam cię tutaj dla osobistej zemsty.

– Może ja pomogę? – wtrącił się Erwin.

– Co jeszcze pan sobie przypomniał? Może ktoś był na ścieżce, kiedy pan jechał? Albo wcześniej widział pan coś podejrzanego?

– Więcej już nic. Ale obiecałem komuś, że spytam o coś dyrektora.

– Nazwiska – huknął Dudek. – Jesteśmy na komendzie. Nie przy piwku w pubie!

– Nie wiem, czy ta pani sobie tego życzy... – wił się Długosz.
– Sprawa jest delikatna. Chodzi o dyrektora Polheimera oczywiście.

– Mów pan, bo się śpieszę – popędził go komendant.

– Chciałbym zaznaczyć, że jestem tylko posłańcem – plątał się Erwin, jakby żałował, że się odzywał, a potem spojrzał na otumanionego Klemensa i spuścił głowę. Kiedy mówił dalej, nie patrzył dyrektorowi w oczy. – Czy miał pan stosunki z nieletnią? Niejaką Gertrudą Karlik.

Zapadła wroga cisza.

– Obiecałem, że spytam. Przepraszam. Widzę teraz, że to brzmi niedorzecznie.

Ale Albert Dudek się ożywił.

– Miałeś czy nie? – ryknął do Klemensa. – Prosta odpowiedź.

– Tak. – Polheimer wydął usta z pogardą. – Miałem. Chyba jednak nie takie, które są zabronione.

– Co to ma znaczyć? – zirytował się Dudek. – Spałeś z Trudką? Obmacywałeś małą Karlikowej?

Klemens nie zastanawiał się nawet chwili.

– Nigdy. Traktowałem ją jak córkę. Adoptowaną.

Teraz Dudek zaatakował Erwina.

– Skąd ta myśl? Na jakiej podstawie wysnuł pan tę teorię? Ma pan świadków takowych czynności?

– Spełniłem tylko prośbę matki Gertrudy. Też mnie zaszokowała.

– Była w Katowicach? – zdziwił się Klemens. – Osobiście?

– A dlaczego miałaby nie być? – zainteresował się komendant. – Byleby miała maskę, może się przemieszczać. Nie zamknęli jeszcze granic miast.

– Dziwię się, że o to poprosiła – odparł spokojnie Klemens. – Zdawało mi się, że jesteśmy przyjaciółmi. Broniłem ich przed Srokami... To dlatego Artur mnie pobił. Między innymi też dlatego.

Dudek przysłuchiwał się tej wymianie, aż nagle wstał.

– Zostańcie tutaj. Pracujcie dzielnie oraz dobrze się zastanówcie, co jeszcze chcielibyście dodać. – Wskazał na urządzenie nagrywające. – To działa, nie zapominajcie o tym.

– Ja też zostaję? – Erwin podniósł głos. – Mam prawo wyjść! Nie jestem zatrzymany.

– Konfrontację pod moją nieobecność poprowadzi starszy posterunkowy Brachaczek. Dopiero kiedy zakończymy czynności, prokurator zadecyduje o waszym dalszym losie.

Wyszedł.

***

Kiedy profiler wszedł do sali restauracyjnej, była rozświetlona, jakby szykowano się na doroczny bal. Przy stoliku w głębi dostrzegł tylko jedną osobę. Minął klatkę z kanarkiem i dołączył do Werki. Była tak pochłonięta analizą akt, że nie od razu podniosła głowę.

– Jesteś spakowana. – Wskazał piaskową walizkę i płaszcz w tym samym kolorze przerzucony przez oparcie krzesła.

– Ty nie?

– Nie wydaje mi się, by pośpiech był wskazany.

Odsunęła teczkę z materiałami. Ułożyła sztućce na godzinie piątej. Zwrócił uwagę, że prawie nic nie zjadła. Koszyczek z bułkami był przepełniony.

– Makowe. – Podniósł jedną i ugryzł. – Faktycznie poezja. Łosoś dziś nie przypasował?

190

– Sądziłam, że zaraz wyjeżdżamy. Nie jestem w stanie nic więcej przełknąć.

Chwycił jej widelec i przysunął sobie talerz. Spojrzała na niego pytająco. Jadł łapczywie, jakby chciał wypełnić usta i zapobiec odpowiedziom na pytania. Nie czuł smaku potrawy. Zresztą wcale go nie obchodziło, co je. Był to równie dobry sposób na odcięcie się od rzeczywistości jak każdy inny.

– Chyba mają nas dosyć.

Prokuratorka rzuciła okiem na kelnerów stłoczonych przy barze.

– A w domu mamy moc ważniejszych zadań. Gotowy?

– W domu? – Podniósł brew w grymasie niezadowolenia, że mu przerwała. – Szerszeń z Domanem kontrolują sytuację.

– Waldek dzwonił pół godziny temu. Czekają na nas.

Hubert bez pośpiechu urwał kolejny kawałek pieczywa.

– Rozmawiałem z nim – odrzekł z pełnymi ustami. – Sprawa się przeciąga. Waldek ma pomysł, żeby nie iść frontalnie, póki Psikupa nie porozmawia ze swoim włóczykijem.

– Włóczykijem? To jakiś kod czy Derma zmienił profesję? Nic nie wiem.

Hubert machnął ręką.

– Długo by opowiadać. I nie tutaj.

Werka rzuciła serwetkę.

– Wyobraź sobie, że mam czas. Nudzę się od obiadu.

Nie zareagował. Łypnął tylko na obserwującą ich ekipę przy barze.

– Przesyłkę odesłali do nadawcy – oświadczyła z wyrzutem. – Pojechała w oryginalnym opakowaniu. Ty im to doradziłeś?

Hubert potwierdził skinieniem.

– Bez konsultacji ze mną?

– Kazałem im zdecydować – mruknął. – Więc zdecydowali.

– A ja mam to doprowadzać do ładu? – Rozparła się na krześle, aż zatrzeszczało. – Pomoc domową sobie znaleźliście? Gdzie, kiedy? Jak mam to kryć, kiedy jestem poza ośrodkiem decyzyjnym?

– Nie unoś się tak.

– To nie wpieprzaj się w moją działkę.

Chwilę mierzyli się spojrzeniami. Hubert pierwszy odwrócił głowę.

– Nic się nie stanie, jeśli ruszymy jutro.

– Nie popieram tej koncepcji. To oddawanie kontroli. Wolałabym trzymać się procedur.

– Procedur? – Zaśmiał się. – Od kiedy?

Weronika spojrzała na wyczyszczony talerz.

– O co chodzi, Meyer?

– Jeszcze nie wiem.

– Córka Karlikowej? Naprawdę chcesz wejść głębiej w tę sprawę?

– Głębiej? Staram się tylko sumiennie wykonywać moją pracę.

– Twoja praca to analiza danych i pisanie profili – wzburzyła się. – Nie jesteś detektywem, choć widzę, że ci się spodobało. Brakuje przygód na emeryturze, inspektorze? Wyżej nie awansujesz. Odpuść.

Nie dał się sprowokować.

– Widzę, że niewiele wiesz o profilowaniu albo już zapomniałaś, jak pracuję. Zawsze weryfikuję zgromadzone dane i przesłuchuję ludzi. Detektywów nie interesują kwestie, które są mi potrzebne, więc w aktach ich nie ma. Dokładnie to samo jest w naszej pracy domowej. A na to liczysz.

– Pracy domowej? – prychnęła.

– Sama zaczęłaś. – Uśmiechnął się, lecz nie odwzajemniła się tym samym.

– Ta sprawa miała być przykrywką. Wszyscy się ucieszą, gdy opuścimy zamek. Dlatego nie spuszczają nas z oka. – Wskazała podbródkiem stłoczonych kelnerów. – Chcą wysłać meldunek Dudkowi i iść do domu.

– I to mnie interesuje.

– Co dokładnie?

Hubert obejrzał się na obsługę. Stali w stadzie i udawali, że nie słuchają. Było zbyt daleko, by mogli rozróżnić słowa, ale pewności nie miał. Kiedy tylko spotkał się wzrokiem z dziewczyną za barem, ruszyła w ich kierunku. Hubert powstrzymał ją gestem. Zatrzymała się i wróciła za kontuar.

– Biorę rachunek i idziemy do wozu.

Werka włożyła papiery do aktówki.

– Możesz wziąć moją walizkę, skoro nie masz bagażu.

– Chodzi mi o napięcie. Odkąd przyjechaliśmy, czuję je przez skórę.

– Znów przebłysk intuicji? Wolałabym, żebyś wykorzystywał swój dar do spraw, hmm, domowych.

Hubert wyjął z kieszeni paczkę papierosów, położył ją na stole. Wstał, jakby chciał udać się do altany, i sprawdził, czy zapalniczka działa. Jedna z kelnerek podeszła z popielniczką. Hubert przejął ją w połowie drogi.

– Tu nie ma kamer? – spytał.

Uśmiechnęła się i powiodła spojrzeniem do jedynego urządzenia przy wejściu. Potem w ten sam sposób wskazała czujniki dymu.

– Sufit jest wysoki. Nie zadziałają – zapewniła. – A ja nikomu nie powiem, jeśli to tylko kilka machów.

– Dzięki. – Posłał dziewczynie swój najlepszy uśmiech.

Odeszła zadowolona.

– Obserwują nas, jakby się bali kradzieży, zauważyłaś? – skomentował, kiedy znów zajął miejsce przy stoliku.

– Nikogo więcej tutaj nie ma – syknęła Wera. – Kogo mają obserwować?

– Coś tutaj jest schowane. I to na widoku.

Zapalili, nie spuszczając wzroku z kelnerów.

– To ktoś z zamku?

– Sprawca jest zorganizowany – zaczął Hubert. – Przypuścił atak na Srokę, zadał trzy ciosy, a następnie przemieścił ciało. Ale nie ma śladów ciągnięcia. Jakim, kurwa, cudem?

– Nie ma żadnych śladów. Dudek może i jest chamem, ale na swoim podwórku ma porządek. Technicy pracowali bardzo skrupulatnie.

– Sprawca zostawił po sobie porządek – podkreślił Meyer. – Jak profesjonalista.

– Co masz na myśli?

– Na razie tylko głośno myślę. Nie przywiązuj się do niczego, co powiem.

– Okay. Zobaczmy, do czego nas to doprowadzi.

Hubert poczuł ulgę, że Werka zgadza się być lustrem. Kiedyś dobrze im to wychodziło.

– Jak ciało znalazło się na drodze wjazdowej? – zaczął.

– Miał wspólnika.

– Albo terenowe auto, meleks, wózek... Cokolwiek na kółkach. Koń odpada, byłyby ślady kopyt. Nie zabezpieczono ich. Zresztą bardzo ciężko jest zarzucić trupa na siodło.

– Gdyby było ich dwoje, niekoniecznie.

– Załóżmy więc, że nie działał sam – kontynuował Hubert. – Ktoś pomagał mu nie tylko w transporcie zwłok, ale i w ewentualnej ucieczce. Sądzę, że nadal pomaga. Teren jest praktycznie sterylny. Albo to nie odbyło się tutaj i bierzemy udział w teatrze pani Margot.

Wera przyjrzała się Hubertowi. Zniecierpliwienie minęło, była zaciekawiona.

– Dlaczego mówisz, że to jej scena?

– Kto tu jest kaowcem? – wykpił się od odpowiedzi Meyer. – Chyba że wyjaśnisz mi, dlaczego kluczowych miejsc nie obejmowały kamery. Przypadek?

– Na monitoringu nie ma nic.

– Kiedy była awantura z pobiciem dyrektora, zarejestrowano wszystko – zauważył. – Trzynaście minut wrzasków i ostrej sieczki. Widać, jak pęka bejsbol. Z bliska można się przyjrzeć krwi bryzgającej na dyrektorskie papiery. Z tego wnoszę, że sprzęt nagrywający mają najwyższej klasy. Trzydzieści siedem punktów.

– Sprawdziłeś?

Potwierdził.

– Muzeum Narodowe zainstalowało sto dwanaście, a ma dwadzieścia razy większy teren. Monitoring kosztuje Mosznę w chuj. Ciekaw jestem, jak to zabudżetowali. I po co aż tyle? – podkreślił. – Nie mają tu skarbca czy drogocennych płócien.

Werka nie odpowiedziała, ale podjęła wątek.

– Awantura młodego Sroki z Polheimerem rozegrała się w zamku. Wnętrza – zarówno muzeum, jak i hotel – są pod stałym nadzorem. Podobnie rzecz ma się z parkingiem, wejściem do recepcji i oranżerią. Ale są miejsca, gdzie kamer nie ma wcale. Jak tutaj, gdzie siedzimy. I tam.

Wskazała altanę, do której Meyer zamierzał się udać, by zapalić.

– Tam zasięg się kończy. Co jest dziwne, bo brama wejściowa obstawiona jest zawsze. To norma.

Zatrzymała się, by nabrać powietrza.

– Jeśli dać wiarę zeznaniom Sylwii Polheimer, atak na Srokę przypuszczono poniżej schodów, tuż przy żywopłocie, gdzie kamera już nie sięga. Dlaczego akurat tam? A nie w parku, w lesie? Nie w tej cholernej stodole, gdzie siedziałeś dziś cały dzień?

– Nie mamy pewności, że odbyło się to w tym miejscu – powtórzył Meyer. – Sylwia nie jest wiarygodna. Co widziała tak naprawdę, nie wiemy.

– Czy cokolwiek widziała – dodała Werka.

– I pamiętajmy, że to ona doniosła na męża. Nikt jej nie przyciskał. Sama się zgłosiła, by go pogrążyć, a potem szybciutko to odszczekała.

– Po co miałaby kłamać?

– Bo wsadzenie do więzienia męża to niezły sposób na odwet?

– Dlaczego miałaby się mścić?

– Nie wygląda mi na osobę szczęśliwą.

Wera uśmiechnęła się przekornie.

– Gdyby to wystarczyło, nie mielibyśmy w co rąk włożyć.

– Tak jest w istocie – mruknął.

– Okay, załóżmy, że ona kłamie. Jaki ma w tym interes?

Hubert zawahał się.

– Nie powiedziałem, że Sylwia nie mówi prawdy. Zauważyłem tylko, że nie wie, co widziała.

– I czy widziała – zniecierpliwiła się Wera.

– Choć jestem pewien, że w to wierzy.

– A ty?

– Ja nie wierzę w idealne wyczyszczenie miejsca zbrodni. Zawsze coś zostaje.

– Więc Artura Srokę zabito gdzieś indziej. Gdzie?

– Jak znajdę to miejsce, powiem ci. Na razie to zostawmy.

Wera skinęła na zgodę.

– Zgadzasz się jednak, że osoba, która dokonała zbrodni, znała zasięg kamer i wiedziała, że będzie to pierwsza rzecz, która może ją pogrążyć.

– Z pewnością ta osoba, która transportowała ciało – przyznał. – Inaczej mielibyśmy ją na widelcu albo w monitoringu byłyby skasowane dane.

– Ojciec Sroki przez pół roku siedział za tymi monitorami – zauważyła Wera, a ponieważ Meyer nie zaprotestował, kontynuowała: – Poprosiłam już Brachaczka, żeby dostarczył nam taśmy. Mają ustalić pełen zasięg monitoringu. Przeanalizujesz miejsca, w których mogło dojść do ataku, a jak wyselekcjonujemy podejrzanych, sprawdzimy, czy jest szansa, że mogli tam bywać. Co myślisz o okolicy starej stodoły? Skoro znalazłeś tam fragmenty spopielonej kurtki Polheimera, może wydarzyło się tam coś więcej?

– Nie przywiązywałbym się do tego – odparł Meyer. – Ale oczywiście przeanalizuję to miejsce pod kątem potencjalnego startu konfliktu. Sprawca jest inteligentny, nie popełnił zbyt wielu błędów. Choć jakieś musiał. – Urwał.

Wera sięgnęła po telefon i wyświetliła mapę terenów parkowych.

– To kilkadziesiąt hektarów. Mnóstwo opustoszałych zabudowań.

Podniosła głowę.

– A domek myśliwski, w którym zakwaterowano Sroków? Stoi teraz pusty.

Zacisnęła usta.

– Mogłam pomyśleć o tym wcześniej, zamiast siedzieć tu i się obżerać.

– Nie tylko Sroka senior miał wiedzę o dziurach w monitoringu – odezwał się po namyśle Meyer. – Z tego, co się zorientowałem, wszyscy z obsługi wiedzą, gdzie można spokojnie zapalić lub urządzić schadzkę. Czy wiesz, że tylko niektóre pokoje są monitorowane? Sprawdziłem, że ten, w którym odwiedziła mnie narzeczona Brachaczka, nie jest. Hotel jest niemal pusty. Dlaczego dostałem akurat ten? Dudek nie chciał mnie mieć na oku?

Weronika roześmiała się.

– Widzę, że wciąż masz powodzenie.

– To nie była tego rodzaju wizyta – zirytował się. – Już byś sobie darowała. To ona powiedziała mi o stodole.

Werka uśmiechnęła się tylko szerzej.

– Jakoś do mnie nie zapukała.

– Może miałaś ten z kamerami?

– Dobra, to jeden – jeden. Sugerujesz, że rozpiska obserwowanych pokoi jest publiczna?

– W każdym razie dostępna dla pewnego grona osób.

– I dlatego Julka Prochownik odważyła się wejść.

– A także wybiegła, zanim zareagował czujnik światła na korytarzu – dodał Meyer. – Nie ze strachu. Działała z rozmysłem.

– Zaczyna mi się już odkręcać głowa – poskarżyła się Wera. – Czy to znaczy, że na ten moment nikogo nie możemy wykluczyć?

– Kilka osób możemy.

– Kogo?

– Odpowiem ci, dopiero jak rozdzielimy te dwa wydarzenia: zbrodnię i inscenizację. W każdej z nich mogą brać udział inne osoby.

Wera spojrzała na niego z przestrachem.

– Ale jutro stąd wyjeżdżamy? Nie zamierzasz tu siedzieć przez najbliższy tydzień? Potrzebujemy cię.

– Wiem, w domu.

Wstał.

– Chodźmy się przewietrzyć.

Wera spojrzała na zamglony park i podniosła się niechętnie. Hubert przed wyjściem chwycił jeszcze jedną bułeczkę.

– Zaraz wracamy. Nie zabierajcie koszyczka – rzucił wesoło. Wyszli na dziedziniec i ruszyli schodami w dół. Zatrzymali się przy żywopłocie, gdzie w nocy rozgrywali rekonstrukcję. Hubert zaczął mówić:

– Interakcja przebiegała dynamicznie. Dwadzieścia minut, razem z odejściem. Zwłoki z wiadomych przyczyn były trudne do identyfikacji. Biegłym nie udało się stwierdzić, który cios był śmiertelny. We krwi ofiary były śladowe ilości alkoholu – pewnie jedno piwo – oraz marihuany – jeden porządny albo dwa małe skręty. Żadnych innych substancji psychoaktywnych, a wiemy, że Sroka miał z tym niemały kłopot. Był nawet w ośrodku uzależnień. Ćpał i brał dopalacze od piętnastego roku życia.

– Chciał być trzeźwy? Szedł na jakieś spotkanie? A może miał spotkanie z dilerem? Może zero narkotyków we krwi oznacza, że był na głodzie?

Hubert nie odpowiedział.

– Załóżmy, że do zbrodni doszło pod wpływem katalizatora, a sprawca dopiero potem zaczął zacierać ślady. Możliwe, że pierwszy kontakt zabójcy i ofiary nastąpił na rozświetlonym dziedzińcu. To mogła widzieć Sylwia.

– Wtedy jej zeznanie nam się przyda.

– Widziała dwie goniące się postaci. Nie widziała zamachu, ciosu. Nie widziała twarzy żadnego z nich.

– Żadnego? Nie żadnej?

– Mówimy na razie tylko o tym, co zeznaje dyrektorowa.

– Nie widziała zabójstwa.

– Mogło się to jej przyśnić. Ktoś mógł jej to zasugerować, wmówić. Była pijana. Wszystko mogło przebiegać inaczej. To może być fejk.

– Co mamy pewnego?

– Zmasakrowanego trupa na podjeździe. I żadnych śladów. Dlaczego?

– Sprawca znał mapę monitoringu.

– I wiedział, gdzie wisi kurtka od Wincklerów.

– To nadal może być dyrektor.

198

– On tym bardziej wiedział, gdzie wiesza własną kurtkę. Ale jeśli iść tym tropem, jego żona też. Ekipa porządkowa... Pracownice biurowe. Wszyscy. Kurtką na razie bym się nie sugerował.

– Sądzisz, że Artur znał sprawcę?

– Zdecydowanie. Jest środek nocy. To spotkanie nie było przypadkowe. A jeśli to Sroka umówił się z naszym klientem i ich role miały być zgoła inne?

– To on był agresorem! – podchwyciła Wera. – Doszło do pojedynku i przegrał?

– Czemu nie? Artur miał na koncie trochę drobnicy. Miał też na biegu sprawy za kradzieże i posiadanie. To nie był anioł.

– Hubert zatrzymał się. – Pewne jest również to, że ciało leżało na jezdni twarzą w dół. Obróciło się, dopiero kiedy konserwator windy na nie najechał.

– Skąd wiesz?

– Taki mechanizm zakłada medyk sądowy. Załóżmy, że podzielamy tę opinię.

– Pierwsze słyszę, żeby zwłoki się poruszały. Do czego zmierzasz?

Hubert zawahał się, zanim odpowiedział.

– A jeśli Artur Sroka nie był martwy, kiedy nadjechał Długosz?

Werka spojrzała na Meyera pytająco.

– Była mgła. Facet nie widział nic do wysokości kół – wyjaśnił Meyer. – Ciało było trudne do identyfikacji. To doprawdy cud dzisiejszej techniki, że udało się ustalić, ile było ciosów. Jeszcze sto lat temu sprawę uznano by za wypadek. Żaden ekspert nie weźmie odpowiedzialności za hipotezę, że któraś z ran od noża była śmiertelna. Możemy więc roboczo założyć, że żadna.

– Dlatego się obrócił – dopowiedziała Wera. – Chłopak był ranny i sam dotarł na drogę wyjazdową. Sprawca nie transportował ciała.

– To na razie tylko hipoteza – podkreślił Hubert. – Kiedy nadjeżdża Długosz, chłopak podnosi się, żeby zawołać o pomoc, ale nie ma wystarczająco sił albo silnik zagłusza krzyk.

– Jest mgła, niewiele widać – dodała Wera. – I nie wiemy, ile czasu Artur leżał na tej jezdni oraz w jakim był stanie.

Spojrzała na Huberta.

– To znaczy, że kobieta, która zadzwoniła do inżyniera, mogła próbować Artura ratować? Chciała, żeby Długosz go znalazł? Ale skoro tak, to ta osoba dobrze wie, kim jest zabójca i dlaczego do konfliktu doszło.

– Dlatego te sytuacje trzeba rozdzielić – zaznaczył profiler. – Szukamy dwóch sprawców. Zabójcy i tego, kto po nim sprzątał.

Na długą chwilę zapadła cisza.

– O ile zabójca kryje się w cieniu życia Artura Sroki – podjął znów wątek Meyer – o tyle czyścicielem lub czyścicielami mogą być wszyscy bywalcy i pracownicy zamku. A każdy z nich może wiedzieć, co sprawca właściwy zyskiwał, usuwając świadka.

– Pytanie główne brzmi więc: „co widział lub wiedział młody Sroka?", a nie: „kto zabił Artura?" – podsumowała prokuratorka. – Dlatego chciałeś zostać.

Meyer skinął głową.

– Zdalnie tego nie zrobimy. Co gorsza, potrzebuję twojej pomocy, bo idealnie byłoby porozmawiać ze wszystkimi. Gdyby Doman i Waldek byli tutaj, zaangażowałbym też ich. Oczywiście bez papierów. Dudek nie może nic wiedzieć, bo jego też podejrzewam. Niejeden raz już tuszował tutejsze przestępstwa. Nam nawet na rękę, że działa z hukiem i błądzi. Robi dobrą zasłonę dymną, odwraca ich uwagę.

– I jednocześnie uspokaja. Tracą czujność.

– To mała społeczność, więc musimy być ostrożni. Relacje jak w skłóconej rodzinie, ale kiedy zaczniemy, będą plotkować.

– I zniekształcać dane – dopowiedziała Wera.

– Jeśli nie przystąpimy do zadań szybko, za chwilę nie będzie już czego odkrywać. Prawdę zabarwią legendy i plotki. Zobacz, co za szopkę Dudek odegrał z dyrektorem. Matka dziewczyny zabitego uniemożliwia jej przesłuchanie. Jakieś kobiety wpadają nocą do mojego pokoju, żeby donieść na kogoś, ale do protokołu nie chcą nic podać.

Odwrócił się twarzą w kierunku zamku i pokazał:

– Matka Karlikowa i jej córka mieszkają w tym skrzydle. Dziedziniec widzą dokładnie. Znacznie lepiej niż Polheimerowa.

– Twierdzą, że spały.

– Matka twierdzi. A raczej twierdziła. Kiedy znalazłem spalone szczątki tkaniny, zaczęła się łamać. Dlaczego uniemożliwiła córce zeznawanie? To miała być tylko nieoficjalna rozmowa.

– Mnie mówiła, że Gertruda ma lekcje.

– W ostatnim półroczu Trudka nie uczestniczyła w zajęciach wcale. Nie wyciągnięto konsekwencji, bo Polheimer załatwił to ze znajomym kuratorem. Nie jest jednak tak obowiązkowa, na jaką chciałaby wyglądać.

– Chcesz powiedzieć, że Margot świadomie nie dopuściła do przesłuchania córki?

– Zauważam tylko, że Trudka nie przyszła na spacer. To było spotkanie z ekspertem zewnętrznym, który następnego dnia wyjeżdża. Czego się bała?

– Dobra, kupuję to. I?

– Trzeba z dziołszką pogadać.

– Na co czekasz?

Hubert spojrzał na nią dziwnie.

– Tak po prostu mam do niej wejść? Jest wieczór. Dudek uparcie nie odbiera moich telefonów.

– Pójdę z tobą. Wreszcie się na coś przydam.

Hubert spojrzał na prokuratorkę z wdzięcznością.

– Przydałabyś się bardziej, gdybyś załatwiła nam stosowny papier. Podkładkę, na czarną godzinę.

– Załatwione – odparła, jakby prosił ją o coś, co dawno miała w kieszeni.

– To naprawdę nam się przyda. W razie gdybyśmy zbliżyli się za bardzo, ktoś mógłby wykluczyć nas formalnie.

– Starasz się być tajemniczy czy zapomniałeś mi o czymś wspomnieć?

– Nie chcę, żeby działanie poza procedurą zaważyło na twojej karierze albo związku – wypalił.

– W razie czarnej godziny? Sądzisz, że może nadejść?

Werka przyjrzała się Meyerowi podejrzliwie.

– W twoje prywatne sprawy się nie mieszam.

– I słusznie, bo nie ma żadnych.

Hubert zaraz wrócił na służbowe tory.

– Problem w tym, że niby wszystko jest na widoku, ale nic do siebie nie pasuje. Ktoś chciał, żebyśmy myśleli, że ciało podrzucono na drogę, by urządzić inscenizację i zniszczyć ewentualne ślady. A jeśli to nieudolna próba ratunku albo przestroga dla innych? Pochwalenie się dziełem? Zauważ, jak szybko chłopaka wywieźli i pochowali.

– Ledwie przyszły wyniki sekcji – przyznała Wera. – Jednocześnie stary narobił szumu w mediach i ta żenująca awantura u Polheimera... Grupy na Facebooku... Telewizja, radia... A po pogrzebie bolejący rodzice zapadają się pod ziemię. Choć senior Sroka groził dyrektorowi, że sprawy nie odpuści i będzie żądał odszkodowania, nie podał prokuraturze adresu do korespondencji. Kiedy na ciebie czekałam, próbowałam go namierzyć. Tak po prostu, z nudów... Facet normalnie zapadł się pod ziemię. Amba fatima. Trudno w dzisiejszych czasach zniknąć bez śladu. Facet nie ma konta w banku, nie używa kart... Nie loguje się za pomocą żadnej aplikacji. Jest nie do znalezienia. Chyba że sam będzie tego chciał...

– Pewnie ma starego samsunga albo nokię na kartę. Dudek coś wspominał, że to wojak po misjach. Znam takich gości. Wierzą w teorie spiskowe i śpią na desce. Ale masz rację, jego zachowanie po śmierci syna wykazuje brak konsekwencji. Może to zasłona dymna?

– Podejrzewasz ojca?

– Wszystkich podejrzewam – powtórzył Meyer.

Prokuratorka zacisnęła usta. Były sine z zimna. Nos miała zaczerwieniony. Co jakiś czas dmuchała w chusteczkę. Dotarli do starej stodoły, ale Hubert widział, że Werka bardzo zmarzła, więc zaproponował, żeby wracali. Pokręciła przecząco głową.

– Cisza, spokój – zauważyła. Chwilę wsłuchiwali się w odgłosy lasu i szum drzew. – Doskonałe miejsce na zabójstwo. To mogło być wszędzie. Jeśli zrobił to tutaj, nigdy nie znajdziemy żadnych śladów.

– Dlatego trzeba wyłuskać czyścicieli.

– A zabójca?

Hubert wahał się, zanim odpowiedział, jakby ważył, czy wnioski nie są przedwczesne. Wiedział dobrze, że wszystko, co teraz powie, będzie rzutowało na to, jak Wera będzie patrzyła na dalsze śledztwo. Zawsze rzutuje. Profil miał kolosalną moc sugestii.

– Sprawca wiodący ma doświadczenie życiowe. Wiek: trzydzieści pięć – czterdzieści pięć lat. Nie sądzę, żeby był młodszy. Bez trudu wprowadził ofiarę w swój psychologiczny rewir. Nie musi być silny, ale jest sprytny. Inteligencja wysoka, wykształcenie średnie lub wyższe. Zna dobrze teren. Bywał tu lub pracował. Czuje się w tym lesie bezpiecznie.

– Tutaj? – Werka rozejrzała się.

– Konflikt zaczął się tutaj – potwierdził Hubert. – Zwabił go do lasu pod byle pretekstem. Albo zgodził się na spotkanie zainicjowane przez Artura. Ma doświadczenie kryminalne, choć nie sądzę, żeby siedział. To osoba zdyscyplinowana, dominująca, dobrze funkcjonująca pod wpływem stresu. W sytuacji krytycznej potrafi zachować zimną krew. Może należeć do amatorskich jednostek militarnych lub paramilitarnych, klubów strzeleckich, miłośników broni białej czy po prostu sympatyzuje z ludźmi z miasta.

– Gangster? To bardzo rozszerza krąg podejrzanych – przeraziła się.

– Wiem – westchnął Hubert. – Niestety zarówno ofiara, jak i jego ojciec mogą mieć takie powiązania.

– Nóż przyniósł ze sobą?

– Nie wykluczam, że kozik należał do ofiary.

Werka spojrzała na Huberta zadziwiona, lecz nie dodał nic więcej.

– Sprawnie oddalił się z miejsca zdarzenia i nie tylko wyczyszczono po nim teren, ale też zadbano o przemieszczenie zwłok. To przyjaciel kogoś z tutejszych. – Hubert podniósł głowę. – Moim zdaniem ma doświadczenie w zabijaniu. To nie był jego pierwszy raz.

– Jak na razie stary Sroka pasuje – mruknęła Wera. – Na misji musiał paru wrogów odstrzelić.

– Nie powiedziałem, że to on – zastrzegł Meyer. – Ten, kto to zrobił, jest strategiem. Przewidział, że dochodzenie tak się potoczy.

– Że Dudek wykorzysta sprawę, by zdjąć z krzesła Polheimera? A więc nasz człowiek zna Dudka? To może być gliniarz? Ktoś z firmy?

– Nie wiem, ale mieszkał tu lub pracował. Lubi mundur. Jakkolwiek to brzmi, nosi go na co dzień. Niekoniecznie formalny. Wiesz, o co mi chodzi?

Weronika zmarszczyła się.

– Niezbyt.

– Jeśli go zobaczę, wskażę ci.

Więcej nie zamierzał wyjaśniać.

– Zna wszystkich, a oni jego. A z komendantem i jego zajadłością to było akurat łatwe do przewidzenia. Po pierwszych słowach Alberta wiedziałem, że mają z dyrem kosę.

– Sprawca to wróg dyrektora? Nie tworzysz teorii spiskowej, Meyer?

Hubert sięgnął po nowego papierosa.

– Na razie głośno myślę. Jesteś tu, więc uczestniczysz w analizie. Dlatego właśnie lubię pracować sam. To jeszcze nie jest profil, Wero. Na razie tylko układam dane i dzielę się spostrzeżeniami. Ale w układance jest sporo dziur i miejsc zamarkowanych, które mają wyglądać na inne, niż są.

– Okay – zgodziła się. – Mamy więc do czynienia ze zmyślnym zabójcą, który zna ich wszystkich i ma jakiś ukryty cel, tak?

Hubert przyjrzał się kobiecie, doszukując się szyderstwa.

– Cel ma każdy z nich. Zawsze jest jakiś cel. To, co mnie niepokoi, to fakt, że w maskowaniu sprawy może brać udział więcej osób.

– Więcej zabójców?

204

– Więcej osób, które zaciemniają obraz. Świadomie lub nie. Serwują nam fejkowe dane.

– Jak twoja nocna donosicielka?

– Choćby. – Hubert zgniótł peta o ściółkę i schował go do kieszeni. – Jakaś panienka wpada mi do pokoju nad ranem i ujawnia, że Gertruda Karlikówna spaliła kurtkę dyrektora, a być może ukryła także narzędzie zbrodni. Sugeruje, że Trudka zna nazwisko zabójcy i go kryje. Dlaczego nastolatka miałaby to robić? Ofiara to tylko koleś, który ją porzucił. Nikt istotny. Fakt jednak, że kurtkę Polheimera ktoś spalił.

– Czy zrobiła to Gertruda? Tego nie wiemy.

– Nic nie wiemy, bo opieramy się na danych zebranych przez Dudka.

– A ten ciśnie śledztwo przeciw dyrektorowi.

– Co gorsza, nawet tych danych, które do nas wpadają, nikt nie potwierdza. Kiedy przyciskam matkę w sprawie alibi Trudki, okazuje się, że Margot wie, co się stało, ale za wszelką cenę stara się uniemożliwić jej przesłuchanie.

– Wezwij tę pannę oficjalnie. W czym problem?

– Jest nieletnia.

– Nie chcesz przesłuchiwać jej przy matce, wystąp o pozwolenie. Przydzielą ci psychologa. Dudkowi zależy na przyskrzynieniu Polheimera. Tylko temu przyklaśnie.

– Nastolatka nie wysypie się przy matce. Kryje coś wstydliwego. Zresztą nie tylko ona. Wszyscy. Nawet zmarły. Choć paradoksalnie jego tajemnice najłatwiej ujawnić.

Weronika przyjrzała się Hubertowi.

– Sprawdzałeś, czy Gertrudy nie ma w jej pokoju? Możemy to zrobić od razu. Po co nam nakaz? Udamy, że się zgubiliśmy. Skoro w nocy wpada do ciebie na pogaduchy gorąca panienka, zróbmy to samo.

Pokręcił głową. Trudno było się domyślić, czy to potwierdzenie.

– Dlaczego Trudka jest taka ważna? – zamyśliła się Wera.

– Ktoś morduje twojego chłopca, a potem wyrzuca jego ciało na drogę, by wzburzyć opinię publiczną. Aresztują za to faceta, który ojcuje ci od lat. Co robisz? Palisz dowody?

– Powinna się rozpłakać i leżeć bez czucia? Prosić o sole trzeźwiące? Wyluzuj, Meyer! To nie te czasy. Zobacz, kto idzie w manifestacjach! Trzynastolatki. A może sądzisz, że to Trudka zabiła? Nie obraź się, ale szesnastolatka nie pasuje do twojego profilu.

– Nie powiedziałem, że Karlikówna jest zabójczynią – zaperzył się Meyer, ale Weronika tylko się roześmiała.

– Wiesz co, mam pomysł, jak ją wykluczyć. Pójdźmy i zapytajmy, czy należy do harcerzy.

– Na ten moment skłaniam się do dojrzałego mężczyzny, ale nie wykluczam, że współsprawca jest płci żeńskiej – bronił się Meyer.

– No, teraz to dobrze zapętliłeś – zakpiła Wera. – Taka analiza bardzo mi pomaga.

– Powtarzam ci raz jeszcze: sprawca nie musi być silny. Jest sprawny, sprytny i inteligentny. To ktoś, dla kogo przemoc jest lub była codziennością. Raczej facet. Chyba jednak facet. – Meyer chwycił się za głowę. – Ale ta cała Trudka robi wszystko, żeby zwrócić na siebie moją uwagę. Tak przy okazji zbezczeszczenie zwłok mogło mieć jeszcze jeden cel, którego dotąd nie braliśmy pod uwagę.

– O Chryste! – jęknęła Wera. – Mam dosyć bycia twoim lustrem. Powiedz mi, jak się zdecydujesz.

– Powiem ci – obiecał Hubert. – Wszystko zależy od dalszych ustaleń.

– Z tego, co wiem, nie ma wątpliwości, kto przejechał ciało. Jeśli zaraz ruszymy do Kato, jeszcze dziś możesz faceta przesłuchać. Teraz Erwina Długosza magluje Dudek. Ubzdurał sobie, że Długosz współpracował z Polheimerem. Jako czyściciele by pasowali. Wykluczasz to?

– Nie wiem – poddał się Hubert. – I nie mogę się już doczekać rozmowy z konserwatorem windy.

– Podsumujmy, co mamy. – Werka zatrzymała się przed wejściem na schody, a Hubert był pewien, że zrobiła to z rozmysłem. Chciała, by ci, którzy ich obserwowali, widzieli ich zawziętą dyskusję. Uznał to za przedni pomysł. Może świadkowie zaczną wreszcie puszczać farbę.

– Więc ci dwoje, Trudka i Artur, nie rozstali się w przyjaźni. Srokowie, zarówno junior, jak i senior, mieli konflikt z dyrektorem. Ostatecznie cała rodzina ucierpiała przez Artura. To jego wybryk sprawił, że stracili dach nad głową, pracę i pewnie także twarz.

– Szukasz motywu dla ojca? – przerwał jej Hubert. – Nie popełniaj błędu Dudka. Dopiero co narzekałaś, że komendant prowadzi śledztwo przeciwko Polheimerowi, a nie w sprawie.

– Spróbuj. Nie każdy myśli tak pokrętnie jak ty. Potraktujmy to jako ćwiczenie. Dla mnie – zaznaczyła.

Zmierzył ją wilczym spojrzeniem, ale podjął wyzwanie.

– Nie mogło iść tylko o odebranie twarzy.

– Zemsta?

Zaprzeczył.

– Poczucie winy?

Ponowne kręcenie głową.

– Więc co?

– Dodatkowa kara. Zauważ, że wcześniej ojciec z synem działali wspólnie. To Artur, a nie senior Sroka, rozbił na czaszce dyrektora kij do bejsbola.

– A ten nie wniósł sprawy.

Wera zmarszczyła brwi, jakby nagle zaczęła rozumieć.

– A więc było coś, co łączyło ich wszystkich.

– Nie było. Jest – skorygował. – Należy przyjrzeć się rodzinie Sroków.

– Facet zniknął. Mówiłam ci, poudzielał wywiadów i dał nogę. Nikt nie wie, gdzie jest. Nawet twój wróg.

– Kto?

– Komendant Dudek.

– Nie nazwałbym go moim wrogiem.

– Przyjacielem?

– Sojusznikiem. Zależy mu tak samo jak mnie, żeby sprawę wykryć. Mamy inne sposoby dojścia. On jest władczy, nie znosi psychologii, ale jeśli położę mu na tacy profil, którego będzie mógł użyć do aresztowania, doceni gest i będzie współpracował.

207

– Już to widzę. – Wera była sceptyczna. – Nienawidzi cię. Na sam twój widok czerwieni się z zazdrości.

– To niezłe paliwo na start współpracy. Z tego się wziął nasz obopólny szacunek. Zresztą, jestem przyzwyczajony. Dobrze myśli czy źle, nic mnie to nie obchodzi. Najważniejsze, że jest napięcie. Jeśli jednak jest umoczony i będzie fabrykował dowody – zauważę to.

– Chyba się jednak zmieniłeś, Meyer.

– Na gorsze? – uśmiechnął się. – Chcę zostać do jutra i zebrać więcej danych. Ty możesz wracać, działać w naszej domowej sprawie.

Spojrzała na niego wrogo.

– Albo mi pomóc – znów się uśmiechnął. – Będzie fajnie.

– Mogłam się tego spodziewać.

Meyer szczerzył się teraz tak bardzo, że mogła policzyć kurze łapki w kącikach jego oczu. Dawno nie widziała go tak uradowanego.

– O tym wszystkim powinieneś był poinformować mnie wcześniej – narzekała, choć oboje wiedzieli, że robi to tylko dla pozoru. – Najlepiej w okolicy obiadu. Do tego czasu byłabym już w domu i robiła, co mam do zrobienia, a nie warowała jak twój pies przy bułeczkach.

– Tak właściwie to co masz do zrobienia na Śląsku?

– Nie twój biznes.

– Chwilowo jesteśmy połączeni wspólnym interesem. Przynajmniej przez najbliższy tydzień. Hę? Bo chyba nie tylko w sprawie Rejmana i innych wciąż jeździsz na Lompy?

Wahała się, czy powiedzieć więcej, ale się rozmyśliła.

– Więc co zamierzasz? – spytała.

– Zostać. Wykorzystać element zaskoczenia. Przesłuchać wszystkich. To jedyna okazja, bo gliniarze Dudka są na komendzie. Wyspać się porządnie, a jutro rano spotkamy się u mnie. Postaram się o dobre śniadanie.

– W sali restauracyjnej jest równie pyszne. – Wera skrzywiła się. Kiedy ponownie się odezwała, głos miała chrapliwy, niepewny. – Brałeś pod uwagę, że to mógł być lincz? Jeśli założyć, że morderca pochodzi stąd lub tutaj bywa, mamy do wyboru ledwie kilka osób. Może sprawca przybył z zewnątrz, a ciało zostało wystawione na pokaz przez tutejszych? Pamiętasz sprawę połaniecką? Ludzie wzięli pieniądze i podpisali kwity. Długo nic nie mogło złamać zmowy.

W tym momencie z bocznej nawy pałacu wybiegła zapłakana Margot.

– Moje dziecko – chlipała. – Moja córeczka.

Hubert wymienił spojrzenia z Werą. Prokuratorka odezwała się pierwsza:

– Co się stało, pani Karlikowa?

– Trudka zniknęła. Nie ma jej rzeczy. Nie ma pieniędzy, które odkładałam od kilku lat. Nie ma jej komputera.

– Uciekła?

Kobieta zaniosła się płaczem.

– Chciałabym, żeby tak było – łkała. – W jej pokoju jest kałuża krwi.

Chwyciła się rękawa Huberta, jak zdesperowany żebrak pod kościołem.

– Proszę, niech pan nie wyjeżdża. Niech pan ją znajdzie! Żywą!

***

Krew znajdowała się w okolicy łóżka. Plama miała wymiary 86 × 78 centymetrów, bo Meyer dokładnie ją zmierzył. Teraz widział ślad z odległości metra, stojąc w drzwiach pokoju dziewczyny i broniąc dostępu do niego. Poza Weroniką nikomu nie zezwolił przebywać w korytarzu, więc ludzie stłoczyli się na półpiętrze. Dudek był już w drodze.

– Dotykała pani czegoś? – upewnił się trzeci raz Hubert, a kobieta ponownie zaprzeczyła.

– Po naszym spotkaniu od razu przyszłam do mieszkania – szlochała. – W szparze pod drzwiami Trudki widziałam światło, więc poszłam zrobić kolację.

Hubert spojrzał na zegarek. Dochodziła dwudziesta.

– Co pani gotowała?

Kobieta podniosła na niego zapłakaną twarz.

– Ziemniaczki zapiekane z serem – wyszeptała. – Trudka bardzo je lubi. Chciałam zrobić jej przyjemność.

– Jak długo zajmuje ich przygotowanie?

– Dwadzieścia minut. Może pół godziny.

– Wychodziła pani gdzieś jeszcze?

– Nie, cały czas byłam tutaj, a drzwi pokoju córki były zamknięte. Dopiero kiedy przyniosłam gotowe danie, odkryłam krew.

– Szukała pani Trudki?

– Oczywiście. Nie zajęło mi to wiele czasu. Apartament nie jest duży.

– Więc biegała pani wszędzie?

– Krew omijałam.

– I zadeptywała pani ślady. Zobaczymy, co powiedzą technicy.

Margot w odpowiedzi zaniosła się płaczem. Hubert wskazał otwarte okno.

– Wyjrzała pani przez nie?

Margot pokiwała głową.

– Dotykając framugi?

Znów skinienie.

– Myśli pan, że to jej krew? Ona nie żyje?

Hubert milczał. Przyjrzał się plamie i położył dłoń na ramieniu Karlikowej.

– Pójdźmy w inne miejsce. Gdzieś, gdzie będziemy mogli spokojnie rozmawiać.

– Dlaczego pan jej nie szuka?! Dlaczego pan nic nie robi?! – krzyknęła.

– Zaraz będzie tu komendant. On rozdzieli zadania.

– Znajdziecie ją? – Spojrzała na Huberta błagalnie.

– Chodźmy do kuchni.

Minął rozbitą salaterkę i pulpę z ziemniaków z roztopionym serem, a Margot powoli człapała za nim. Usiedli na wysokich stołkach przy parapecie przerobionym na wymyślny stół.

– Gdzie pani była po naszym spotkaniu?

– Nigdzie – zdziwiła się kobieta. – Cały czas byłam tutaj.

– Nie wróciła pani od razu do domu albo była inna przyczyna zwłoki w odkryciu tej plamy – odparł bardzo spokojnie.

– Nie wiem, o czym pan mówi.

– Ziemniaki piekły się pół godziny. Co pani robiła, zanim zabrała się pani do gotowania?

– Nic, siedziałam, myślałam – bąknęła. – Myśli pan, że mnie jest łatwo? Może coś jej się stało? Może już za późno?

– Kto chciałby zrobić Trudce krzywdę?

– Nie wiem.

Podszedł do piekarnika, zajrzał. Był jeszcze ciepły. Otworzył kosz na śmieci. Pod obierkami leżały sterta opakowań po bieliźnie i dwie zużyte szczoteczki do zębów. Na dnie dostrzegł zawiniątko w folii aluminiowej, pudełko po teście ciążowym i identyczne pudełko do analizy jak w gabinecie Sylwii Polheimer. Nakrętki miały ten sam kolor. Powoli opuścił klapę śmietnika. Odwrócił się do Margot.

– Z kim spotykała się Gertruda poza Arturem?

– Z nikim.

– Miała chłopaka, przyjaciółkę?

– Nic o tym nie wiem. Już pan mnie o to pytał!

– Gdzie jest jej ojciec?

– Nie ma z nami kontaktu.

– Może pojechała do niego? Bartosz Urbaś nadal mieszka na Koszutce?

Pierwszy raz na twarzy Karlikowej zobaczył przestrach.

– Nie utrzymujemy kontaktu – powtórzyła z naciskiem. – Córka go nie pamięta.

– Umówiliśmy się, że będzie pani mówiła prawdę – przypomniał jej.

– Jak pan śmie! – Poderwała się i wiedział już, że nie jest dobrą aktorką. – Moja córka może nie żyje, a pan sugeruje, że mam z tym coś wspólnego!

– Nie sugeruję – odparł chłodno. – Wiem, że pomogła jej pani uciec. Pytanie brzmi: dlaczego?

– Nie będę z panem rozmawiała. Nie mam obowiązku. Proszę natychmiast opuścić moje mieszkanie.

– Dlaczego nie chciała pani, żebym rozmawiał dziś z Trudką? A może nic jej pani nie przekazała?

– Przekazałam. – Uniosła podbródek. – Odmówiła.

– I dlatego zrobiłyście tę szopkę?

Pogrzebał w śmietniku. Spod metek i obierek wydobył pakunek pośpiesznie zawinięty w folię. Była w jednym rogu rozerwana i wystawały z niej pomarańczowe pióra oraz zakrwawiona kurza noga.

– Złapanie tego ptaka i zaszlachtowanie go zajęło pani tyle czasu? – spytał, a potem rzucił na blat stołu opakowanie po teście ciążowym. – To pani czy córki?

Margot pochyliła głowę.

– Moje.

Chwyciła pudełko i schowała do szuflady, jakby bała się, że ktoś mógłby je zobaczyć.

– Rano zapewniała pani, że od lat wybiera samotność.

– Kłamałam.

– Kolejny już raz.

Sięgnęła do szuflady i rzuciła mu w twarz kawałek plastiku.

– To nic nie znaczy. Czepia się pan bezpodstawnie.

Hubert podniósł test ciążowy. Widniała na nim tylko jedna kreska.

– To dobra czy zła nowina?

– Nie pana sprawa – prychnęła.

W tym momencie do pomieszczenia wszedł Albert Dudek.

– Co pan tu robi?

Hubert bez słowa wręczył komendantowi znaleziska.

– Na pana miejscu zamiast tego bałaganu z kurzą krwią zabrałbym do analizy śmietnik tej pani. Więcej ujawni niż bajki, które nam serwuje.

– Proszę opuścić miejsce zdarzenia – władczo polecił Dudek. – I nie wtrącać się w nasze działania.

– Tak jest, nadkomisarzu. – Hubert udał, że salutuje, i ruszył do wyjścia. – O której odjeżdża ostatni autobus do Katowic? Bo bezpośrednie kursują tylko dwa: rano i po południu. Czy jestem w błędzie? Może zdążymy dogonić Trudkę.

***

Kierowca minibusu musiał się bardzo zdziwić, kiedy znienacka, na samym zakręcie, otoczyła go kawalkada radiowozów na sygnale. Zatrzymał się karnie i z całkowitym spokojem obserwował we wstecznym lusterku, jak funkcjonariusze legitymują kolejno pasażerów. Na koniec do pojazdu wsiadł brzuchaty facet w mundurze, a za nim stanął żylasty pięćdziesięciolatek w dżinsach i krótkim flauszowym płaszczu. Kierowca zauważył, że mężczyzna ma na nogach bardzo zabłocone sztyblety.

– Widział ją pan?

Podsunięto mu pod nos zdjęcie. Dziewczyna była ładna, dobrze jej patrzyło z oczu.

– Zaginęła? – zainteresował się. – Czy nie żyje?

– Rozpoznaje ją pan?

Pokręcił głową.

– Rano też miał pan kurs na tej trasie?

– I tak od sześciu lat. Nie lubię zmian.

– Więc? – zniecierpliwił się komendant.

– Nie pamiętam, żeby wsiadała, ale mogłem nie zauważyć. W godzinach szczytu jest tu porządny tłok.

– Bilet kupuje się u pana?

– Nie, jeśli ma się miesięczny.

W tym momencie Dudek został wywołany przez radiostację. Komendant kliknął i słychać było trzaski, a potem meldunek. Hubert rozpoznał głos Brachaczka. Młody policjant był spanikowany.

– Szefie, nie ma smarta dyrektorowej. Pani Sylwia wypełnia zgłoszenie kradzieży.

Dudek rozłączył radiostację.

– Może pan jechać – zwrócił się do kierowcy, a potem obejrzał się na faceta w czarnym płaszczu.

– Chyba że pan ma coś jeszcze do dodania?

– Hubert Meyer – przedstawił się profiler. – Wie pan, pochodzę z małej wioski pod Żywcem. Kawał życia dojeżdżałem do liceum, a potem na studia. Za moich czasów ludzie podawali sobie autobusem różne pakunki. Bierze pan takie czasem?

213

– To zakazane.

– Wtedy też takie było.

Kierowca spojrzał na mundurowego. Musiał być ważny, sądząc po minie i pagonach. Szofer był bardzo ciekaw, na kogo ta obława oraz kim jest ślicznotka, którą się interesują. Co zrobiła? Czy raczej czyją padła ofiarą?

– Komendant Dudek odstąpi od grzywny, jeśli powie pan prawdę. I nie interesuje nas, ile to kosztuje.

Komendant skinął głową na zgodę.

– Czasami – przyznał z ociąganiem kierowca. – Już teraz rzadko. Ale się zdarza.

– Czy ktoś nadawał w ostatnim czasie jakieś większe bagaże?

– Ta ze zdjęcia na pewno nie – zapewnił kierowca.

Hubert wyszukał profil trupy teatralnej na Facebooku. Znalazł pierwszą z brzegu relację i powiększył zdjęcie Karlikowej.

– Może ta pani?

Kierowca długo przyglądał się fotografii, zastanawiając się nad odpowiedzią. Słychać było wycie syren i szepty pasażerów, którzy nabrali już pewności siebie i awanturowali się, że zatrzymano ich bezpodstawnie.

– Nie – odparł wreszcie szofer. – Nic nie nadawała. Ale widziałem ją kilka razy. Zapamiętałem, bo była dziwacznie ubrana. Jak nie z tej epoki.

– Dokąd jeździła?

– Dwa przystanki. Wysiadała w Kolanach. To za zakrętem.

Hubert odwrócił się do Dudka, który stracił zainteresowanie rozmową i dawał profilerowi znaki, by opuścił autobus.

– Podrzuci mnie pan? – spytał, szukając drobnych.

– Pan siada – uśmiechnął się kierowca.

Dudek zmarszczył się, nie spuszczając z Huberta wzroku. Porozumieli się bez słów, a potem komendant majestatycznie zszedł po schodkach i zajął miejsce w jednym z radiowozów. Po chwili trasa była pusta.

Meyer usiadł obok kierowcy.

– Dawno nie jechałem na gapę.

***

Dom majaczył w gęstwinie drzew. Z oddali zdawał się mroczną chatą, ale kiedy Hubert się zbliżył, zrozumiał, że to przez malunki, którymi był upstrzony. Mandale, girlandy liści, kolorowe tęcze i jakieś postaci, niby anioły, pokrywały stare belki, z których był zbudowany. Hubert miał wrażenie, że trafił do dziupli hipisa. Jakże się zdziwił, kiedy w drzwiach stanął mężczyzna młodszy od niego o dekadę, za to pod krawatem i w pełnym garniturze. Fryzurę i zarost miał pieczołowicie wypracowane u barbera. Zza jego nóg wyglądał kosmaty pies. Jęzor miał przerzucony na bok i dyszał hałaśliwie, ale nie mógł być groźny.

– Zgubiłem się – skłamał Meyer i pogładził psa, który wyskoczył zza nóg gospodarza. Wbrew obawom Huberta nie odgryzł mu ręki, a jedynie go obwąchał. – Czy to już Kolana?

– Dziwna pora na przechadzki – skwitował facet w drzwiach, ale wskazał ścianę lasu. – Za tym zagajnikiem jest wieś Kolana Wielkie, a kilometr dalej – Małe. Których pan szuka?

– Nie wiem. – Hubert nie musiał udawać, że jest zawiedziony. – Na piechotę jak daleko?

– Na piechotę pan nie przejdzie. Teren jest podmokły.

– Moja znajoma wysiadała na tym przystanku, kiedy jechała do Kolan. Tfu, Kolanów...

– Czego chcesz? – Gospodarz zacisnął pięść, a najłagodniejszy olbrzymi pies świata pokazał kły. Jakby byli zsynchronizowani.

– Spokojnie. – Hubert podniósł ręce w geście poddania się. – Nie mam złych zamiarów.

– Zrywaj stąd – wysyczał przez zęby goguś. – Bo wzywam policję.

Hubert odchrząknął.

– Jestem jakby z policji.

– Jakby? – Facet spuścił nieco z tonu, ale wciąż był nieufny.

– Pracuję przy śledztwie. Nieoficjalnie.

– Chłopak z zamku?

Hubert potwierdził.

– Znałem go.

– Tak?

– Od razu mówiłem Margot, że to się źle skończy.

Hubert nie odpowiedział. Czekał, aż podstarzały yuppie zaprosi go do środka.

– To ona cię nasłała?

Profiler wzruszył ramionami. A potem odważył się zrobić krok i wyciągnął dłoń. Pies warknął.

– Już dobrze, Lusi.

– Lusi – uśmiechnął się Hubert. – Dobre imię dla potwora. Swego czasu miałem takie dwa, a potem nawet trzy.

– I jaki los je spotkał?

– Zmarło się im. – Meyer odchrząknął. – Należały do moich rodziców. Oni też już po tamtej stronie.

Gospodarz uśmiechnął się i przywołał psa. Lusi spojrzała jeszcze raz na Huberta, a potem ociągając się, podreptała w kierunku wejścia do domu. Profiler przystąpił do drugiej próby prezentacji.

– Hubert Meyer, jestem psychologiem behawioralnym.

– Trzeba było tak od razu. – Facet uśmiechnął się.

Miał wyjątkowo małe zęby. Kiedy rozchylał usta, widać mu było prawie całe dziąsła. Było w tym coś zwierzęcego i ten widok przeraził Huberta bardziej niż warknięcie Lusi.

– Aleksander Gradzi. Mów mi Olek.

– Hubert.

Uścisnęli sobie dłonie.

– Właź, ogrzej się. Zrób sobie drinka. Ja się przeparkuję i zaraz wracam.

Psycholog zdziwił się, bo nie widział w obejściu żadnego auta.

– To mi zajmie chwilę.

– Zaczekam – zapewnił Meyer.

– Nie bój się, człowieku. – Olek znów się zaśmiał. – Nie wezmę cię w niewolę. Kupę czasu czekałem, żeby z kimś pogadać o tym, co się tutaj dzieje.

– A co się dzieje?

– Białe damy pląsają po krużgankach. Nie słyszałeś? Trupy kładą się na szosie. I to w mojej opinii nie koniec. Wręcz przeciwnie.

Hubert założył ręce na ramiona.

– Co masz na myśli?

Olek nie odpowiedział. Ruszył między drzewa i bardzo długo go nie było. Gdyby nie otwarty dom i pies na ganku, Meyer pomyślałby, że facet zwiał. Nagle rozbłysły światła, słychać było zaciąganie hamulca, ale Olek nie wjechał na podwórko. Hubert poszedł w tamtym kierunku.

– Porche – skwitował. – Jakoś mnie nie zaskoczyłeś.

– Kupiłem go na trzydzieste urodziny – oświadczył z dumą Olek. – Jestem sentymentalny. Ma tyle lat, co ja.

– Więc masz go już ponad dziesięć lat – zaryzykował Meyer.

– Za tydzień będzie cztery. Wiem, że poważnie wyglądam, ale bądź pewny, że to wymaga starań.

Poprawił swój wypielęgnowany zarost.

– Czym się zajmujesz?

– Tym samym, co ty.

– Nie zalewaj. To zabytek. Same remonty kosztują trzy moje pensje.

– Dużo z tego profilowania nie wyciągasz – cmoknął Olek.
– Mam takich dwanaście.

– Kosztowne uzależnienie.

– Wolę nazywać to kolekcją.

– Same porche?

– Tylko trzy. Inaczej zbiór byłby monotonny. Jest ferrari z siedemdziesiątego trzeciego, jaguar rocznik osiemdziesiąty, całkiem młoda corvetta... I mustang.

– Dobra, zrozumiałem już, że jesteś dziany.

– Umiem się zakręcić – sprostował Olek. – Choć faktycznie konserwacja i utrzymanie tych zabawek płuczą kieszenie. Ale jest satysfakcja.

– Nie wątpię.

– Zbieram też motocykle.

– Ile ich masz? Trzydzieści?

– Dwa. Szpej im nowszy, tym lepszy.

Hubert uznał, że *small talk* mają z głowy. Nie znał się na motorach i nie chciał tracić czasu na wykłady, a czuł, że ten cały Gradzi do tego zmierza.

– Skąd znasz Margot?

Olek przyjrzał się profilerowi.

– Więc to nie ona cię przysłała?

Nie czekał na odpowiedź. Poklepał Huberta poufale po plecach, aż ten się wzdrygnął, i bez słowa wszedł do domu.

Wewnątrz było jeszcze bardziej odjazdowo.

– Ta chata należała do mojej ciotki. Jadwiga Gradzi. Pewnie słyszałeś?

– Nie interesuję się sztuką – zaryzykował Meyer.

– Szkoda, bo jej historia to bardziej twoja działka. A skoro nie słyszałeś, to nie jesteś stąd.

Olek urwał, jakby musiał się skupić na robieniu drinka i podczas tej czynności nie był w stanie rozmawiać. A może po prostu nie chciał?

Hubert przyglądał się mężczyźnie z nutą niepokoju. Było w nim coś fałszywego. Nie mógł oprzeć się wrażeniu, że Gradzi na niego czekał. Jak to możliwe? Nikt nie wiedział, że Meyer dzisiejszego wieczoru zabłądzi aż tutaj. Nawet on sam. To była czysta improwizacja.

– Była artystką. Oczywiście niedocenioną – odezwał się znów Aleksander.

Podał szklankę gościowi i Hubert ją wziął, ale wahał się, czy pić.

– Wszystkie freski są jej dziełem.

Zatrzymał się. Stopniował napięcie.

– Została zamordowana.

A potem wstał i otworzył drzwi.

– W tamtym pokoju.

Hubert dostrzegł łóżko nakryte kolorową narzutą, girlandy z suchych kwiatów na ścianach i czerwone zasłony. Na oknie paliła się świeca. Jeśli ta scenografia miała wywołać ciary na plecach gościa, to facetowi się udało. Meyer poczuł grozę.

– Dwadzieścia sześć lat temu. Sprawcy nie znaleziono.

Gradzi zatrzasnął drzwi izby pamięci Jadwigi Gradzi i spokojnie zajął poprzednie miejsce.

– Tego lampionu nie gaszę nigdy. Wymieniam tylko wkłady.

Hubert odchrząknął.

– Nie musisz nic mówić. – Olek podniósł dłoń. – Wiem, jak ludzie reagują na takie historie. Zwykle się mnie boją.

– Przykro mi – powiedział Meyer. – Zwłaszcza że sprawa nie została wykryta. To zawsze mnie przybija. Wybacz, skrzywienie zawodowe.

– Wiem, kto to zrobił.

Hubert podniósł głowę. Zacisnął usta.

– Nie martw się. – Olek zaśmiał się chichotem gryzonia.

– Nie wkręcę cię w rozwiązywanie starej zagadki.

– Ulżyło mi – odetchnął Hubert. – Bo ostatnio nieustannie ktoś zgłasza się z podobną prośbą.

Olek odstawił drinka.

– Mów, czego potrzebujesz. Postaram się pomóc.

– Pomóc?

– Na ile zdołam – zapewnił. – Moja kancelaria prowadzi sprawy spadkobierców Wincklerów. W szczególności Zuzanny Żakowskiej-Winckler. Tylko ona została w kraju. Reszta prawnuków jest w Stanach, Niemczech i Finlandii. Gdyby trzeba było ich wsparcia, służę. Mamy z nimi kontakt.

Hubert myślał, jak z tego wybrnąć. Upił łyk whisky i poczuł ciepło rozlewające się po języku. To był naprawdę drogi towar.

– Będę strzelał – przyznał, choć nie była to prawda. – Na początek z dubeltówki. Dwa w jednym.

– Dawaj.

– Skąd znasz Margot i co was łączyło? – Zawahał się i dodał:

– Czekałeś na mnie?

– To trzy strzały.

Olek podniósł swoje szkło w geście toastu. Hubert oddał mu gest, ale nie upił kolejnego łyku.

– Zapomniałem, że rozmawiam z prawnikiem.

– Margot znam z Tindera. Choć, o ironio, mieszkaliśmy obok siebie przez lata i pewnie się mijaliśmy – padło w odpowiedzi. – A skoro dubeltówka, to masz odpowiedź, co było między nami.

Hubert nie był w stanie ukryć zdziwienia.

– Seks – ciągnął Olek. – Lubię starsze. Nie trzeba ich niań-
czyć. Choć mój psychiatra sądzi, że to sprawa edypalna.

Wskazał komnatę pamięci ciotki.

– No i Karlikowa nie boi się mojego ducha. Pewnie dlatego,
że ma własne.

– Czekałeś na mnie? – powtórzył Hubert miękko, gdyż był
już pewny, że facet jest szalony w ten najgorszy możliwy sposób: nie do zamknięcia. Chciałby wierzyć, że Gradzi zaspokaja
swoje potrzeby kontroli, wyżywając się w zawodzie, a nie robiąc
krzywdę innym, bo to, co zobaczył w ciągu ostatniej godziny,
było co najmniej dziwaczne.

Olek podniósł dłoń i pogładził się po brodzie. Meyer już wiedział, że zostanie poczęstowany kłamstwem.

– Mamy w zamku swoich ludzi. Inaczej to nie miałoby sensu.

– Kto ci doniósł, że będę?

Tym razem ręka powędrowała do brwi.

– Powiedzmy, że się domyśliłem. Autobus przejeżdża tędy
dwa razy dziennie i zatrzymuje się za zakrętem, tylko kiedy uma-
wiam się z Margot.

– Dla mnie się tak odstawiłeś?

Mężczyzna otaksował swój strój, jakby oceniał go w lustrze.

– Dopiero co przyjechałem. Wracam ze spotkania.

– Może zacznijmy z innej strony. – Hubert był już poiryto-
wany. – Wcześniej była drętwa gadka o motoryzacji, potem
zagajka o duchach i kolejnej sekwencji zbrodni. Skoro masz
dla mnie wiadomość, przekaż ją i sobie pójdę.

– Racja. Przejdźmy do rzeczy.

– Byłoby miło.

– Ojciec Sroki pracował dla nas.

– Nas, czyli kogo?

– Nie wszystko od razu.

– Może być po kolei – prychnął Hubert.

– Sławomir Sroka to człowiek nieobliczalny. W nieodpo-
wiednich rękach bywa groźnym narzędziem. Nawet bardzo.

– Co miałoby się stać? I w jakim charakterze pracował
dla was?

– Operacyjnym. Nic wyrafinowanego. Zbierał dane i je dostarczał.

– Był szpiclem w zamku?

– To określenie jest zbyt trywialne. I nie oddaje pełni kompetencji seniora Sroki. – Olek się zmarszczył. – Po zabójstwie syna zerwał się ze smyczy. Nie wiemy, gdzie jest. Moja klientka martwi się, czy nie stanie się coś złego.

– Klientka to Zuzanna Żakowska-Winckler? – upewnił się Meyer. – A kim są owi tajemniczy „wy"?

Gradzi wzdrygnął się. Nie odpowiedział.

– Dość tych zagadek. – Hubert powstał gotów do wyjścia.

– Z serca jestem tylko prostym gliną. Mów konkretniej, mecenasie, albo idę na spacer.

– To on zabił syna.

Zapadła krępująca cisza.

– Masz dowody?

Prawnik jakby czekał na to pytanie. Z dolnej półki stolika wyjął przezroczyste etui z kompaktem. Przesunął je w kierunku profilera.

– Czy do wydania listu gończego wystarczy film z miejsca zbrodni?

Hubert na chwilę stracił zdolność mowy. Czuł się tak, jakby dostał obuchem w potylicę.

– Skąd to masz? – mruknął, kiedy wiadomość dotarła we właściwe miejsce.

– Z zamkowego monitoringu. A dokładniej, z naszych czujek – skorygował łaskawie Olek. – Wybacz, musimy na tym poprzestać. Tajemnica służbowa. Bądź jednak pewien, że twarz Sławusia, zwanego u nas po prostu Boku – od strzelby dwulufowej, kaliber dwanaście milimetrów, gdyż jest równie skomplikowanym człowiekiem – jest rozpoznawalna. Przez większość nagrania Boku nosi maskę, ale podczas walki syn mu ją zrywa, więc problemu z identyfikacją być nie powinno.

Sięgnął po najnowszy iPhone i zaczął przewijać screeny.

Hubert bez trudu rozpoznał wnętrze czarnej sali, w której odbył pierwsze spotkanie z Dudkiem. Dyskretnie wybrał numer do Wery. Nie odbierała, więc wysłał jej link do swojej lokalizacji, by jak najszybciej mogła go zgarnąć.

– Chcesz to obejrzeć?

Gradzi włączał już telewizor.

– Pojedziesz ze mną – rzekł władczo Meyer. – Złożysz zeznanie.

– Nigdzie nie jadę. Jestem wypity.

Potarł nos, a Hubert dostrzegł, że z lewej dziurki sączy się cienka strużka krwi. Prawnik zaraz ją wytarł.

– Po co mi to dajesz, skoro nie chcesz zeznawać?

– A jak myślisz? – uśmiechnął się po swojemu prawnik i schował zakrwawioną chusteczkę do kieszeni.

Hubert nie spuszczał z niego spojrzenia. Myślał szybko. Czyżby wciągnął za dużo? Kiedy? Stracił go z oczu tylko na chwilę, kiedy Gradzi zniknął w garażu po porszaka.

– Wobec tego poczekamy na ekipę razem.

Znów wybrał numer Wery, ale było zajęte. Wykręcił ponownie. To samo.

– Chcesz mi tu zrobić nalot? – Gradzi podniósł brew.

Na jego twarzy pojawił się gniew. Trwało to sekundę, może dwie.

– Proponuję ci współpracę.

– To ty przyszedłeś do mnie, nie odwrotnie. Starałem się pomóc. Jeśli nie potrzebujesz naszego wsparcia, wypierdalaj.

– Waszego? Jesteście jakąś pieprzoną grupą?

– Nie da się ukryć, profilerku. W kancelariach zatrudnia się wielu ludzi. Wyguguj sobie. Patrz, jaki z ciebie farciarz. W kwadrans dowiedziałeś się więcej, niż kiedykolwiek zdołałbyś wykopać sam.

– Masz alibi na noc zabójstwa? – odparł Meyer. – Bo jeśli nie, radziłbym przygotować do rana. A gdyby nie mogli cię zastać, doprowadzimy cię.

Gryzoni uśmieszek zniknął z twarzy Gradziego.

– Dziękuję za wizytę. – Wziął etui ze stolika i pokazał Hubertowi drzwi. – Nie zapraszam ponownie.

Głos miał spokojny, aksamitny, lekko wyciszony. Wyjął płytę z etui, połamał ją na drobne kawałki i wyrzucił za próg.

– Szukaj, piesku. Szukaj.

***

Zziębniętego i wściekłego Huberta Werka podjęła z szosy dopiero po godzinie. Szedł poboczem w stronę zamku i nie przestawał kląć.

– Dlaczego nie odbierałaś?

Rzucił jej na kolana kawałki połamanego dysku.

– Dlaczego nie zadzwoniłeś, dokąd się wybierasz? – odparowała.

– Kiedy? Pracowałem.

– Wystarczyłby esemes.

– Napisałem.

– Wysłałeś mi link, pojebie. Skąd miałam wiedzieć, że to pilne?

– Myślałaś, że zapraszam cię na randkę? Do lasu?

– Kto cię tam wie! – prychnęła.

Przyjrzał się jej badawczo.

– A jednak przyjechałaś. Liczyłaś na to?

– Odwal się.

– Liczyłaś! – roześmiał się. – Naprawdę pomyślałaś, że to propozycja.

– Idiota!

Sięgnęła po paczkę papierosów, ale była pusta. Hubert podsunął jej swoje. Ze złości wypalił prawie wszystkie, ale zawsze nosił ze sobą zapas.

– Nie palę grubych – burknęła wcale nie mniej wściekła.

– Zatrzymamy się na stacji – zaproponował.

– Nie ma czasu.

Dopiero teraz pojął, że to nie jest zwykły babski foch.

– Nie ma czasu kupić fajek? Jeździmy karetką czy co?

– Znaleźli trupa Gertrudy.

Wyjął dwa papierosy, przypalił je, a następnie jeden z nich podał prokuratorce.

– Otwórz okno – huknęła na niego, więc wykonał polecenie, ale spróbował żartu:

– Tak pędzisz, że zaraz wywieje mi rozum z głowy.

– Stało się to już dawno temu – odparła, ale mniej gniewnie. Milczeli jakiś czas.

– To nie samobójstwo?

– Cegłówka przy nodze. Zafoliowana, dobrze pokiereszowana głowa. Zabójstwo w starym gangsterskim stylu.

– Tak nagle zrobiło się gorąco?

– Kurwa, bardzo. Nie wiem, z czego tak się cieszysz! To miała być podkładka, Meyer! Teraz muszę dymać do Kato, świecić oczyma, bo wszystko się wyda. Siedzę na bombie. Przypominam ci, że u mnie w firmie wszyscy myślą, że grzeję dupę na Zanzibarze.

– Mówiłaś coś o Malediwach.

– Wszystko jedno!

– No nie, Wera, to są dwa różne miejsca na świecie.

– Pierdol się. To twoja wina. Wpakowałeś nas w kłopoty i już nie pamiętasz, że nie jedziesz na tym wózku sam. Gdzie miałam głowę, żeby się na to godzić! Trzeba było zrobić robotę i wracać do domu. Przekazałabym sprawę Ślązakom i byłoby czysto.

– To nie jest rejon Górnego Śląska.

– Ale zaraz będzie. Wkurwiasz mnie. Nie odzywaj się!

Widział, że jest bliska płaczu. Bała się. Kogo w firmie obchodzi, jak prokuratorka spędza urlop? – myślał, bo jej wzburzenie wydawało mu się nieuzasadnione.

– Chodzi o twojego męża?

– Jestem wdową, zapomniałeś?

Nic nie odpowiedział. Jechali jakiś czas w milczeniu.

– Ciało jest na Śląsku?

– Wypłynęła w Brynicy. W okolicy resztek górniczego portu.

– Kiedy się dowiedziałaś?

– Zaraz jak tylko wsiadłeś do autobusu. Dudek zabrał się za szukanie smarta Polheimerowej i się zaczęło. Dzwonienie, sprawdzanie. A potem nagle ją zidentyfikowali.

– To niemożliwe. – Hubert zmarszczył się. – Musiałaby wyjechać z samego rana…

– Może Karlikowa nie kłamała, mówiąc, że córka jest w szkole?

– Trudka miała nauczanie domowe. To by wyjaśniało, dlaczego Margot tak chętnie poszła ze mną na spacer.

– Odwróciła uwagę od wyjazdu córki?

– Dobrze by było wiedzieć, czy wpisali ją na bramie. Jeśli nie, jest inne wyjście z zamku.

– I pewnie kamery tam nie sięgają – przytaknęła Weronika.

– Myślisz, że była śledzona? A może ktoś ją do tych Katowic wywabił?

– Kiedy zaginął smart dyrektorowej? Trudka mogła wyjechać już wczoraj.

– Sprawdzamy to – zapewniła Wera. – Ta sprawa wygląda mi na coraz gorszy bigos, a został nam tylko tydzień. Jeśli nie zdążysz z korektą materiału, Doman pójdzie siedzieć.

– Zdążę.

Zdobył się na jak najczulszy ton, choć sam nie wierzył w to, co mówi. Patrzył, jak prokuratorce trzęsą się ręce. Przygryzała wargi, wciąż mrugała. Był pewien, że zagrożenie jest realne. Wyglądała, jakby za chwilę miała się rozpłakać. Kiedy delikatnie położył dłoń na jej ramieniu, po policzku spłynęła pierwsza łza. Hubert tego nie dostrzegł, bo dyskretnie sięgnął do jej uda, by wyjąć szczątki kompaktu, który wcześniej rzucił jej na kolana. Nie chciał w tej chwili podejmować tematu spotkania z prawnikiem Wincklerów, a bał się, że Wera zauważy kawałki płyty i zapyta. Skoro prokuratorka chce wrzucić tę sprawę komuś innemu, lepiej na razie o tym nie wspominać. Ratowanie przyjaciela jest ważniejsze.

– Co robisz?

Zerwała się i odruchowo szarpnęła kierownicą, aż zjechali na sąsiedni pas. Kierowca jadący z naprzeciwka minął ich w ostatniej chwili. Jego trąbienie słyszeli długi czas.

– Uspokój się. Bardziej przydamy się jako żywi. Już lepiej od razu jedźmy na Malediwy i szlus.

Zacisnęła usta. Otarła łzy grzbietem dłoni.

– Co jest, Werka?

Nie rozumiał, dlaczego tak nagle umilkła.

– W takiej sytuacji mnie obmacujesz? – syknęła, ale była już tylko wściekła. Chwilowa słabość minęła.

Spojrzał na kawałki płyty na jej kolanach i uśmiechnął się głupawo.

– Sądziłem, że to cię pocieszy.

– Zbok! – fuknęła z odrazą.

Podsunął jej paczkę.

– Jeszcze jednego?

Nie odpowiedziała, mimo to wykonał operację z zapalaniem powtórnie.

– Tak naprawdę chciałem odzyskać tylko coś mojego.

Wskazał na szczątki dysku.

– Co to jest?

– Takie tam piosenki – udał lekceważenie.

– Dlaczego je zniszczyłeś?

– Nie ja. Taki jeden facio w malowanym domku w głuszy. Nie ma o czym gadać.

Nie odpowiedziała.

– Szkoda ich trochę, ale najwyżej zgra się ze źródła. I uważaj, dobrze? Mamy jeszcze kupę roboty. Doman się zapłacze, jeśli nie dojedziemy w jednym kawałku. Znaczy się w dwóch.

Pokiwała głową.

– Ze wszystkim zdążymy.

– Wątpię. Trup w Brynicy obiegł wszystkie portale. Najpóźniej rano będę miała telefon od szefa. Przychodzi do biura punktualnie i zaczyna od prasówki.

– Więc uprzedź go. Zrób mu niespodziankę. Powiedz, że wróciłaś szybciej i zgłosiłaś się na ochotnika – uśmiechnął się. – Kupię ci samoopalacz.

– To nie przejdzie.

– Masz alergię?

– Na ciebie.

Nie była w stanie go obrazić.

226

– Zmusili cię... To jakaś stara przysługa sprzed lat... Wiem! Ja cię poprosiłem... Co byłoby nawet bliskie prawdy. Jak myślisz? Przejdzie?

– Tak się składa, że mój szef też ma na ciebie alergię – podkreśliła. – Jeśli szczerze, nienawidzi cię.

– To twój mąż? – spróbował suchara.

Skinęła głową.

– Serio? – wydusił i zaniemówił.

– Najbardziej serio w życiu.

– Pracujesz pod człowiekiem, z którym sypiasz?

– Nie przekraczaj tej rzeki.

Wpatrywał się tępo w mapę i dopiero do niego dotarło, że do Katowic zostało im dwadzieścia kilometrów. Poczuł się jak wybudzony ze snu.

– Mój wóz został w Mosznej?

– Brachaczek go przywiezie. Dudek posadził go za twoją audicą i raczej nie licz, że będzie czysty. Pojechali razem z technikami i sprzętem.

Meyer poszperał w kieszeniach. Wyjął kluczyki i pomachał nimi.

– To nie problem. – Zaśmiała się z satysfakcją. – Nie takie auta były rabowane. Zsynchronizowali aplikację z twojej komórki. Problem może pojawić się w razie kontroli, ale z tym Dudek sobie raczej poradzi. Polubiłam go, wiesz?

– To może weź go na męża?

– Starczy mi mój minister – odcięła się.

– Sypiasz z ministrem?

– Był wcześniej wice w ochronie środowiska, a teraz jest tam, gdzie zawsze chciał być, choć w ogóle się nie nadaje. Kiedy zaczęliśmy się spotykać, nie było zagrożenia, że kiedykolwiek będę pod nim, jak celnie to ująłeś.

Meyer trawił dane. Wiedział, że przy pierwszej nadarzającej się okazji sprawdzi w internecie nazwisko faceta. Nie chciał robić tego teraz, by Wera nie pomyślała, że mu zależy.

– Spakowałam cię.

Spojrzał na nią spanikowany.

– Była tylko aktówka z papierami, składana szczoteczka do zębów i reklamówka brudnych gatek. Dorzuciłam ci do niej szampon oraz czepek kąpielowy z zamkowym nadrukiem. Na pamiątkę.

– Dziękuję ci, dobra kobieto! Chcesz, w podzięce znajdę ci solarium otwarte od szóstej.

– Niezła myśl. Choć myślę, że nie będzie już czasu na leżakowanie. – Przerwała. – Zmiażdży mnie. Nigdy wcześniej go nie okłamałam.

– Nie rozwiedziesz się znowu.

– Nie mogę. Nie jesteśmy po ślubie.

Nie był dobry w pocieszaniu, a tym bardziej w małżeńskich radach, więc po prostu zmienił temat.

– Naprawdę oddasz nadzór nad tą sprawą?

– Jeszcze nie wiem. Na jutro, przed konferencją prasową, zarządzili naradę. Dudek przekaże sprawę Sroki Ślązakom.

– Dlaczego? – zdziwił się Hubert. – Nie ma przesłanek, że to ten sam sprawca. Czy są?

– Nie chcieli mówić przez telefon.

– Szybko ją zidentyfikowali – zauważył. – Wspominałaś, że była zmasakrowana. Skoro my jesteśmy w drodze, Margot nie zdążyła dojechać...

– W kieszeni płaszcza ofiary był bilet miesięczny i legitymacja. Znaleźli też jej ojca. Był akurat w odwiedzinach u swojej matki. Mieszkają na Koszutce. No, kurwa, co za pech.

– Pech? – zdziwił się Meyer. – Raczej zaproszenie do gry.

– Jakiej znów gry?

– Żaden bandzior nie zostawia kwita, skoro zmiażdżył twarz ofiary. Chce, by ten ktoś nie wypłynął i jak najdłużej został N.N. Tutaj jest odwrotnie.

– Myślisz, że to prowokacja?

– Ty to powiedziałaś.

– Twarz! – powtórzyła Wera, jakby doznała olśnienia. – Pamiętasz, jak rozmawialiśmy o zabieraniu twarzy? Policjant, który do mnie dzwonił, powiedział, że dziewczyna jest nie do poznania. Turbina zmiażdżyła jej twarz. Identycznie postąpiono z Arturem Sroką.

– Gdzie na Brynicy są turbiny? – zamyślił się Meyer. – Nie kojarzę.

– Skąd mam wiedzieć? To ty mieszkasz w Katowicach.

– Coś mi tu nie gra – mruknął.

Przeprosił Werę, wyzbierał kawałki dysku i schował odłamki do kieszeni.

– Przywiązany jesteś do tych piosenek.

Przyjrzała mu się podejrzliwie.

– Wiesz, dopóki płyta nie pękła, nie zdawałem sobie z tego sprawy.

Zawahał się.

– Ciekaw jestem, jak Bartosz Urbaś mógł rozpoznać córkę po zdjęciu z legitymacji, skoro nie widział jej jedenaście lat. Zwłaszcza że nie znał nazwiska, na które wystawiono te dokumenty. Margot je sfabrykowała.

– Z tego, co wiem, wszyscy jeszcze stoją nad rzeką. I jeśli wziąć pod uwagę warunki pogodowe, to może potrwać. – Przycisnęła gaz do podłogi. – Sam będziesz mógł o to zapytać ojczulka Trudki.

***

Mżyło, więc zanim doszli na otoczone taśmami policyjnymi miejsce, Hubert miał nogi przemoczone do kolan. Werka zapobiegliwie wyjęła z bagażnika kalosze i otuliła się puchówką. Proponowała Meyerowi koc, ale odmówił. Wolał zamarznąć, niż wystąpić przed ekipą zawinięty w błękitny pled.

Sądząc po mokrych kombinezonach i maskach zsuniętych na brody, technicy pracowali już jakiś czas. Musiał to być nowy narybek, bo Hubert nikogo nie poznawał. Kiedy podeszli, funkcjonariusz broniący postronnym dostępu za taśmy wnikliwie obejrzał legitymację prokuratorki, zanim ją przepuścił. Meyerowi, który ruszył w ślad za kobietą, zagrodził drogę.

– Psycholog jest ze mną – wstawiła się za Hubertem, ale służbiście to nie wystarczyło.

Chwycił radiostację i wywołał zwierzchnika.

– Daj mi ten sprzęt, synu. – Meyer wyrwał mu krótkofalówkę z rąk. – Kupę lat, komisarzu Połeć.

Poleciały bluzgi.

– Meyer – przedstawił się, choć był pewien, że nie jest to konieczne. – Chcesz, żebym przy tym był, wierz mi. Z reoględzinami będzie jeszcze więcej zachodu, a śladów nie przybędzie.

– Glejt od prokuratora masz? Nie będę dla ciebie nadstawiał głowy.

Hubert spojrzał na Werę.

– Sprawdzę, kto dowodzi – obiecała. – Czekaj.

Przyśpieszyła kroku, ale w połowie drogi przejął ją mundurowy i z uniżeniem rozłożył parasolkę nad jej głową. Hubert widział, że w pierwszej chwili była zszokowana i próbowała odmówić, ostatecznie jednak poszła za nim w kierunku nieoznakowanego radiowozu. Hubert nie miał wątpliwości, że w aucie siedzi jakaś szycha.

– Prokurator Rudy osobiście ci potwierdzi – wykpił się Meyer. – Bo chyba oskarżyciela ten twój siusiumajtek nie zablokuje?

I nie czekając na odpowiedź, oddał urządzenie młodzikowi, który wciąż patrzył na Meyera z wyższością. Wyraz jego twarzy niewiele się zmienił, kiedy dostał rozkaz wpuszczenia profilera za taśmy. Odsunął się i więcej nie odezwał.

Ciało nie mogło długo leżakować w wodzie, bo było bez widocznych zmian rozkładowych. Pod lampami zasilanymi agregatami podłączonymi do łazika, który mógł pamiętać początki służby Meyera i już wtedy uchodził za strucla, członki nieżywej kobiety wydawały się białe jak kość słoniowa. Nogi denatka miała gołe, stopy bose. Hubert nie dostrzegł też nigdzie w pobliżu jej obuwia. Spódnicę miała rozdartą, pikowany płaszcz rozłożony jak skrzydła. Jej głowę okręcono wojskowym workiem i byle jak obwiązano kablem. W jednym miejscu brezent był rozerwany. Z dziury sączyła się maź nieokreślonego koloru.

Hubert zwrócił uwagę na końcówki przewodów telekomunikacyjnych. W dawnych czasach, kiedy internet mobilny był niedoścignionym luksusem, pod jego biurkiem walała się pajęczyna podobnych. Nigdy nie wiedział, do czego mogłyby się przydać, bo dostawcy do nowego routera dołączali komplet kolejnych kabli. Jak widać, morderca znalazł dla nich zastosowanie zero waste.

– Oszczędny gość – mruknął, stając niby przypadkiem obok niewysokiego, drobnego jak dzieciak oficera, który przydawał sobie autorytetu bujnym zarostem i postawioną na żel asymetryczną grzywką.

– Z tymi kabelkami srogo się natrudził. Oldskulowa robota. Nie łatwiej byłoby taśmą?

– Ty mi powiedz, magiku.

Antek Połeć był trochę starszy od syna Meyera i swego czasu zgrywał prymusa na jego szkoleniach. Chciał za wszelką cenę zostać profilerem. Biegał po kawę, papierosy i flaszki, zanim Hubert skinął najmniejszym palcem. Przepisywał protokoły, brał udział we wszystkich organizowanych warsztatach. Nie tylko tych wewnętrznych. Także otwartych, dla publiczności, na które przychodziły głównie czytelniczki kryminałów i osoby spragnione sensacji. W końcu Meyer się nad nim zlitował. W prostych żołnierskich słowach wyjaśnił studentowi, że zupełnie nie ma do tego drygu i lepiej będzie, jeśli postawi na robotę dochodzeniową, bo w tym jest świetny. Połeć nie był gotów na taki cios. Od tamtej pory potępiał psychologię behawioralną w czambuł, niedoszłego mentora zaś krytykował, gdzie się da. A miał ku temu wiele okazji, gdyż jak wielu jemu podobnych – ambitnych, subordynowanych i lojalnych – szybko awansował. Niedawno Hubert przeczytał w gazecie, że Antek w komendzie wojewódzkiej zajął gabinet Waldka. Wcale go to nie zdziwiło. Na wypełnianie słupków oraz na bankiety u starosty Połeć nadawał się idealnie.

– Właściwie nie powinno cię tu być.

– Również cieszę się, że cię widzę, komisarzu Antek. Trzy lata minęły i żadnego awansu. Poza zajęciem pokoju kryminalnych, rzecz jasna. Za dawnych czasów łączyłoby się to ze zmianą pagonów. – Spojrzał krytycznie na dawnego protegowanego. – Fajna broda. Kiedyś za taką stylówkę wypadłbyś z gabinetu starego i bardzo długo leciał.

– Nic już nie wiesz o firmie – odparował młody policjant.

– Zgadza się. – Hubert wyjął papierosy i poczęstował Połcia, a ten wziął jednego. Zapalili. – I nie tęsknię, wyobraź sobie.

– Wyobrażam – zgodził się Antek. – Ciężkie to życie kryminalnego celebryty?

– Jak skurwysyn – parsknął Hubert. – Żeby się dostać za taśmy, musiałem rozdać dziesiątki autografów.

Połeć uśmiechnął się mimowolnie.

– Widziałem, jakim wozem jeździsz.

– Nie daj się zwieść. Kobieta mnie podrzuciła.

– Pierdoły – fuknął ze złością Połeć. – W telewizji go pokazywali.

Hubert podniósł brew z niedowierzaniem.

– Wziąłem w leasing, żeby nie płacić podatków – mruknął. – Pomaga mi w pompowaniu ego. No i czasem łatwiej dostać się za taśmy. – Urwał i rozejrzał się. – Poza tobą nie ma wierchuszki? Faktycznie się pozmieniało.

– Żebyś wiedział. Na gorsze.

– A kiedy zmieniało się na lepsze, Antek?

– Nie to, że narzekam.

– Ani ja. Zawsze będzie co robić.

Hubert spojrzał w kierunku limuzyny, w której wciąż siedziała Wera, lecz udał, że wskazuje na zwłoki, wokół których malała liczba techników.

– Święci nie przyjechali do postrzału?

Połeć odwrócił się gwałtownie. Nie był w stanie ukryć zaskoczenia.

– Skąd wiesz, że to postrzał?

– Wiem, że dla ludzi z twojego pokolenia powinienem szykować się już do drewnianej jesionki – zaczął. – Tak się jednak składa, że z odległości całkiem nieźle widzę.

Podniósł rękę i powiódł nią wzdłuż rzeki.

– Wpadła do wody w wyniku odrzutu. Strzelał z przyłożenia. Ma jaja, jest świrem albo bardzo, ale to bardzo jej nienawidził. Dlatego zawinął jej głowę w ten brezent. Żeby jej mózg go nie obryzgał. Ciekawie pomyślane...

Zatrzymał się, by sprawdzić reakcję Polcia, ale żadnej nie było. Po chwilowym szoku policjant znów przybrał na twarz swój bezosobowy pytajnik.

– Nie było żadnej turbiny – kontynuował Meyer. – Puściłeś w obieg ten fejk, żeby nie mieć tu świętych. Brawo, Antek. Sam bym lepiej tego nie zrobił.

– Zabrałbyś się do roboty – odparł z nutą szacunku w głosie Połeć. – Jak tylko skończą, dziołcha jest twoja.

Hubert nie dowierzał, że poszło tak łatwo.

– A kwity?

– Żadnych kwitów. Ona to załatwi. – Wskazał czarną limuzynę, z której wysiadała Wera.

Na tylnym siedzeniu Hubert dostrzegł potężnego mężczyznę w garniturze. Chwalił się przed chwilą, że tak dobrze widzi, ale to było kłamstwo. Z tej odległości nie byłby w stanie rozpoznać nawet samego siebie.

– Może już załatwiła – dodał tymczasem Połeć i poklepał Meyera po plecach. – Działaj efektywnie. Ojczyzna na ciebie liczy. Widzimy się jutro w komendzie. Muszę teraz pogadać z ludźmi z Mosznej i zadecydować, czy łączymy te sprawy.

– A jednak walczysz o awans.

Połeć uśmiechnął się.

– Gdybyś sprzedawał swoją rakietę, daj znać. Mamy podobne gusta nie tylko w sprawach kobiet.

Meyer podał Polciowi kluczyki.

– Niech Brachaczek zaparkuje tam, gdzie jest sucho.

***

– Zrobiłeś sobie posłańca z szefa wydziału? Ryzykownie.

Podeszła Wera. Była spokojna i z trudem ukrywała zadowolenie.

– Nic dziwnego, że opowiadają o tobie złe legendy.

– To był test – burknął Meyer. – Sam się zdziwiłem, dlaczego wziął klucze i mnie nie zrugał. Pewnie każe zepchnąć auto do rzeki.

– Nie odważy się. Wie już, że musi się z tobą liczyć. Załatwiłam ci glejt.

Hubert przyjrzał się jej uważniej.

– Z jakim szpecem gadałaś?

Spojrzał w miejsce, gdzie przed chwilą stała rządowa limuzyna. Teraz podjechał tam radiowóz i zmarznięci technicy pakowali się do niego ze sprzętem. Hubert wiedział, że powinien się pośpieszyć. Za chwilę nie będzie od kogo zbierać danych.

– Liczyłam na proste „dziękuję" – naburmuszyła się Wera.

– Nieważne, jak załatwiłam.

– Minister ci wybaczył?

– To nie był on.

– A kto?

Odwróciła głowę.

– Muszę skombinować jakąś cienką fajkę. Idź do roboty, skoro sprawa jest już czysta.

Tym razem Hubert nie zaoferował jej własnych. Odszedł szybkim krokiem, czując, jakby w butach miał bajoro.

– Wlot z tyłu głowy? – zagaił, kiedy dotarł do poszkodowanej.

Technik, który zamykał już walizkę, spojrzał na niego niepewnie. Meyer miał wrażenie, że chłopak dopiero co wyszedł z kursu podstawowego.

– Hubert Meyer, profiler – przedstawił się. – Potrzebuję kilku informacji. I rękawiczek. Pożyczysz?

Chłopak podał mu komplet.

– Wiem, kim pan jest. Czytałem pana książkę. Na skrzydełku jest zdjęcie.

Meyer nie odpowiedział. Skąd miał wiedzieć, czy ma do czynienia z fanem, czy prześmiewcą?

– Przedziurawił ją na wylot – meldował ochoczo technik. – Tak jest, strzelił jej w tył głowy. Gdyby nie brezent, zawartość rozprysłaby się po krzakach. Ale mamy kulę. Była tam.

Wskazał zejście do rzeki.

– Duży fart, bo zawieruszyła się w śmieciach. Obstawiam, że to dziewiątka, ale balistyk powie coś więcej.

Hubert przyłożył dłoń do czoła i przyjrzał się czarnej toni. W rzece wciąż pracowali nurkowie.

– Znaleźli pistolet?

– Jeszcze nie. Myśli pan, że go znajdą?

Hubert powstrzymał się od odpowiedzi.

– Buty? Torebkę?

– Nie miała nic.

– Tylko ten bilet miesięczny?

– I legitymację. Były w kieszeni płaszcza.

– Mogę zobaczyć?

Technik pogrzebał w swojej walizce. Podał Hubertowi dokumenty w folii. Gertruda Karlik. Lat 16, urodzona 8 stycznia w Katowicach. Adres był tożsamy z adresem zamku w Mosznej. Ostatni semestr w legitymacji nie był ostemplowany.

– Coś jeszcze macie?

Meyer podszedł do ciała i podniósł dłoń dziewczyny. Paznokcie miała brudne, powyłamywane. Na knykciach widniały ropiejące ranki. Środkowy palec lewej ręki miał jaśniejszą smugę.

– Znaleźliście obrączkę, pierścionek?

Technik pokręcił głową.

– Nic więcej nie było.

– Dzięki, możesz iść. Jakby co, znajdę cię.

– Nazywam się Maciek Jed.

– Znajdę cię, Maćku. Dzięki i przepraszam, że przedłużałem.

– To był zaszczyt pana poznać.

– Nie chwalmy dnia przed zachodem. Jeszcze będziesz miał mnie dosyć.

– Myśli pan, że to jej chłopak?

– Jej chłopak nie żyje – odparł Hubert, co zaszokowało technika. – Ale mogła mieć drugiego. Skoro czytałeś coś mojego, to wiesz, że dopiero zaczynam się wgryzać.

– Już nie przeszkadzam.

Hubert przysiadł obok dziewczyny i dotknął jej przegubu. Obejrzał nogi, kolana. Nie było śladów ciągnięcia, krępowania. Ale ślady na dłoniach wskazywały, że walczyła.

– Musiałaś się bardzo bać – zwrócił się do niej. – A jednak przyszłaś z nim tutaj dobrowolnie. Tak bardzo mu ufałaś, że dałaś sobie założyć na głowę ten worek? To wtedy zrozumiałaś i zaczęłaś się bronić, prawda? Ciemno, mokro, nie wiesz, dokąd zmierzasz. A jednak nie uciekałaś. To musiało trwać, kiedy okręcał ci te kable. Dlaczego na to pozwoliłaś?

Chwycił jeden z nich, pociągnął. Rozplątywały się bez trudu.

– A może zastraszył cię i kazał ci to zrobić samodzielnie? Gdzie się spotkaliście? Nie spodziewałaś się, że strzeli... To miała być zabawa? Myślałaś, że odejdzie i cię zostawi? Że przeżyjesz...

Wstał.

– Gdzie dokładnie wypłynęła? – zawołał do Maćka Jeda.

Technik postawił swoją skrzynkę i biegiem zawrócił.

– Dokładnie tutaj, gdzie jesteśmy.

– Kto ją znalazł?

– Facet z dziećmi i psem. Mieszkają po drugiej stronie.

Wskazał stary dom.

– Spacerują tędy kilka razy dziennie. – Technik skrzywił się. – To pewnie ich śmieci.

Hubert podszedł do brzegu. Pogrzebał butem w opakowaniach po serze i kiełbasie, w stercie papierów. Podniósł jeden z nich. Była to ulotka antyaborcyjna. Wśród ogryzków, zeschłych liści i torebek po herbacie leżały jakieś strzępy. Chwycił patyk, podniósł do góry beżową pończochę. Miała oddartą koronkę u szczytu. Poszperał patykiem w reszcie odpadków. Drugiej nie było.

– Możesz mi to zabezpieczyć?

– Szef kazał mi jechać. Raport mam napisać na cito.

– Wyjaśnię Polciowi – zapewnił Hubert. – Może się mylę, ale wolałbym potem nie żałować.

Zostawił technika z tym problemem i zapatrzył się na rzekę.

– Nie zabił jej tutaj – powiedział, kiedy nadeszła Wera.

– To oczywiste – fuknęła. – Płynęła z prądem, kiedy psiarz z dzieciakami ją spostrzegł.

– Ale to było gdzieś niedaleko.

Wstał, zaczął iść wzdłuż nabrzeża.

– Czy są tu jakieś plaże, zatoczki, wysepki?

– Nie mam pojęcia.

Hubert zapatrzył się na dom po drugiej stronie rzeki.

– Kto ich rozpytywał?

– Ludzie Polcia.

– Psiarz był na spacerze z dziećmi? – upewnił się Hubert.

Weronika potwierdziła i dodała:

– Nikt nie słyszał strzału.

– Czy są tu jeszcze jakieś zabudowania?

– Nie sądzę. – Odwróciła się.

Polana opustoszała. Czekano tylko, aż Meyer skończy, żeby zabrać ciało.

– Chwila! – krzyknął. – Kto gadał z tymi ludźmi?

Zero odzewu. Wzruszenie ramion, ziewanie. Hubert ich rozumiał. Siedzieli tu od dobrych paru godzin. A ciało powinno jak najszybciej znaleźć się na stole patologa.

– Jutro dostaniesz z tego notatkę – ucięła temat Wera.
– Skończyłeś?

Hubert nie słuchał. Wpatrywał się w rzekę.

– Czas zgonu.

– Za wcześnie.

– Orientacyjny.

– Kilka godzin.

– Jeśli strzelił jej w głowę tak, by wpadła, musiała przepłynąć spory kawałek. Ciało pozostało w takim stanie tylko dlatego, że jest cholerny ziąb.

– Chyba że gdzieś się zaczepiła. Sukienkę ma podartą.

– Najbliższy most?

– Godzina stąd. I nie można tam wejść. Tylko dla samochodów.

– Więc może przywiózł ją samochodem?

– Może – zgodziła się Wera. – Słuchaj, ludzie chcą iść do domu. Potrzebujesz jeszcze czegoś? Możemy ją zabierać?

Hubert podszedł do ciała, obrócił zmarłą na plecy. Poza liśćmi, trawą i błockiem nie było na jej płaszczu nic więcej.

– Widziałaś jej palce? Jakby orała nimi ziemię. Skoro płynęła tak długo, brud powinien się spłukać.

Werka pochyliła się, przyjrzała paznokciom dziewczyny.

– Dziwne – rzekła. I naraz podjęła decyzję. – Zabieramy ją! – krzyknęła. – Reszty dowiemy się po sekcji.

Otoczyła ich ekipa z czarnym workiem. Zapakowali ciało do wywiezienia i w tym momencie rozległ się krzyk. Jeden z nurków zatrzymał się z ręką nad poziomem wody.

– Coś mają – szepnęła Wera.

– O kurwa! – usłyszeli przekleństwa techników, dla których oznaczało to kolejne godziny ślęczenia w tym miejscu.

– Zapomniałam ci powiedzieć. – Prokuratorka mówiła szybko, jakby chciała wykorzystać ogólne zamieszanie. – Dziś zwalniam mały pokój w twojej jaskini. Przenocuję w pokoju gościnnym komendy, bo jestem padnięta. Rzeczy zabiorę jutro.

– Minister jest zazdrosny?

– Chciałeś mieć więcej przestrzeni – wykpiła się. – Ale jeśli choć jeden karton zginie, będzie nie tylko zazdrosny, ale też zły.

– Kuszące – odrzekł. – Schowam kilka tomów, żeby to zobaczyć.

– I tak wkrótce go zobaczysz – ucięła.

W tym momencie podszedł do nich zadowolony Połeć.

– Jest giwera – zameldował, jakby osobiście ją wyłowił.

– W całości? – zdziwiła się Weronika. – Nie rozłożył jej?

– Glock. Dziewięć milimetrów – potwierdził policjant. – Staruszek, ale może pasować do tej kuli z krzaków. Mamy fart.

Weronika i Hubert wymienili znaczące spojrzenia.

Część 2
Dziecko Karlikowej

Dzień siódmy
6 stycznia 2021 – środa

Słynny budynek komendy wojewódzkiej śląskiej policji, w którym od lat kisiła się też brać z komendy miejskiej i ABW, był obstawiony rusztowaniami. Hubert z rozrzewnieniem pomyślał o dziesiątkach kilometrów, które tutaj przeszedł, kawach plujkach wypitych podczas stukania na maszynie, tysiącach papierosów wypalonych na korytarzach oraz przydługich nasiadówkach, które odbył w gabinecie szefa. Nie przypuszczał, że kiedykolwiek to powie, ale zatęsknił.

Dzisiejszą naradę urządzono w sali konferencyjnej, ale i tak nie pomieścili się wszyscy. Choinka stojąca w kącie była plastikowa i ubrano ją w branżowe bombki. Pod sufitem dryfowało kilka balonów z logotypem komendy.

– Za moich czasów takich bajerów nie było – mruknął Hubert, kiedy wszedł do sali.

Ustawił się jak zwykle w kącie, ale i tak czuł się obco. Poza garstką oficerów niemal wszyscy zgromadzeni w epoce grunge'u nosili jeszcze pampersy. Zamiast notatników trzymali w rękach iPady i smartfony, a na stoliku poustawiali designerskie termosy. Hubert pomyślał, że panuje jakiś modowy wyścig, bo były to kubki termiczne z różnymi nadrukami.

Podkomisarz Antek Połeć powitał zebranych i włączył podświetlaną tablicę, na której pojawił się pierwszy slajd prezentacji.

– Musiał siedzieć nad tym całą noc – mruknął Hubert do stojącej obok młodej policjantki z warkoczem grubym na pięść.

– To zajmuje dwadzieścia minut – skwitowała z pobłażliwym uśmiechem, jakby tłumaczyła dziadkowi działanie Spotify. – Teraz wszystko jest przesyłane elektronicznie.

Poczuł się stary i niepotrzebny. Gdyby nie obecność Wery, która zajęła miejsce u szczytu stołu, a przed sobą położyła plik dokumentów, wykpiłby się jakimś zadaniem i po prostu wyszedł. Kiedy uświadomił sobie, że przez najbliższe kilka godzin nie będzie mógł zapalić, sentyment do tego miejsca przeszedł mu momentalnie.

– Dziś rano zapadła decyzja o połączeniu tych dwóch spraw. Na ekranie pojawiły się twarze Artura Sroki i Gertrudy Karlik vel Urbaś.

– Zakładamy, że to może być jeden sprawca.

– Kto podjął taką decyzję? – krzyknął Meyer, zanim się zastanowił, i natychmiast tego pożałował, bo wszystkie oczy zwróciły się na niego.

Nie był na to przygotowany. Zaraz zrobił się czerwony na karku i twarzy.

– Ja – odparł bardzo spokojnie Połeć. – We współpracy z nadkomisarzem Albertem Dudkiem z Mosznej, z którego ludźmi będziecie współpracować. Po spotkaniu poznajcie się i wymieńcie dane.

W tym momencie w drzwiach stanął Dudek, przepraszając za spóźnienie. Za nim szedł starszy posterunkowy Brachaczek. Młody policjant był opuchnięty na twarzy i ogólnie wyglądał, jakby nie spał wcale.

– Właśnie o panu mówiłem, komendancie.

Zrobiono im miejsce obok ludzi z Mosznej, których Meyer kojarzył jedynie z twarzy.

Miał ochotę znów spytać, na jakiej podstawie łączą te sprawy oraz kto w tej sytuacji bierze odpowiedzialność za śledztwa, ale ugryzł się w język. Uznał, że lepiej być biernym słuchaczem, a kluczowe pytania zadać konkretnym osobom po wyjściu funkcyjnych. Inaczej nie otrzyma wiążących odpowiedzi.

– Jest też z nami Hubert Meyer. Sławny profiler.

Psycholog poczuł się tak, jakby został wezwany karnie, choć Połeć do niego kiwał, pokrywając drwinę uśmiechami.

– Inspektorze, proszę do nas.

Hubert rozejrzał się, jakby zaproszenie nie dotyczyło jego, ale młoda policjantka stojąca obok wypchnęła go naprzód.

– Tu mi dobrze. – Za wszelką cenę starał się wrosnąć w ścianę.

– Nic nie słychać! – krzyknął jakiś prymus z przodu.

– Młodszy inspektor w stanie spoczynku Hubert Meyer zna obie sprawy.

Rozległy się nieśmiałe brawa. Psycholog z niechęcią ruszył do tablicy. Im bliżej był prowadzących, tym bardziej aplauz gasł, co sprawiło mu ulgę.

– Dzień dobry. – Skłonił się. – Jestem już emerytem, ale w miarę możliwości postaram się pomóc. Jeśli macie spostrzeżenia, pytania – służę.

Z kieszeni wyjął plik wizytówek i położył je na jednym z pierwszych stolików. Nie chciał, by wyglądało to na reklamę, ale było za późno. Policjanci zaczęli sobie podawać kartki i przyglądać się im, jakby szukali na nich ukrytych znaczeń. Hubert spojrzał na Weronikę, szukając u niej ratunku, ale tylko odwróciła głowę, z trudem tłumiąc śmiech.

– Zacznę od tego, że nie miałem nic wspólnego z pomysłem łączenia tych spraw. Jest jednak kilka wiążących je nitek. Postaram się je naświetlić.

Odwrócił się do tablicy i wskazał ofiary.

– Tych dwoje znało się i przez jakiś czas było parą. Artur Sroka otrzymał trzy ciosy nożem, a potem jego ciało zostało zmiażdżone przez konserwatora windy, którego podstępem wezwano do zamku. Ze względu na obrażenia wynikające z wypadku nie można bezdyskusyjnie stwierdzić, czy był martwy w momencie przejechania.

W sali rozległ się szmer.

– W październiku Gertruda Karlikówna została zgwałcona przez Artura Srokę. Przestępstwa nie zgłoszono. Ta informacja pochodzi od matki pokrzywdzonej. Może być subiektywna lub nieprawdziwa. Z pewnością jednak do stosunku doszło. Czy to był gwałt, nie wiemy.

Hubert zatrzymał się. Zebrani słuchali w napięciu.

– Jeszcze wcześniej, 15 września ubiegłego roku, Gertruda zwana w Mosznej Trudką wspólnie z Arturem dokonali kradzieży kilku dzieł sztuki z zamku. Nie wiedzieli, że rabują duplikaty. Jubiler z Katowic, któremu próbowali je sprzedać, ich rozpoznał. Ten napad również nie został zgłoszony.

– Czy ta informacja też pochodzi od matki dziewczyny? – padło z sali.

Meyer słusznie odczytał uwagę jako szyderczą.

– Tak się składa, że osobiście zbierałem dane do profilu wiktymologicznego. Akurat ten fakt potwierdziło kilku świadków. Kiedy skończę ekspertyzę, będą mogli państwo się z nią zapoznać. W razie potrzeby udzielę też informacji ustnie, od kogo dokładnie uzyskałem dane. – Odchrząknął. – I może sprostuję, żeby nie było niedomówień. Sprawę kradzieży zgłoszono. Zrobił to dyrektor zamkowego muzeum. Kiedy okazało się, że repliki klejnotów zostały skradzione przez ich wychowanków, wycofał wniosek o ściganie. Mimo to sąd wydał nakaz poszukiwania obojga. Włóczyli się po Śląsku przez dwa tygodnie. Po zatrzymaniu Sroka trafił do aresztu, a dziewczyna do zakładu poprawczego w Zawierciu. Zanim przemielono dokumenty, Gertruda wróciła do domu, Sroka dostał grzywnę i wyrok w zawieszeniu. Był skonfliktowany z dyrektorem zamku, którego dotkliwie pobił. Tej samej nocy został zamordowany. Resztę danych przekaże prowadzący dochodzenie.

– Czy może pan naświetlić, kogo szukamy?

– Do której sprawy? – zapytał Meyer.

Połeć wiedział już, że popełnił błąd, wywołując profilera na środek, i zabrał mu mikrofon. Hubert natychmiast zaczął się przeciskać na swoje miejsce z tyłu.

– Twarze tych dzieci zostały zmasakrowane – zaczął szef kryminalnych.

Nie skończył, bo drzwi się uchyliły i zajrzał młody funkcjonariusz.

– Szefie, mogę prosić? – zwrócił się do Połcia.

– Pamiętam o konferencji, sierżancie Rudolf. Jeszcze nie skończyliśmy.

– Tym bardziej proszę na słowo, szefie – naciskał podwładny.

Połeć z niechęcią oddał mikrofon Werze, która nie planowała przemawiać wcale i natychmiast przekazała go dalej.

– Dobrze by było, aby pani prokurator też wyszła – podkreślił Rudolf. – Przepraszam. Zdaje się, że to pilne.

Hubert, słysząc te słowa, natychmiast zawrócił i torując sobie drogę łokciami, znalazł się obok Połcia, nim drzwi do sali konferencyjnej trzasnęły.

– Są wyniki DNA. – Sierżant podał zebranym wydruk. – Pozwoliłem sobie przeszkodzić, bo ta dziewczyna to nie Gertruda Karlik. Ojciec się pomylił. Legitymacja i bilet nie należały do ofiary.

Hubert z trudem powstrzymał uśmiech triumfu.

– Kim jest ta kobieta? – Wera wyrwała kartkę i odczytała:
– Adela Krac.

– To ktoś z zamku? – spytał z nadzieją Połeć.

Dudek pokręcił głową.

– Pierwsze słyszę.

– Co o niej wiemy? – zaatakowała go Wera. – Za chwilę konferencja, a i naszym ludziom należy się wyjaśnienie. Zostali oddelegowani i palą się do roboty. Nie mówiąc o tym, że dziennikarze nie zostawią na nas suchej nitki.

– Nimi najmniej bym się przejmował, pani prokurator – burknął Dudek.

Połeć spojrzał na młodego policjanta z nadzieją.

– Sprawdziłem, co mogłem, szefie – zaczął nieśmiało Rudolf i dodał jakby na usprawiedliwienie: – Niewiele tego...

– Odwagi, chłopcze – zachęcił go Połeć. – Każdy z nas kiedyś zaczynał.

– Adela była zakonnicą – mówił Rudolf. – Pochodzi z Rudy Śląskiej. Ojciec zmarł w wypadku, kiedy dziewczyna miała pięć lat. Matka żyje w konkubinacie z niejakim Głową, z którym ma troje dzieci. Mają niebieską kartę.

– To nie tak mało. – Wera spojrzała na faceta łagodniej.
– Uratował nas pan przed kompromitacją. Dziękuję.

Policjant skinął tylko nieznacznie głową.

– Jak się pan nazywa?

– Rudolf Fizyta, sierżant. Mam staż w nielatach.

Wera przyjrzała mu się badawczo.

– Zakonnica? – Połeć skrzywił się. – To trzeba utajnić. Zaraz się zadymi.

– Wystąpiła z zakonu w ubiegłym roku. Ostatnio była poszukiwana przez zakład poprawczy. Zwiała stamtąd przed Świętem Zmarłych.

– Ten w Zawierciu? – upewnił się Hubert i wymienił spojrzenia z Werą.

– Właśnie ten. Znam dyrektora. Równy gość. Obiecał, że jeśli trzeba, może was przyjąć od razu. Ma kompletne akta Adeli Krac.

– Ja pojadę – zaoferował się Hubert. – Źle wypadam przed kamerami.

***

Piękną aleję lipową wieńczyła brama ze szpikulcami i drutem kolczastym. Więzienie dla dzieci niewiele różniło się z zewnątrz od tego dla dorosłych. Strażnik wylegitymował Meyera, a potem wskazał mu miejsce do zaparkowania. Zanim profiler wysiadł z auta, przed wejściem czekał już na niego muskularny i pewny siebie brunet w dżinsach oraz niebieskiej koszuli z podwiniętymi do łokci rękawami. Hubert od pierwszego rzutu oka wiedział, że facet trzyma ten ośrodek pewną ręką, a wychowankowie go szanują.

– Chce pan zjeść obiad? – spytał dyrektor zamiast powitania. – Dziewczyny się ucieszą. Same gotują.

Hubert nie miał czasu jeść, ale pojął, że to część socjotechniki.

– Z przyjemnością.

Podali sobie dłonie.

– Bruno Nowotnik. Mów mi Bruno.

– Hubert Meyer.

– Stołówka jest pusta, bo obiad mamy o trzynastej. Będziemy mogli spokojnie pogadać.

Hubert ledwie za Brunonem nadążał. Facet miał tyle energii, ile małe zwrotne działko przeciwlotnicze. Kiedy szli, spoglądały za nimi zaciekawione dziewczęta i personel, ale Bruno nie przedstawiał gościa.

– Tam jest biblioteka. Tutaj odbywają się spotkania wspólne i dyskoteki. W głębi kaplica – pokazywał w przelocie.

Foyer było oblepione pracami wychowanek. Niemal na każdej ścianie wisiały tablice ze zdjęciami roześmianych dziewcząt: zapasy, wieczór poezji, warsztaty makijażu, zajęcia szachowe, gra na perkusji, salsa. Jedną ścianę w całości przeznaczono do sprejowania. Miejscami była wyżłobiona i miała wielkie dziury jak powierzchnia Księżyca. Robiła wrażenie.

– Pozwalam im tutaj mazać, co chcą. Skupujemy też stare talerze. Dziewczyny tłuką je o ścianę, kiedy czują gniew.

– Przydałoby mi się coś takiego w domu. – Meyer pokiwał głową z uznaniem.

– Możemy potem zrobić rundę. Lepiej oczyszcza tylko boks.

– Chętnie – mruknął Hubert. – Byle czasu starczyło.

– Mam to samo.

Dotarli wreszcie. Za półprzezroczystą ladą z pleksi stały dwie dziewczyny w czepkach. Jedna była wytatuowana, druga zapewne grała aniołka w każdych jasełkach. Mimo to pasowały do siebie, jakby urwały się z jednej sztuki.

– Szczawiowa i de volaille dla pana inspektora – rzucił wesoło dyrektor. – A dla mnie ten twój budyń, Bestko, jeśli jeszcze został.

– To jest szpajza, dyrektorze – roześmiała się przymilnie ta z tatuażami. – Zostawiłyśmy dla pana porcję specjalną.

Po chwili na stół wjechało jedzenie i ogromna misa deseru.

– Chyba żeś oszalała! Przez tydzień tego nie zjem.

– Akurat – żachnęła się Bestka. – Ostatnio też pan tak godoł.

– Jest wolne, możecie iść.

– Mamy zmywanie.

– Tylko nie podsłuchiwać! – przekomarzał się z nimi chwilę.

Hubert spróbował kotleta i wiedział, że zje go do ostatniego kęsa.

– Dobre są, ptaszyny – chwalił je dalej dyrektor.

– Słyszymy – krzyknęły. – Fajnie, że smakuje.

A potem rozległ się huk lanej wody i jedna z nich wrzasnęła, starając się przekrzyczeć hałas:

– Już nie słyszymy. Możecie godoć.

Bruno położył na stoliku akta i zabrał się do swojej szpajzy.

– To są dwie teczki – zauważył profiler.

– A dwie, bo po co masz się znów fatygować? Pierwsza to Adela Krac, bo o nią pytał twój kolega Rudolf. Trudkę Karlik vel Urbaś dołożyłem od siebie. Pomyślałem, że się nada, bo od rana w ośrodku wrze, że nasza dziołcha jest poszukiwana. Media społecznościowe są szybsze niż nasze starcze myśli.

– Już opublikowali? – zdziwił się Hubert. – Twitter?

Bruno potwierdził.

– My z żoną wiedzieliśmy od razu, że tak to się skończy.

– Zabójstwem?

Bruno spojrzał na Huberta badawczo.

– To ona nie żyje?

– Adela tak. Gertruda nie wiem.

– Mówią tylko o Trudce. Że zaginęła. Wszystkie dziołchy udostępniły post.

– One się przyjaźniły? Trudka z Adelą.

– Mało powiedziane – przytaknął dyrektor. – Takie tandemy zawsze mnie martwią.

– Pracowałem kiedyś w służbie więziennej. Dziś miłość, jutro wojna.

– Zgadza się.

– I tak było?

– Jeśli doszło do wojny, to nie u nas. Wiedziałbym o tym.

– To dwa odmienne życiorysy. Jak to się stało, że się zaprzyjaźniły?

Bruno przesunął dokumenty.

– Daję ci to, choć nie powinienem. Podpiszesz, że się zapoznałeś. Nic nie wynosisz.

Hubert szybko schował kopie akt do torby.

– Nie martw się. Nic nie wypłynie.

– Wiem. Znam się na ludziach. Inaczej dawno zawinąłbym kitę. Dziołchy to nic. Urzędasy i takie tam samorządowe gierki.

– Bruno nabrał powietrza i machnął ręką. – Tak bardzo się nie różniły. Znasz te historie. Brak ojca, matka nieporadna. Potrzeba autorytetu. Każdy z traumą radzi sobie inaczej. Adela była z tych udających silne. Klęła, awanturowała się, miała zawsze swoje zdanie. Pierwsza na czele brygady buntowników. Trudka niby wycofana, złamana, zhańbiona i cicha, płaczliwa...

– Ale tak naprawdę to ona była silna?

– I ja to wiedziałem od razu. Dopasowały się.

Hubert skończył jeść.

– Napiłbym się teraz piwa – uśmiechnął się.

– Poczęstowałbym cię, ale prowadzisz.

– Innym razem – odnalazł się Hubert. – Trudka była u was tylko tydzień. W tak krótkim czasie zdążyły nawiązać przyjaźń czy znały się wcześniej?

– Nie znały się. Mur-beton. I gdyby nie wybryk z Arturem, nigdy by się nie poznały. Tak jak powiedziałeś, były z dwóch różnych światów. Trudka wychuchana, mała księżniczka, córeczka mamusi.

– Też nie miała ojca.

– Łebski z ciebie chłop. To je połączyło.

– Zawsze łączy.

– Wiesz, że Adela była w zakonie? Dopiero kiedy zrzuciła habit, zaczęła ćpać i robić dziesiony. W sumie to tragiczna postać.

– Jak one wszystkie.

– Podobno kiedyś była bardzo religijna. Mówiła, że wyniosła to z domu, ale moim zdaniem uciekła z niego do zakonu, bo miała dość tamtego bagna. Z tym że wpadła z deszczu pod rynnę. Człowieku, ja tutaj słucham takich historii, że naprawdę ciężko mnie wzruszyć. Pod agresją takich dziewczynek prawie zawsze jest molestowanie. I tak też było w tym przypadku. Ten cały jej ojczym, Głowacki, Głowa, żył z Adelą, zanim skończyła siedem lat. Za biernym przyzwoleniem matki, jasna sprawa. Podobno gwałcił też swoje córki, a kiedy Adela skończyła lat trzynaście, obiecał, że się z nią ożeni. Matka się na to zgodziła, bo mieli szansę na mieszkanie z miasta, rozumiesz?

– Nie.

– Ja też, ale słuchaj. Mieli dozór, kuratora, ale o gwałtach nikt głośno nie mówił. Zgłoszenia dotyczyły bicia i pijaństwa. Dwa razy w tygodniu do Głowy przychodził ksiądz. Byli kumplami.

– Co robi ten Głowa?

– Jakiś taki hasi maszkietnik. Po śmietnikach chodzi. Ale dziennie zbiera po pięćdziesiąt kilo makulatury i tyle złomu, że nawet auto mieli. Z księdzem wszedł w układ. Dostawali z kościoła ciuchy, żywność i pieniądze przy większych okazjach. Taka tutejsza religijność na pokaz. Kiedy więc Adela poczuła powołanie, nikt się nie zdziwił. Była duma na całe osiedle. Musisz wiedzieć, że Adela zawsze, nawet tutaj, była dziewczyną rozrywkową i hersztem bandy. Jak powiedziała: podpalamy śmietnik, to dziewczyny podpaliły. Kierowała ona, ale obrywał kto inny. Umiała rozkręcić każdą imprezę. Więc jak postanowiła pójść do zakonu, to nie znaczyło zamknąć się przed światem, ale założyć własny.

– Aha. – Hubert podniósł głowę. – Charyzmatyczna jednostka.

– Opowiadała o jakiejś siostrze Kazimierze, którą poznała na oazie. Ta zakonnica pisała książki, w domu miała kaplicę i Najświętszy Sakrament. Podobno legalnie. Msze odbywały się w jej domu. Wiele dziewcząt do niej przychodziło. Mówiła o aborcji, zabitych płodach. No i pisała te książki, które one sprzedawały po parafiach.

– Czyli nie była w zakonie? Dołączyła do sekty? Jak się nazywali?

– Zaczekaj. To dopiero początek. – Bruno wstał i krzyknął na dziewczyny w kuchni. Dopiero teraz Hubert zorientował się, że nie słychać strumienia wody. – Bestka, jak nazywała się ta Kazimiera, do której chodziłyście?

Hubert siedział spokojnie, czekając, co z tego wyniknie. Ale z kuchni dobiegała cisza.

– Poszły już – zameldował niezrażony dyrektor i zaraz poderwał się, jakby za długo się zasiedział. – Chodź teraz do mnie. Napijemy się kawy.

Po drodze nie przestawał mówić.

– Książki szły jak woda. Siostra Kazimiera miała sztukowany habit. Wyznawała ideę ubóstwa, ale pod habitem nosiła czerwoną bieliznę. Przeciwko demonom. I wełniane getry. Adela mówiła, że fascynowała ją. Była jak z kosmosu. Rozumiesz, że dziewczyna przylgnęła do niej i kiedy tamta zaproponowała, że założą własny zakon, którego głównym celem będzie obrona życia poczętego, zgodziła się. Weszła w to na ostro. Jak we wszystko, co robiła.

– To okazało się oszustwem?

– Co ty! Formowała się u franciszkanek. Nadzór nad tym ich nowym zakonem objęła tutejsza kuria. Znalazły księdza, który miał ośrodek nad morzem. Tam się zakwaterowały. Co się tam dokładnie działo, nie wiem. Adela mówi, że żyły pobożnie. Głównie głodowały. Nie jadły mięsa, mleka, żadnego tłuszczu. Tylko warzywa gotowane na wodzie. Nieustannie chciało im się jeść. Jak znalazły w jakiejś piwnicy wór suszonych bananów, to żarły je garściami, aż dostały rozwolnienia. Sprzedawały te książki, agitowały. Były taką zbrojną damską bojówką.

– Ile ich było?

– Piętnaście. Wszystkie tak samo poranione i bez wsparcia rodziny. Ta Kazimiera wiedziała, kogo werbuje. Ale wierzyły, że oczyszczają się dla Boga. Adela mówiła, że była wtedy gotowa skoczyć dla Jezusa z urwiska.

– Ile to trwało?

– Trzy lata.

– Dlaczego wystąpiła?

– Nie wiem. Ale to się stało nagle, bez uzasadnienia. Mówiła nam o piecach do szorowania, karach w piwnicy, myciu toalet. O kapelanie, który łapał ją za pupę. I takie tam.

– A o Kazimierze? Wróciła do niej?

– Też nie wiem. Nigdy nie wyznała mi, co się stało. A byliśmy blisko. Zwierzała mi się z takich rzeczy, o jakich nie mówiła nikomu. Co sprawiło, że stała się agresorem? Co ją tak wzburzyło? Do dziś się zastanawiam.

– Przemoc seksualna? – zgadywał Meyer.

– Nie wiem – powtórzył po raz trzeci Bruno. – Ale te jej kilka przestępstw, których dokonała, naprawdę było błahym odwetem za to, jak życie jej dokopało. To mogła być świetna dziewczyna. I byłaby, gdyby nie Trudka.

Hubert wyciągnął teczkę Adeli. Przewertował ją.

– Dilowanie, nierząd, rozbój z pobiciem – odczytał. – Miała u was zostać do pełnoletności.

– I zostałaby. Potem załatwiliśmy jej pracę w tutejszym urzędzie. Dogadałem się z jednym radnym. Przymknąłby oko na jej dziecinne numery. Adela byłaby świetnym piarowcem. Szły za nią tłumy. Miała charyzmę. Tak by było...

– Gdyby nie Trudka – dokończył za dyrektora Hubert. – Co dokładnie masz na myśli?

– Historia Trudki to opowieść o dziewczynie, która myśli, że jest księżniczką i może wyrywać elfom skrzydła. A kiedy ktoś na nią donosi, obraża się i płacze oraz skarży mamie, że ją skrzywdzono. Nikt nie cofnie jej okrucieństwa, ale ktoś musi za to zapłacić. To załatwia królowa matka. Problem w tym, że Trudka nie jest prawdziwą księżniczką, podobnie jak jej matka jest królową uzurpatorką i tylko elfy wciąż nie żyją.

– Nie znam się na elfach.

– Moim zdaniem Adela zapłaciła śmiercią za to, co nabroiła Trudka.

– A co nabroiła?

– Spytaj o to ojca tego chłopaka. Przychodził codziennie i na kolanach błagał ją, by wycofała oskarżenie.

– Oskarżenie?

– Matka zgłosiła, że Artur zgwałcił Gertrudę.

– Skąd wiesz, że tego nie zrobił?

– Była dziewicą. – Bruno się zatrzymał, ale widząc niedowierzanie na twarzy gościa, dodał: – Badał ją nasz lekarz. Tak się składa, że to moja żona. Trudka chciała, żeby przepisać jej tabletki antykoncepcyjne.

– Sroka poszedł siedzieć za gwałt, którego nie było?

– Odsiedział sześć tygodni aresztu tymczasowego, dostał zawiasy i grzywnę. Za te rzeczy z zamkowej gabloty. Sprawę gwałtu zatuszowano.

– Myślałem, że to nie było zgłoszone.

– Trudka zgodziła się wycofać oskarżenie, bo Artur wziął na siebie rabunek błyskotek. Wtedy my też ją puściliśmy.

– Uważasz, że to Trudka zabiła Artura i Adelę?

– Już ci powiedziałem, co uważam – spiął się Bruno. – Nie słuchałeś.

Hubert przyjrzał się dyrektorowi.

– Nie lubisz jej?

– Nie bratam się z wychowankami. Obserwuję je, pomagam im. W miarę możliwości wspieram. Staram się wszystko zrozumieć, choć nie zawsze da się znaleźć rozsądne usprawiedliwienie. Ale jak się trafia sztuka, która myśli, że jest sprytniejsza od innych, włącza mi się radar.

– I w tym przypadku się włączył?

– Syrena wyła. Wszystkie lampki się świeciły. Cieszyłem się, że nie mam już Trudki na pokładzie. A miesiąc później Adela daje nogę. Dasz wiarę? Jaki to ma sens?

– Nie wiem – przyznał Hubert. – Ale skoro Trudka chciała tabletki, kiedy Artur siedział, to znaczy, że był ktoś jeszcze.

– Niestety nic o tym gościu nie wiem. – Dyrektor pokiwał głową. – Nigdy się tutaj nie pojawił.

***

– Skończyłeś w Zawierciu? – usłyszał w słuchawce Meyer, kiedy tylko wyszedł z poprawczaka i włączył telefon.

– Właśnie miałem wsiadać do samochodu.

– Masz coś?

Słyszał, że Werka się przemieszcza. Spomiędzy gwizdów wiatru ledwie wyłuskiwał słowa. Wreszcie szmery ustały i rozległo się pojedyncze piknięcie. Pojął, że prokuratorka też gdzieś jedzie. I bardzo się śpieszy.

– Te sprawy się łączą – zaczął ostrożnie.

– To już wiemy – przerwała mu. – Byłeś sceptyczny, ale cieszę się, że zgadzasz się z naszą linią. Twój opór nie był nam na rękę.

– Naszą? Nam?

– Moją, Polcia i Dudka. Pracujemy teraz razem, jeśli się nie zorientowałeś. Skrycie liczymy na twoją błyskotliwość. Więc?

Nie spodobała mu się ta uwaga. Nawet za dawnych czasów miał alergię na rozkazy i wiedział, jak oddalić się od stada, tak by ono nie odczuło jego straty. Chyba jednak Wera jeszcze tego nie wiedziała.

– Zaprzyjaźniły się. Papużki nierozłączki. Po wyjściu Trudki z poprawczaka musiały utrzymać kontakt. Ucieczka Adeli jest powiązana ze sprawą, o której mówimy. Sama zaś Trudka Karlikówna... – Urwał i obejrzał się na drzwi wejściowe.

Poza nim i znudzonym strażnikiem w budce na podwórzu nie było nikogo, ale znał takie miejsca nad wyraz dobrze, więc szybkim krokiem ruszył do samochodu.

– Myślisz, że mała Karlikowej mogła to zrobić? – zapytała Wera. – Jakoś nie mieści mi się to w głowie. I nie pasuje do twojego profilu.

Nabrał powietrza, wypuścił.

– Nie powiedziałem, że jest sprawczynią. Twierdzę jedynie, że ma związek z obiema zbrodniami. Trzeba ją znaleźć i porządnie nią potrząsnąć.

– Tyle to sama wiem i niewiele mi to daje.

Hubertowi ulżyło, że Wera przestała używać liczby mnogiej. Pomyślał, że pewnie mówiła tak przy świadkach i dopiero kiedy wsiadła do samochodu, może rozmawiać otwarcie.

– Te dwie panienki łączył jakiś sekret – zaczął, ale nie dała mu skończyć.

– Coś jeszcze?

– Tajemnica związana z mężczyzną – dodał, zapalając papierosa.

– Na kiedy będzie profil?

Uchylił okno i wydmuchał kłąb dymu.

– Sprawcy zależy, żeby ten sekret pozostał nieujawniony – podkreślił, nie przejmując się, że prokuratorka nie dostała odpowiedzi na swoje pytanie. – Jeśli nie odkryjemy, co wiedzieli Artur, Adela i Trudka, będą kolejne ofiary.

– Myślisz, że szukamy już ciała?

– Mam nadzieję, że nie.

– Puściliśmy jej foto do wszystkich mediów. Trwa akcja poszukiwawcza w okolicach zamku. Dudek wezwał u siebie patrole społeczne. Połeć kazał uruchomić wszystkich śląskich informatorów. Przeczesujemy dworce, squaty i galerie handlowe. Koronawirus nie ułatwia sprawy. Ludność chodzi zamaskowana. Jak na razie nikt jej nie widział. Nie ma nawet wariatów ze ślepymi tropami, co trochę mnie martwi.

– Nie znajdziecie jej na dworcu.

Meyer wyrzucił peta przez okno i zapalił następnego papierosa.

– Ona się do tego przygotowała. Byłem w jej pokoju. W koszu na śmieci widziałem metki nowej bielizny, test ciążowy i dwie bliźniacze szczoteczki do zębów. Nie mówiąc o przetrzebionej szafie.

– Co to ma do rzeczy?

– To nie jest typ dziewczyny, która ucieka donikąd.

– Już raz to zrobiła.

– Ze Sroką. Mogła wierzyć, że ucieczka jest zorganizowana.

– Nie była.

– Nadal nie wiemy, co zdarzyło się w trakcie tego giganta – zauważył.

– Sprawdziliśmy miejsca, w których wtedy koczowali.

– W żadne z nich nie wróci. Jest na to za mądra. Ona uciekła w konkretnym celu. Przygotowała się – powtórzył. – Ktoś dał jej ląd.

– Dudek przyciska matkę.

– Karlikowa nic nie wie. Córka dawno straciła do niej zaufanie. Jeśli coś powiedziała Margot, to same kłamstwa.

– Gdzie więc obstawiasz?

– Jej lekcje rysunku i ten nowy anglista. Trzeba też ponownie przesłuchać Polheimera. Przez ostatnie kilka lat to on woził ją do Katowic. Zwierzała mu się, spędzali ze sobą w tych podróżach sporo czasu. Mógł zauważyć coś, co jest istotne, chociaż może nie zdaje sobie z tego sprawy. Trudka zaplanowała ucieczkę, ale nie zabrała ze sobą zbyt wiele. To nawet nie jest walizka. Przemieszcza się bez auta.

– Skąd wiesz? Nadal nie znaleźliśmy smarta Polheimerowej.

– Sprawdźcie w galerii na podziemnych parkingach. Kluczyki będą w środku.

Wera nie odpowiedziała.

– Co z jej ojcem? – zapytał Hubert.

– Przesłuchaliśmy i poszedł do domu. Nic nie wie. Nie widział córki od jedenastu lat.

– Tym rozpoznaniem wrzucił nas na lewe sanki. Może ją chroni? Identyfikacja na podstawie biletu miesięcznego? Mówiłem, że konferencja prasowa to przedwczesny ruch. Dobrze, że Rudolf zdążył z wynikiem DNA.

– Na rozliczenia przyjdzie czas.

– Pewnie. Nie wchodzę w twoją działkę. Ale może Urbasia dobrze byłoby posłuchać na gruncie neutralnym?

– Chcesz, to go bierz. Puszczę ci esemesem adres – zgodziła się i na dłuższą chwilę zapadła cisza.

– Wera?

Nie odpowiedziała.

– Halo?

Hubert przyjrzał się aparatowi, ale połączenie trwało. Nic jednak nie słyszał, komórka była martwa. Wreszcie znów dobiegł go jej oddech.

– Jestem. Sorry, że musiałam cię zawiesić, ale dostałam nowe info od Polcia. Znaleźli w szuwarach torbę. Zwykła szmacianka z Tigera. Taka tęczowa. Pół świata z takimi biega. I jeden but. To by wyjaśniało, dlaczego wyłowiliśmy ją bosą. Była to szpila na dwunastocentymetrowym obcasie. Taka kurewska, na platformie. Zaraz puszczę ci fotę.

– Kto przy zdrowych zmysłach wybiera się nad rzekę w takim obuwiu?

– Znam wiele kobiet, które przedkładają wygląd nad wygodę. – Wera zawahała się. – Gdy chodzi o randkę, oczywiście. Sama wiele razy tak zgrzeszyłam.

– Ty? – Meyer nie mógł wyjść ze zdziwienia. – Zawsze masz ze sobą kalosze.

– Bo szkoda mi dobrego obuwia. Jeśli jednak zależałoby mi na facecie, poświęciłabym je. Tak już kiedyś było, pamiętasz?

– Hmm – zdołał wymruczeć oszołomiony Meyer. – Niezbyt. Zastanawiał się, czy to już flirt, czy coś mu się znowu roi.

– W siatce była też sukienka. – Wera płynnie wróciła do tematu. – Srebrna, długa toaleta jak na wielką galę. I posrebrzana kolia z imitacji diamentów. Poleć posłał zdjęcia do nowej dyrektor zamku. Waleska Szulc do jutra obiecała potwierdzić, czy to zaginione precjoza z muzeum Wincklerów. Wszystko wskazuje na to, że tak.

– A pierścionek?

– Jaki pierścionek?

– Ofiara miała pasek białej skóry na serdecznym palcu. Cała dłoń była opalona. Musiała się z nim nie rozstawać. Pierścionek, obrączka?

– Nic takiego nie było.

– Zaczyna się to układać – powiedział Hubert. – Chyba że zabójca chce, byśmy te sprawy łączyli. Podrzuca nam trop do Artura i Trudki…

– Tak czy owak, to dziwny ekwipunek na spacer nad rzekę.

– Ale pasuje do twojej teorii, prokurator Rudy. Dziewczyna mogła mieć inne buty. Może to on je podarował? I pod pretekstem przebieranki, prezentów czy cholera wie jakiej legendy podszytej seksem zdołał jej założyć ten worek na głowę. Po świecie chodzi wielu dewiantów.

– Umówiła się na randkę z zabójcą? – Wera myślała głośno. – Gdybyśmy mieli jej telefon, można by przejrzeć aplikacje.

– Komórka wciąż głucha?

– Poinformują mnie, jak tylko zostanie włączona. Jutro mają przysłać billing. Sprawdzimy numery i znajdziemy powiązania. Informatyk pracuje nad złamaniem jej haseł w mediach społecznościowych. Zobaczymy, czy da się coś z tego wyłuskać.

– Nie będzie używał jej telefonu – wtrącił Meyer. – Jest za sprytny i szybko się uczy. Podczas pierwszego ataku narobił najwięcej błędów. Za drugim razem zadbał o odludne miejsce, dobrą legendę i wybrał szybszą oraz skuteczniejszą śmierć.

– Więc zgadzasz się wreszcie, że mamy do czynienia z seryjnym?

– Na razie są dwie ofiary, które łączy postać Trudki. Klient jest jeden, zgoda. Ale to nie przestępca seksualny. On eliminuje świadków.

– Świadków czego?

– Nie wiem.

– Dlaczego zabiera im twarze?

– To nie jest potwierdzona hipoteza. Ale może wypadek konserwatora windy podsunął mu tę myśl?

– Jemu? Czy dobrze usłyszałam? Wykluczasz kobietę?

– Odpowiem ci na to pytanie, jak przyjdą wyniki sekcji – odparł. – Pierwsza zbrodnia mogła być dziełem spontanicznym. Ta druga jest już zaplanowana. Wykonanie bardzo wymyślne, przyznasz. Może ten brezent, torebka ze szmatami i kabelki to jedynie element inscenizacji.

– Nie rozłączaj się – przerwała mu prokuratorka. – Od kilku minut mam Polcia na linii. Dobija się jak wściekły. Napisał mi, że patolog wysłał już opinię, i chyba chce to przegadać.

– Zadzwoń, jak będziesz wolna.

– Nie, Hubert – uparła się i powtórzyła: – Nie rozłączaj się. Tylko teraz mogę zamienić z tobą słowo bez świadków. Wiesz, w jakiej sprawie.

– Rozmawiałaś z naszymi? – zaniepokoił się. – Coś nowego?

– Muszę pogadać z Polciem – ucięła i wyciszyła się.

Hubert wszedł na swoją pocztę i odebrał zaszyfrowany plik. Niestety nie mógł go otworzyć w telefonie. Zdecydował, że jak najszybciej musi się stąd ruszyć. Zapalił silnik, rozpoczął manewry. Wtedy od strony pasażera podbiegła dziewczyna w kuchennym fartuszku. Rozpoznał wytatuowaną kucharkę, która podawała mu znakomitego de volaille'a. Zapamiętał, że dyrektor zwracał się do niej „Bestko".

– Szefie. – Uderzyła w szybę. – Ma pan chwilę?

Otworzył okno.

– Co się stało? – Obejrzał się na wejście do poprawczaka.

– Nie powinnaś być na spotkaniu grupy wsparcia?

Dziewczyna nie odpowiedziała i po prostu wsiadła.

– Pracuje pan nad sprawą Adeli?

– Już wiecie?

Sądził, że policja ujawniła jedynie poszukiwania Gertrudy.

– Nie ujawnili, ale ja wiem – dodała pojednawczo Bestka.

– Mam swoje wejścia. Nie musi pan potwierdzać. Chcę wam tylko coś powiedzieć. Może się przyda.

– Słucham.

– Do Gertrudy przychodził taki jeden staruch.

– Czyli gość w moim wieku?

– Pan wygląda lepiej, chociaż on był młodszy – odparła rezolutnie. – Całkiem omotał dyrektora, bo obiecywał forsę z fundacji Wincklerów na nasz ośrodek. Bruno fajny chłop, ale łatwo go wzruszyć. Wszystkie z tego korzystamy.

– Masz jakieś dane? Bo się śpieszę – burknął Meyer. – I chyba nie chcesz, żebym powtórzył dyrektorowi?

– To był ojciec tego chłopaka.

Meyer ziewnął.

– To nie są nowe dane, dziecko.

– W dzień przychodził, żeby błagać o wycofanie zgłoszenia, a w nocy… – zawiesiła głos, by zbudować napięcie.

– Do Trudki?

Skinienie głową.

– Adela raz siłą wygnała go na kopach. Potem pokazywała mi, jak wybiła sobie palce.

– Na kopach? Twarda z niej sztuka.

– A pewnie. Kiedy wychodziłyśmy z samozwańczego zakonu Kazimiery, omal nie wydrapała gał tej raszpli. Kazia zapamięta nas do końca życia, bo te blizny nie znikną nigdy. Krac potrafiła się bić. Tamtego też nieźle urządziła.

– Ile razy go widziałaś?

– W dzień przyłazł każdego dnia. W nocy widziałam go trzy razy. Wszystkieśmy widziały. Tu każdy wszystko wie. Poza Brunonem, jasna sprawa.

– Nie zgłosiłyście tego?

– Nasz dyro jest spoko. Lubimy go i nie chcemy, żeby się martwił. Dlatego niektóre sprawy załatwiamy same.

Meyer obejrzał się na strażnika w budce.

– A tego jak pokonał?

– To też były trep. Dogadali się w try miga. A kosztuje to dwie dychy. Nie on jeden przyłazi w nocy. Mamy swoje potrzeby.

Hubert przyjrzał się Bestce. Nie miała więcej niż piętnaście wiosen.

– Doprawdy?

– Kolo wchodził jak do siebie.

– No i? – Hubert był już zniecierpliwiony.

– No i prawie tyle, co miałam do powiedzenia.

– Na co liczysz?

– Niech pan znajdzie tego chuja, co zrobił krzywdę naszej Krac.

– Aha. – Kiwnął głową. – Zaraz do niego jadę.

Wpatrywała się w Meyera w oczekiwaniu. Nie wysiadała.

– Myślałam, że pan jest bardziej zmyślny.

– Zmyślny?

– No raczej. Powinien pan od razu poskładać intrygę i go przyskrzynić.

– Na razie nie widzę żadnej intrygi. Powtórzysz to w sądzie?

– A załatwi mi pan szybsze wyjście? – Zacisnęła szczęki.

– Wysiadaj.

Hubert nie mógł sobie darować bezmyślności. Jak widać, nie tylko Brunona zbyt szybko wzruszają historie poranionych nastolatek.

– Powtórzę – zapewniła. – Nic za to nie chcę. I tak nie mam do czego wracać. Modlę się raczej, żeby do osiemnastki rodzinka sobie o mnie nie przypomniała.

Hubert pomyślał, że jak będzie miała tak długi jęzor, plan może nie wypalić, ale nie skomentował.

– A tej małej suki z zamku nie lubiłam. Mimoza wkurwiała mnie tak, że bym ją wyhuśtała. Co innego Krac. Ona była harda. Szkoda, że tak skończyła.

– Dzięki za cynk. Jak trafisz do pudła, nie postępuj jak teraz. Za kablowanie srogo zapłacisz.

Dziewczyna zmierzyła Meyera zimnym spojrzeniem.

– Powtórzę – podkreśliła. – Wiedziałam, że wsiadam do psa, i obliczyłam straty. Myślałam, że znajdzie pan mordercę Krac i nawet jakby chcieli ukręcić łeb sprawie, pan nie pozwoli. Dobra, znajdę innego słuchacza. My nie odpuścimy. Dziewczyny z naszego piętra mnie wysłały. A to, co chciałam powiedzieć, ale nie dałeś mi skończyć, wsadź sobie w dupę, psiarzu.

Hubert chwycił ją za ramię. Wyrwała się, nacisnęła klamkę. Był szybszy. Zablokował drzwi.

– Mów teraz prawdę. Normalnie, bez waty, bo się śpieszę.

– Ten stary przychodził też później. Nawet jak Trudki już nie było.

– W nocy?

– Wyłącznie w nocy.

Sięgnęła do kieszeni, by wyjąć listek gumy do żucia.

– Do kogo?

– Sam sobie odpowiedz. Mam swój honor.

– Do Adeli?

– Nie sam. Był z nim zawsze taki nieduży, wychuchany laluś z brodą. Siedział w wypasionym wozie jak z *Powrotu do przyszłości* i nigdy nie wchodził.

– Rozpoznasz go?

– Wiadomka. Będziesz potrzebował świadków, jest ich cały pierdel. Niektóre laski uważały, że facio jest śliczny, a mnie wyglądał na kryptogeja.

Hubert kliknął centralny zamek.

– Słuchaj, czy Adela nosiła jakąś biżuterię?

Dziewczyna zawahała się, zanim odpowiedziała.

– Miała taki srebrny fingiel z Maryjką. Nie rozstawała się z nim. Skąd wiesz?

– Od kogo go dostała?

– Od faceta. A od kogo?

– Coś więcej? Może nazwisko?

Wzruszenie ramion.

– Od kiedy go miała?

– Coś tak mniej więcej, jak jebana Trudka była już na wolce.

– Gdyby było trzeba, powiesz mi, czy to ten?

Spojrzała na niego badawczo.

– Ten frajer go zawinął?

– Pytam, czy rozpoznasz pierścionek Adeli – powtórzył Hubert.

– Jak już go znajdziesz, powiem ci, czy to rzecz Kraca.

– Daj znać, jakbyś czegoś potrzebowała – powiedział Hubert i wygrzebał z portfela wizytówkę. Po namyśle dołożył stuzłotowy banknot. – Nie wydaj na narkotyki.

– A na co innego mam tutaj wydawać, tato? – roześmiała się i wysiadła, trzaskając z impetem drzwiami.

Telefon sprawdził, dopiero kiedy opuścił teren poprawczaka. Cieć w dyżurce oczywiście nic nie słyszał i nie widział. Hubert zostawił mu swój numer, ale nie liczył, że dozorca zadzwoni z donosem. Chyba że pojawią się nowe okoliczności. Wtedy jednak skuteczniejsze będzie wezwanie oficjalne.

Jakiś czas jechał pogrążony w myślach i dopiero kiedy chciał wrzucić adres w nawigację, zauważył, że połączenie z Werą nadal jest aktywne. Kliknął na głośnomówiący.

– Gratuluję taktu – powiedziała. – Ciekawa rozmowa. Ile jej zapłaciłeś?

– Ile słyszałaś?

– Całość. Mam nadzieję, że jesteś bardziej uważny, kiedy rozmawiamy o naszych domowych sprawach.

– Skoro mowa o domu, to zgłodniałem. Skusisz się na szybki lunch?

Wera chwilę milczała.

– Dotrę za godzinę i nie będę miała więcej niż kwadrans.

– Zaproś naszych. Może też by coś przekąsili.

– Zrobi się – zameldowała. – Tak przy okazji, w wolnej chwili zerknij na opinię patologa. Krac – zauważ, że przyjaciele mówią o niej tylko po nazwisku – miała pod folią pończochę.

– Knebel w ustach?

– Na twarzy.

– Jak do napadu?

– Nie musisz po mnie powtarzać – zniecierpliwiła się. – Ale miałeś nosa, że znalazłeś tę drugą.

– Żaden problem. Zwykły fart.

– To rzuca nowe światło na sprawę. Tylko, kurwa, nie wiem, jak je interpretować. Wysil szare komórki i mi powiedz, bo zgłupiałam.

– Strzelasz dziś taką amunicją, że sam już nie wiem, jak się nazywam. Daj chwilę. Może to ma związek z brezentem? Wiedział, że strzeli jej w głowę, i to dodatkowe zabezpieczenie przed rozbryzgującym się mózgiem. Uczy się. Modyfikuje sposób działania. Dąży do perfekcji.

– To nie wszystko. Mamy jego paluchy. Te kabelki to nie był dobry pomysł. Powinien był użyć taśmy.

– Dobrze słyszeć choć jedną dobrą wiadomość tego poranka.

– I DNA – dodała Wera. – Jeśli to z nim przed śmiercią spółkowała Adela.

– Niech zgadnę. Dopasowaliście?

– Przyśpieszyłam sprawę. – Umilkła na moment. – Problem w tym, że próbka pasuje do Artura Sroki.

– Co?

– Nikt z nas tego nie rozumie. A co gorsza, jeden paluch też jest jego. Młody Sroka siedział, więc bez trudu je porównaliśmy.

***

Kiedy Hubert dotarł do domu, na schodach zastał Bożenę.

– Podobno tego szukałeś?

Trzymała w rękach kompakt w opakowaniu identycznym jak to zniszczone przez prawnika Wincklerów. Hubert przez chwilę łudził się, że to ta sama płyta.

– Skąd wiesz, gdzie mieszkam?

– Nie tylko ty masz swoje wejścia.

Nie zamierzał ukrywać irytacji.

– Nic jeszcze nie zrobiłem w twojej sprawie.

– Mojej?

Zrobiła minę, jakby powiedział jej, że brzydko wygląda. Powstrzymał się przed tym, choć tak było w istocie.

– Kostka – poprawił się. Sam nie wiedział, dlaczego jej uległ. Dlaczego zawsze jej ulegał? Nic dziwnego, że mógł uwolnić się od niej w jedyny znany sobie sposób. Odchodząc.

– Przepraszam cię, ale pracuję nad dwiema dużymi sprawami. Miałem być na urlopie, jedynym od kilku lat. I nie wyrabiam się z czasem. Byłem tylko u Sabiny.

– I? – uśmiechnęła się z przekąsem.

– Niewiele to wniosło.

– Znam te twoje gadki spławiki.

– Przestań. Naprawdę nie mogę teraz rozmawiać. Za chwilę mam spotkanie.

Wstała. Zobaczył, że ma na stopach obuwie podobne do tego, które znaleziono nad rzeką. Ogromna platforma pod stopą, obcas, na którym nie dało się stać bez przytrzymania się barierki. Pewnie dlatego poświęciła swój pstrokaty kombinezon, by usiąść na schodach. Ale nie mogło być jej zimno. Takie futro trzyma temperaturę. Przeraził się, że wystroiła się dla niego.

– Co to za firma?

Spojrzała na swoje szpilki.

– Jessica Simpson. Sprowadziłam z Nowego Jorku. Podobają ci się?

– Nie – odparł szczerze. – Ofiara miała identyczne. To nowa kolekcja?

Skrzywiła się.

– Sprzed dwóch czy trzech lat.

– Trudno to kupić?

– Są na eBayu.

– I tam je kupiłaś?

– Może. A co? Prowadzisz śledztwo?

– Mówiłem, że tak.

– To ta dziewczyna, której szukają? Księżniczka z Mosznej?

– Nie była żadną księżniczką. Po prostu mieszkała w zamku, bo jej matka organizuje tam imprezy kulturalne.

– W mediach mówią co innego.

Hubert spojrzał na zegarek. Zawahał się, nim włożył klucz do dziurki, bo wiedział, że nie może dopuścić, żeby Bożena weszła. Tak łatwo się jej nie pozbędzie.

– Co to jest? – Wskazał płytę.

Zanim mu ją oddała, dokładnie obejrzała rzecz z obu stron, jakby obawiała się, że przykleiła się do niej jakaś dodatkowa wiadomość.

– Nagranie z monitoringu. Twoja koleżanka nieudolnie próbowała podejść moją pracownicę.

– Dagę, pamiętam. Zwolniłaś ją.

– Znów przyjęłam. Wtedy mi wyznała, że chcecie to obejrzeć. Przyniosłam, żebyś nie myślał, że mam coś na sumieniu. Zachowałam się wtedy nieelegancko. Emocje mnie poniosły. Wybacz. Byłam lekko wstawiona.

– Okay. – Skinął głową. – Obejrzymy. Dzięki.

Stali w milczeniu, ale Meyer wiedział, że piłka jest po jego stronie.

– Nie możesz wejść.

– Rozumiem. Za chwilę masz spotkanie – zgodziła się jak wzorowa uczennica. – A w sprawie Kostka w ciągu tego tygodnia umarzają śledztwo. Myślisz, że coś zdziałasz?

– Nie sądzę.

– Chcesz jeszcze to DNA?

Przez chwilę nie był pewien, o czym Bożena mówi.

– On jest twój. Podejrzewał od dawna. Miał kompletnego fioła na twoim punkcie. Pytał mnie, a ja zaprzeczałam. Dlatego się kłóciliśmy.

Nagle się rozpłakała. Hubert walczył z odruchem, żeby ją przytulić, ale przegrał. Podszedł do Bożeny i chwilę gładził ją po włosach. Zastanawiał się, ile wypiła, żeby tutaj przyjść, i czego tak naprawdę chce, bo wczepiła się w niego, jakby smagał ją wiatr, a on był filarem, którego mogła się chwycić.

– Wiesz, że umorzenie nic nie znaczy.

– Dla mnie wiele.

– Jeśli to było zabójstwo, znajdę dowody i sprawa zostanie wznowiona. Mamy na to trzydzieści lat.

– Mogę już tego nie dożyć – chlipała.

– Nie mów tak.

– Nic cię to nie obchodzi.

– Wcale mnie nie znasz. Każda sprawa, która trafia na moje biurko, obchodzi mnie tak samo. Za to ty powiedziałaś mi tylko część prawdy.

– Nie obchodzi cię! – podniosła głos. – Ustawiłeś inne priorytety. Pojechałeś się gzić do Mosznej z tą rudą.

– Rudy, jeśli już – usłyszeli głos Weroniki. – I masz rację. Dokładnie tak było. Spędziliśmy urocze dwa dni w pałacowym lesie. Trochę śnieżyło, ale kto by się tym przejmował. Nie pozwolił mi wyjść z łóżka.

Hubert poddał się. Szybko odsunął się pod drzwi i natychmiast włożył klucz do zamka. Chciał jak najszybciej znaleźć się w środku. Zanim Bożena rzuci się na Werę. Miał déjà vu. Już kiedyś przeżywał tę scenę. Tyle że zamiast Weroniki funkcję rywalki pełniła Sabina.

– Mieszkasz tutaj? – Bożena syknęła do prokuratorki i zaperzyła się jeszcze bardziej, słysząc odpowiedź:

– Właśnie się wyprowadzam.

Wera cmoknęła Huberta w policzek i przestąpiła próg. A potem zaczęła wygładzać poły jego płaszcza, jakby znaczyła teren.

– Jeśli poczekasz, wezmę resztę swoich rzeczy i pogadamy. Hubert ma faktycznie sporo pracy, ale ja coś ustaliłam. Najpierw mi jednak powiedz, co robiłaś w noc śmierci swojego syna.

– O co chodzi? – Hubert ponownie wyszedł na klatkę. – Musicie robić mi wiochę przed sąsiadami?

– Jak to o co? – zdziwiła się Wera. – O milion złotych. Pani Bożena wykorzystywała syna do kupna kokainy. Obracał się w towarzystwie młodych filmowców i raperów. Popytałam trochę. Brał od nich towar na swoje potrzeby. Jak się pani czuła, wciągając dziecko w nałóg?

– Wero, nie przeginaj – ostrzegł ją Hubert.

– Nie było cię, więc spotkałam się z naszym przyjacielem Dermą. Znał Kostka. Wszyscy go znali. Był złotym dzieckiem. Z czasem w pewnych kręgach jego imię obrośnie legendą. Niektórzy uwierzyli, że zginął ukąszony przez węża. Chciała pani, by tak to ludzie widzieli?

– Ty kurwo! – wykrzyczała Bożena i zbiegła po schodach, z trudem wyrabiając się na zakrętach.

Hubert stał oniemiały.

– Jak mogłaś ją tak okłamać?

Wera nie odpowiedziała. Poszła do swojego pokoju i zaczęła pakować rzeczy. Wyszarpnął jej z dłoni jedwabną poszwę, którą ze spokojem ściągała z jego wyświechtanej kołdry.

– To było podłe!

– Tom dwudziesty pierwszy. Karta sto szesnaście do sto trzydzieści. Zobacz sobie zeznanie Psikupy, a potem weź ten kwiatek i mnie przeproś.

Wskazała zapomniany kaktus stojący na parapecie.

Hubert wyszedł bez słowa. Trzasnąłby drzwiami, ale były przesuwne. Ukrył się w kuchni i gdyby nie zaplanowana narada, napiłby się wódki. Zamiast tego zrobił sobie herbatę i wygrzebał wspomniany tom. Zaczytanego i w kłębach dymu zastali go Szerszeń z Domanem dwadzieścia minut później.

– Wziąłeś się do roboty? – uśmiechnął się Waldek.

– Wybiórczo – mruknął Hubert i zerknął na Weronikę, która ustawiła już pod drzwiami swoje walizki i kilka drobnych pakunków.

– Wnosiłem mniej – zauważył Doman. – Rozmnażają się?

– Już ją zidentyfikowali – odcięła się zimno Wera. – Trop prowadzi bezpośrednio do ciebie.

W pokoju zapadła cisza.

– Siadajcie. – Hubert zaprosił wszystkich do stołu.

– Ja muszę lecieć. – Weronika wkładała już płaszcz. – Mam naradę właśnie w tej sprawie. Powiem wam, że najpierw byłam wściekła, bo zrobiliście to za moimi plecami, ale teraz się cieszę. Japa i inni właśnie nabierają rozpędu. Ustalcie dalsze działania i powiedzcie mi tylko to, co mogę później wyczytać w gazetach.

– Tchórzysz? – rzucił jej wyzwanie Meyer. – Przecież sama nas zebrałaś.

– Czuję się pominięty – mruknął Szerszeń. – Czy to scena rodzinna?

– Odpuść – poprosił go Hubert. – To nie jest śmieszne. Nie w tej chwili.

Wera położyła na stole dokument.

– Opinia balistyczna. To wszystko, co mogłam zrobić. Wykorzystajcie dobrze tę wiedzę, bo nie wiem, kiedy nadarzy się następna okazja.

– Będziesz monitorowana? – odgadł Hubert.

– Odkąd zamieszkałam w komendzie, już jestem – odparła tak lekko, jakby narzekała na pogodę. – I tak się zasiedziałam.

Odwróciła się.

– Przepraszam za ten durny żart o nas – zwróciła się do Huberta. – Ale nie mogłam patrzeć, jak ta biedna kobieta się poniża. Sama byłam kiedyś w tobie tak beznadziejnie zakochana, że wiem, co ona czuje. Jej nie chodzi o syna, Hubercie, i ty o tym wiesz. Chodzi o ciebie. Wkręciła sobie, że to dobry pretekst, by się do ciebie zbliżyć. A z tym koksem to prawda. Przepatrz dobrze zeznanie Dermy. Może cię zmotywuje, żeby go jak najszybciej przesłuchać.

Po chwili już jej nie było.

Mężczyźni siedzieli w ciszy, aż nagle Doman zagwizdał po swojemu.

– Zakochana! Grube zagranie.

Umilkł. Nikt się nie zaśmiał, nie skomentował.

– Ja chyba nie w kursie – mruknął Szerszeń. – Co tu się wydarzyło?

– Sam nie wiem – przyznał Meyer. Wziął do rąk opinię balistyka. – Zajmijmy się lepiej tym, co nie ma jajników. Gdzie dokładnie wyrzuciliście giwerę? Zastanówmy się, jak możemy to wykorzystać.

Dzień ósmy
7 stycznia 2021 – czwartek

– Gnat nie pasuje do kuli? – Połeć chwycił się za głowę. – Jak to nie pasuje?

– Pasuje, ale do innej sprawy. – Weronika postukała palcem w skan starej gazety. – Do Japy. To duża rzecz, komisarzu Połeć. Muszę zdecydować, jak podzielimy ludzi.

– To też podlega pod panią?

Albert Dudek spojrzał na prokuratorkę spode łba, choć kobieta udawała, że tego nie zauważa.

– Pojawia się pani przypadkiem na Śląsku i mamy wysyp spraw, które są u pani na biegu. Nadzwyczajny zbieg okoliczności.

– Upatrywałabym w tym raczej zalet niż mankamentów – odparowała. – Gdyby nie ja, nie miałby pan teraz dodatkowo płatnych występów w Katowicach.

– Wcale się z tego nie cieszę.

Odwróciła się gwałtownie.

– Może pan wracać choćby dziś. Podkomisarz Połeć rozdzieli wasze zadania. – Zapadła cisza. – A może uwiera pana nadzór kobiety prokuratora?

– Nic takiego nie powiedziałem – zaczął się wycofywać Dudek, ale wszyscy wiedzieli, że Rudy trafiła dokładnie w punkt.

– Wspaniale, bo pana doświadczenie może się nam przydać.

Drzwi skrzypnęły. Weszła sekretarka i szepnęła coś Połciowi do ucha.

– Jest Meyer – oświadczył zebranym. – Zapraszamy go od razu?

– Pan tu rządzi.

Wera zajęła fotel pod oknem, oddając tym samym władzę szefowi wydziału.

Wprowadzono profilera, który od razu spostrzegł, że doszło do spięcia.

– Masz profil?

Hubert położył plik odręcznie zapisanych kartek. Połeć zaczął czytać, ale zaraz się poddał.

– Bazgrzesz jak kura pazurem. Streść, co tu masz, bo w chuj nowych danych. Nie wiadomo, w co ręce włożyć.

Hubert nie odezwał się, ale Połeć mówił dalej:

– Wypłynęła sprawa Japy. Jakbyśmy i bez tego nie mieli co robić. Czy naprawdę poza politykami kogoś obchodzi, kto odstrzelił gnoja? Nie ma go i tyle mniej zła na świecie.

– Myślałem, że to już zamknięte.

– To źle myślałeś. Mamy teraz narzędzie zbrodni i jest podstawa do oskarżenia o zabójstwo. Sprawa została odtajniona. Przy okazji potrząśniemy środowiskiem. Trzeba odgruzować stare kontakty. Muszę uprzedzić chłopaków. Róbmy szybciej te dzieciaki, bo czeka mnie gorący miesiąc. Za to już teraz obiecuję ci, Meyer, że masz robotę i przy tym.

Połeć wielce się zdziwił, że Hubert nie tryska entuzjazmem.

– Wiesz, że profile w sprawach przestępczości zorganizowanej nie zawsze są miarodajne? – wzbraniał się psycholog. – Narko, gangsta i ludziki z miasta to homogeniczne typy. Ciężko wyłuskać cechy indywidualne.

– Pierdol się – rzucił gładko Połeć. – Nie dasz rady mnie zniechęcić. Zajmiesz się taktyką przesłuchań. No, chyba że z dzieciakami z Mosznej położysz sprawę, to możesz od razu iść do domu.

Wskazał Hubertowi jedyne wolne krzesło i przesunął colę.

– Wzmacniacz na zgodę? – zapytał i odsunął dolną szufladę.

Hubert spojrzał na szklankę Dudka, który był aż rumiany na twarzy.

– Albert. – Wyciągnął dłoń do Meyera.

– Hubert.

– No to brudzia.

Dudek podniósł szkło.

– Jeśli mam zacząć też tę trzecią rzecz, wolę jeździć sam.

– Grześ Brachaczek cię powozi – kusił Albert. – Już się znacie. I polubił twój wóz.

– Tym bardziej nie.

– Jak stryjenka winszuje – uciął ten wersal Połeć. – Ruszaj z referatem, bo dzień krótki.

– Szukamy dwóch – zaczął Hubert. – Sprawca wiodący ma trzydzieści pięć do czterdziestu pięciu lat. Zdziwiłbym się, gdyby był starszy. Ma doświadczenie kryminalne, ale nie był karany. Śledzi doniesienia prasowe i może mieć dostęp do tajnych danych. Spryt życiowy wysoki, zachowuje zimną krew w sytuacjach krytycznych, inteligencja na poziomie średnim. Wykształcenie wyższe lub wyższe niepełne. Może nie ukończył studiów lub został wydalony. Elastyczny na rynku pracy. Mógł pracować w różnych zawodach, zmieniać branże, ale wykonuje zawód wymagający precyzji. Możliwe, że związany z militariami, strukturą, hierarchią. Ubiera się, jakby nosił mundur. Pochodzi z rejonu pierwszej zbrodni lub tam pracował. Dobrze zna ten teren. W niedalekiej odległości od dokonanego zabójstwa znajduje się jego strefa buforowa.

– Czyli co? – dopytał Dudek.

– Tam, gdzie mieszka, żyje, pracuje. I gdzie nie zabija. Tam trzeba szukać.

Hubert wyciągnął z teczki mapę z miejscami zaznaczonymi na czerwono i żółto.

– Tutaj znaleźliśmy ciało Sroki. Tutaj rozgrywaliśmy inscenizację, ale w mojej opinii na dziedzińcu nie doszło do ataku. To był tylko katalizator konfliktu.

– Dlaczego tak myślisz?

– Wnioski później – uciszył go podkomisarz Połeć. – Najpierw synteza. I skup się, Albert, bo wygląda na to, że zaraz wracacie do domu i ostro iskacie tego błazna. A ja wreszcie będę mógł zająć się tym, co tygrysy lubią najbardziej. Gangsta, drżyjcie!

Zatarł ręce, jakby dostał najlepszą wiadomość w życiu.

– Nie wiemy, gdzie doszło do ataku – ciągnął Hubert. – I dopóki go nie chwycimy, nie będziemy wiedzieli. Za to możemy wydedukować, gdzie została zastrzelona Adela. I to jest nasz klucz do sprawy.

Wyjął następną mapę, podobnie oznakowaną.

– Wyłowiliście ją tutaj. Tam zabezpieczyliście jej torebkę. Zakreślił okrąg.

– Można założyć, że pomiędzy tymi dwoma miejscami dokonano odstrzału. Trzeba tam dojść pieszo. Nasze auta najdalej wjechały tutaj.

Oznakował pas zieleni.

– Czyli ofiara sama przeszła ten kawałek. To oznacza, że albo została zastraszona, albo znała zabójcę i szła dobrowolnie. W mojej opinii to drugie. Adela była świadkiem pierwszej zbrodni. Niewykluczone, że mimowolnym. A może brała w niej udział aktywnie? W obu przypadkach wiedziała, co się stało i jak. Założyłem, że skoro dziewczyny się znały, Trudka też posiadła tę wiedzę. Jest możliwe, że i ona była świadkiem.

– Jest zagrożenie, że będziemy mieli kolejne ciało? – pierwszy raz włączyła się Wera.

– Zależy. – Meyer się zawahał.

– Od czego?

– Czy sprawcy się dogadają.

– Sprawcy?

– Tak jak powiedziałem na początku. Sprawca wiodący to mężczyzna. Sprawca pomocnik to kobieta. Również poszukiwałbym jej na twoim terenie, Albercie.

Dudek odstawił szklankę. Był totalnie skupiony.

– Ciało Artura Sroki zostało przemieszczone. Z danych medyków nie wynika, czy ciosy były śmiertelne. Założyłem, że podczas najazdu Długosza Artur się obrócił. Kierowca tego nie dostrzegł, gdyż jezdnię spowijała mgła. Zadzwonić do niego, by przyjechał, mógł tylko ktoś z zamku. Billing wskazuje to wyraźnie. To była zamkowa linia. Telefon z recepcji. Ta osoba wcale nie musiała mieć motywu, by bezcześcić zwłoki i zacierać ślady, choć tak się stało.

– Mogła chcieć chłopaka ratować? – upewnił się Dudek.

Hubert potwierdził.

272

– Jaki sprawca ratuje swoją ofiarę? – zapytał Połeć.

– Bierny – odparł Hubert. – Ktoś, kto widział lub wie, co się wydarzyło, i nie zareagował, nie udaremnił zbrodni. Bał się lub miał podstawy przypuszczać, że podzieli los Artura. Zwłaszcza jeśli znał ofiarę i żałuje tego, co się stało. Ktoś, kto w razie konfliktu nie byłby w stanie skutecznie odeprzeć ataku, ale gryzie go sumienie, kiedy sprawca wiodący się oddali.

– Kobieta – powiedział Połeć.

– Długosz twierdzi, że z zamku dzwoniła kobieta – podkreślił Meyer. – Sprawca pomocnik to kobieta. Z twojego terenu, Albercie.

– Czy mówimy o Gertrudzie? – zapytał Dudek. – Szukamy nie zaginionej, potencjalnej ofiary, lecz wspólniczki mordercy?

– Wolałbym teraz tego nie przesądzać – zaznaczył Meyer. – Matka dziewczyny utrzymuje, że Artur dzwonił do niej nad ranem, i jej billing to potwierdza. Telefon Trudki logował się o tej godzinie w zamku, a Margot Karlikowa zapewnia, że córka była w swoim pokoju. Wiem, że wiele razy nas okłamała, uniemożliwiała przesłuchanie Trudki i wreszcie pomogła córce uciec, ale te fakty nie obciążają dziewczyny jednoznacznie. Moim zdaniem to nie ona, choć są przesłanki, by założyć, że do zbrodni doszło na terenie zamku. Kiedy jednak będziemy ją mieli, trzeba wziąć ją pod uwagę jako podejrzaną i dobrze przygotować taktykę przesłuchania. Wtedy też porównamy próbki głosu. Przypominam, że Długosz wspominał o dziewczynie z lasu. Trzeba go ponownie wezwać i pokazać mu zdjęcia Adeli. Może to z nią widział w lesie Srokę? Może to ona dzwoniła? Dyrektor poprawczaka powinien mieć jakieś nagrania. Być może uda się ją wykluczyć lub potwierdzić.

– Gdyby Adela była wspólniczką, raczej byłoby to dla nas utrudnienie.

– Wtedy Trudka jest realnie zagrożona. Skoro usunął jednego świadka, nie zawaha się uciszyć drugiego. Moim zdaniem Gertruda wie, kto zabił Artura. Nie tylko wie, ale była przy jednym lub nawet dwóch zdarzeniach. Pamiętajmy, że sprawca wiodący jest niebezpieczny i szybko się uczy. Wie bardzo dużo o kryminalistyce, skutecznie zaciera ślady.

– Popełnił błąd z paluchem – zauważył Dudek.

– I jeszcze ta sperma trupa.

– Moim zdaniem to inscenizacja. Zwykłe wrzucenie śledztwa na ślepe tory. Zawęziłbym grupę osób, które mają dostęp do danych. To, co dziś miało miejsce w konferencyjnej, nie powinno się powtórzyć. Sprawca może mieć kontakty w policji, należeć do organizacji militarnych albo paramilitarnych, a takie plotki szybko się rozchodzą.

– Uważasz, że to może być ktoś z naszych?

– Nie chciałbym siać paniki, ale jak najszybciej znalazłbym ojca zamordowanego – uciął konfidencjonalnie Meyer.

To wzburzyło zebranych.

– Na jakiej podstawie? Wiesz, co się stanie, kiedy zaczniemy go cisnąć. Wszystkie media są po jego stronie.

– Za Adelą nikt nie stanie, bo pochodzi z patologii i była w poprawczaku.

– To nie jest odpowiedź na pytanie.

Hubert wahał się chwilę, a potem zapytał:

– Albercie, znasz kancelarię Żakowska & Winckler i Wspólnicy?

– Wszyscy ją znają. Reprezentują połowę instytucji w naszym regionie. Osobiście bywam na śledziku u mecenas Zuli. O co chodzi?

– Pracuje u niej niejaki Aleksander Gradzi. Wychuchany przystojniak.

– Człowieku, wiesz, ilu japiszonów zatrudnia Żakowska? – wzburzył się Albert. – W kółko się zmieniają. Przynoszą tylko pełnomocnictwa. Rozpoznaję ich po kolorze garniturów i butów. Fryzury mają takie same.

– Ten jest brodaty i ma mroczną historię. Jego ciotkę zamordowano w okolicy Kolan Wielkich.

Albert podrapał się po głowie.

– Coś kojarzę, ale byłem wtedy zielony. Taki dom w mazaje? Musiałbym popytać starszych kamratów.

– Nie wpadł ci w oko ten Gradzi? Zbiera stare samochody.

– Nie miałem przyjemności.

Hubert wyjął z kieszeni potrzaskane kawałki kompaktu, który dostał od prawnika.

– Byłem u niego. Dał mi tę płytę. Twierdził, że pochodzi z ich monitoringu.

– To oni mają jakiś dodatkowy nadzór w zamku?

– Tak twierdzi. Wypadałoby to sprawdzić.

– A ty nie byłeś czasem pod wpływem, Meyer?

– Wtedy akurat niezbyt, czego żałuję – odciął się Hubert. – Scena, którą mi pokazywał, rozegrała się w zamku. W czarnej sali. Nie na dziedzińcu. Nie w pałacowym parku, nie w lesie. W środku. Niestety trwało to zbyt krótko. A potem przegiąłem pałę i ten pojeb zniszczył płytę.

Wera podeszła, dotknęła kawałków, a potem spojrzała na Huberta z wyrzutem.

– Widziałeś twarz napastnika na tym rejestrze zbrodni?

Pokręcił głową.

– Miał maskę. Obaj mieli. Poza tym Gradzi pokazał mi tylko screeny. Samego filmu nie widziałem. Nie chciał zeznawać. Wkurzył się, kiedy kazałem mu jechać na komendę.

– To mógł być fejk.

– Mógł. Ten Gradzi groził mi, składał propozycje i znów groził. Tak na zmianę. Używał formy „my", jakby reprezentował jakąś grupę. Sam nie wiedziałem do końca, co myśleć. – Hubert zrelacjonował przebieg spotkania ze szczegółami. – Na koniec powiedział, że to Sroka zabił syna.

– Jesteś pewien?

– Powtarzam to, co usłyszałem od prawnika Wincklerów. Trzeba gościa sprawdzić.

Albert wstał.

– To ja cofam moją propozycję, Hubercie. – Podał profilerowi dłoń. – Biorę Brachaczka i jadę robić. Wiem na ten moment wystarczająco. Będziemy w kontakcie.

Zasalutował i wyszedł.

– Rzucamy wszystkie siły do znalezienia Trudki – podsumował Połeć. – I zgarniamy starego Srokę. Prewencyjnie.

– A ty masz przejebane. – Werka wskazała Meyera i rzuciła okiem na połamany kompakt. – Nie zbliżaj się do mnie na odległość metra. Zajmij się lepiej ojcem tej całej Trudki. Chcę wiedzieć, jakim cudem ją rozpoznał, i niech to się odbędzie tutaj, na dołku. Dajmy też jakiś ochłap dziennikarzom. Niech mają o czym smarować.

Położyła na biurku nakaz aresztowania i wyszła.

– Co ją ugryzło? – zdziwił się Połeć.

– Przyjechał jej mąż.

– Biedny człowiek. – Połeć pokiwał głową ze zrozumieniem.

***

Adres Uchatka, jak na Koszutce mówili wszyscy na Bartosza Urbasia, ojca Gertrudy, był nieaktualny, więc zanim ustalą nowy, Meyer postanowił zabić czas oczekiwania, składając wizytę w mieszkaniu Sabiny. Minęło kilka dni i nie wiedział, jak się kobieta czuje, ale nawet jeśliby ją zastał, zaplanował kilka usprawiedliwień swojego zaniechania i wszystkie były prawdziwe. Właśnie wypełniam jedną obietnicę złożoną obu dawnym kochankom, pomyślał z ironią.

Dębowe Tarasy, gdzie mieszkała Sabina z Kostkiem, były nowoczesnym kompleksem z własnymi sklepami, skwerami, punktami usługowymi i bramami oddzielającymi mieszkańców nowobogackiego osiedla od plebsu. Hubert zaparkował pod Silesia City Center i postanowił się przejść. Zatrzymał się pod bramą, wyszukał w pęku kluczy czip. Nie zadziałał. Próbował kolejno każdego z kluczy. Bez skutku. Stał pod furtą wystarczająco długo, by zwrócić uwagę ciecia, który wyskoczył ze swojej kanciapy i natarł, wachlując ramionami, jakby pływał w powietrzu kraulem.

– Hubert? – zdziwił się. – Hubert Meyer?

Profiler cofnął się zaskoczony. Nie rozpoznawał faceta.

– Marek Gemza. Robiłem swego czasu jako nadworny fotograf Waldka Szerszenia. Pamiętasz mnie? Pierwszy raz spotkaliśmy się przy sprawie śmieciowego barona…

276

– A, cześć – mruknął Meyer, choć człowieka wciąż nie pamiętał.

Opłaciło się. Brama stanęła otworem, a ochroniarz sprawdził numer klatki i lokalu, po czym wskazał, dokąd psycholog powinien się udać.

– Kupiłeś tu chatę czy jesteś służbowo?

Hubert skrzywił się w odpowiedzi.

– Rozumiem. O nic nie pytam – wycofał się były technik.

– Wiesz, robiłem potem w drogówce, ale i tak wypadłem. Jakiś chuj mnie podpierdolił, że sprzedałem fotki pismakom. A to nie była prawda.

Hubert nie kupił tej wersji. Upewnił się jedynie, że facet chciałby wrócić do firmy i dlatego stara się przedstawić w lepszym świetle.

– Źle na tym nie wyszedłem.

Gemza zaprezentował swoją nowiutką budkę. W małym okienku migotał ekran laptopa. Hubert dałby głowę, że to gra komputerowa, a nie zrzut widoku z kamer, ale nic nie powiedział, co ochroniarzowi nie przeszkadzało paplać dalej.

– Robię teraz w trzech miejscach takich jak to i wyciągam dwa razy więcej. Stresu zero.

– Różnie się układa – rzekł oględnie Meyer. – Od kiedy tu jesteś?

– Trzeci rok.

– To znasz pewnie wszystkich mieszkańców.

– Wszystkich to nie. Na tym osiedlu żyje jakiś tysiąc, może dwa. Ale z widzenia kojarzę bardzo wielu. Wiesz, to dobra dzielnica, dużo młodych. Zabezpieczenia są dobre, więc roboty prawie wcale. Czasami ktoś przeholuje z alko albo koksem. Największy problem jest z dzieciakami. Biorą się za łby, jak tylko zaczyna się weekend.

– Dzieciakami?

– No wiesz, starzy jadą w delegację albo na urlopik, to bachory klecą imprezkę. Nie raz ściągałem z balkonu naćpanego pseudorapera. Wszystkim im się wydaje, że są Taco Hemingwayem.

– To chyba już pop w działce hip-hopu – zauważył Hubert.
– Kojarzysz tych ludzi?

Pomachał kluczykami i karteczką z adresem, który podała mu Sabina.

– Nie znam na pamięć wszystkich budynków – skłamał dozorca.

– Neliszer. Lokal jest chyba na nią. Jego nazwisko Bednarek.

– A wiem, trzymali węże. On nie żyje. Tak myślałem, że do nich idziesz. Tutaj takich skandali nie ma zbyt wiele.

– Co o nich wiesz?

– Co wiem czy co sądzę? Bo sądzę, że to perwersja, żeby stara baba z takim chłopcem...

– Oszczędź sobie morałów.

Sięgnął do kieszeni i wyjął stuzłotowy banknot. Ochroniarz cmokał, więc dołożył drugi.

– Po starej znajomości – westchnął niezadowolony Gemza, ale łakomie spoglądał na pieniądze. – Wiem, że cienko przędziesz.

Hubert podniósł podbródek, dając rozmówcy znak, że po takim tekście na więcej z pewnością nie będzie mógł liczyć.

– Kiedy tylko wyjeżdżała, robił na chacie ostre imprezy. A jeśli szczerze, podróżowała często. Głównie Kostia korzystał z tego apartamentu. Laski ciągnęły na te balangi sznurem. A on je po kolei obrabiał. Nie był taki świętoszkowaty, jak go pokazują w tiwi, o nie!

Hubert nie dał po sobie poznać, że się dziwi.

– Masz coś, czego nasi nie wzięli z monitoringu?

– Chłopie, tu nikogo nie było. Nawet notatki nie spisali.

– Nie przepytywali ludzi?

– Przecież mówię. Tylko różne ploty chodziły.

– Jakie ploty?

– Mniej więcej to, co pisali w gazetach.

– To mnie nie interesuje.

– A powinno, bo sporo było w tym prawdy.

– Jakiej prawdy?

– Babka robi w szpitalu górniczym w Sosnowcu. Zrobili jej tam wydział specjalny. To było tajne przez poufne. Teraz już wiemy, że pracowała nad wirusami. To jakaś profesorka. Ma też katedrę na UJ i gdzieś jeszcze na świecie. To dlatego tak krążyła z walizkami.

– O tym mogę poczytać w sieci.

Hubert schował pieniądze do kieszeni.

– Nie bądź taki sprytny, Meyer. – Marek Gemza z trudem ukrywał rozczarowanie. – Jeszcze nie skończyłem. Wozili ją drogimi limuzynami. Musiała być z niej niezła szycha, bo miała ochronę jak jakaś polityk. Zawsze kręciło się wokół niej dwóch w garniaku i ze słuchawką w uchu, a gdy wyjeżdżała, drugi wóz jechał z tyłu. Wszystko się skończyło, jak Kostek się zawinął. Z tych instytucji zniknęły jej nazwisko i dokonania. Sczyścili ją. Czytałem o tym na jakimś forum.

– Konkrety, Marek – pośpieszył go Hubert. – Co to za imprezy?

– A różne. Głównie z tą hałaśliwą gadaną muzyką. On dobrze czuł się z tymi ludźmi. Mówiły ptaszyny, że zawsze miał towar.

– Dilował?

– Kupował sporo, ale zawsze mówił, że na własne potrzeby i dla znajomych. Nic poważnego.

– Skąd wiesz?

Gemza zawahał się.

– To pewne dane. Znam kogoś, kto mu dostarczał.

– Ty? – odgadł Meyer.

– Przeceniasz mnie – zaśmiał się nerwowo ochroniarz.

Hubert zastanowił się.

– Jak to możliwe, że nie było rozpytania?

– Sam się dziwiłem. – Gemza odetchnął, że zmienili temat. – Tej nocy, kiedy stara wezwała karetkę, zrobił się tutaj zlot różnych służb. Byłem przekonany, że będzie afera. A sprawa zdechła szybciej, niż się zaczęła. Tylko pismaki obróciły to w skandalik obyczajowy.

– Miałeś tej nocy zmianę?

– Akurat kończyłem i czekałem na zmiennika. Byłem wkurwiony, bo pracujemy po dwadzieścia cztery i chodziłem na rzęsach z niewyspania.

– Znasz procedury. Co zaniedbali?

– Wszystko – zapalił się Gemza. – Niezabezpieczone miejsce zdarzenia, nieprzejrzane taśmy z monitoringu. Ani jeden technik nie przekroczył tej bramy. Sąsiadów nie rozpytali, nikt nigdy mnie nie wezwał. Z niej zrobili kozła ofiarnego, a potem obśmiali w memach jako czarną wdowę. Teraz grzane jest zabójstwo tej utopionej w Brynicy, więc umorzą to po cichaczu i koniec pieśni.

– Masz te taśmy?

– Skąd? Trzymają je tylko przez trzydzieści dni. Wiesz przecież.

– Nie pytam, jaki jest wymóg. Pytam, czy je masz i ile by to kosztowało.

– Musiałbym się zastanowić – odparł oględnie były technik.

– Coś tam jest?

Wzruszenie ramionami.

– Na wszelki wypadek jeszcze ich nie oglądałem.

– Taaa – skrzywił się Hubert. – To się zastanów. Znam kogoś, kto gotów jest w nie zainwestować. Jeśli jest w co.

– Matka tego Kostka już u mnie była.

– I?

– Nie sprzedałem jej.

– Dlaczego?

– Dowiesz się, jak dobijemy targu.

Hubert przyjrzał się Markowi uważnie.

– Zanadto jesteś pewny swego. Kto jeszcze się tym interesował?

– Mówię ci, że nikt. Po zlocie świętych z naszej firmy i innych mundurów sprawa umarła. Jakby poza matką wszystkim było na rękę, że młody kojfnął.

– Dlatego nie opyliłeś jeszcze tych demo?

– No.

– Bałeś się?

– Wystarczy, że widziałem, jak prowadziła się profesorka, żeby zachować resztkę rozsądku. Ona była w jakimś wysokim układzie. A w moim wieku człowiek szczególnie ceni sobie spokój.

– Ile masz lat? – żachnął się Hubert. – Trzydzieści trzy?

– Dwa więcej – skorygował Gemza.

– I zamierzasz resztę życia spędzić w tej budzie?

– Czemu nie? To dobry punkt obserwacyjny. Opłaca mi się.

Hubert domyślił się, że Gemza ze swojego cieciowania ma dodatkowe profity. Muszą być lukratywne, skoro nie chce się narażać. Dilerka to tylko drobne chałtury. Komu donosi? Z pewnością nie opowie o tym Meyerowi.

– Tydzień po śmierci Kostka w śluzie do terrarium wybuchł pożar. Też miałeś służbę?

Kręcenie głową.

– Ale taśmy zgrałeś?

Wzruszenie ramion.

– Te bardziej by mnie interesowały.

Podał dozorcy obiecane dwie stówy. Zniknęły w dłoni Marka jak królik w kapeluszu iluzjonisty.

– Sprzedane – odparł z satysfakcją.

– Komu?

– Pojęcia nie mam. Kto inny miał służbę.

– Nie wierzę, że mając taki towar, nie zrobiłeś kopii. Zwłaszcza że nasi się nie interesowali. A może nie ma tam nic ciekawego?

– Może.

Ochroniarz dał znak, że musi wracać do pracy. Obaj wiedzieli, że tak naprawdę czekała na niego tylko rozpoczęta gra, ale Meyer nie skomentował.

– Spytaj, ile zapłacą. Wtedy może poszukam tych nagrań.

– Kto kupił monitoring z nocy pożaru? – zapytał jeszcze raz Meyer.

– Detektywka z firmy ubezpieczeniowej. Nie sądzę, żebyś zdołał ich przebić. Cena miała cztery zera i nie jedynkę z przodu.

– Co jest na tym nagraniu?

– Dość, żeby beneficjent polisy nie otrzymał kapuchy.

Odszedł, ale jeszcze się odwrócił.

– Teraz rozumiesz, dlaczego czarna wdowa musiała zagościć we wszystkich mediach? Ten trop daję ci gratis, bo zawsze cię szanowałem.

Hubert aż wzdrygnął się zaskoczony.

– Na drugi raz, Meyer, używaj trzeciej bramki. Ten czip działa tylko tam.

***

Dalej poszło już bez przygód. Wielki dziedziniec z oczkiem wodnym i ogrodem zaplanowanym przez architekta zieleni. W holu budynku powitała Huberta podświetlana fontanna i najbardziej designerski dystrybutor do dezynfekcji, jaki psycholog widział w życiu. Na każdym kroku znajdowały się przypomnienia o konieczności noszenia masek i rękawiczek oraz instrukcje skutecznego mycia rąk. Marmury, marmury, marmury i szkło. Hubert miał wrażenie, że znajduje się w grobowcu. W windzie puszczano muzykę udającą jazz. Gdyby musiał słuchać tego za każdym razem, kiedy zjeżdżałby na dół, zawinąłby ze strzelnicy ochronniki słuchu. Ciekawe, jak Kostek, jeśli faktycznie był pasjonatem tego gatunku, to znosił, przemknęło mu przez myśl.

To miejsce idealnie wpisywało się w obraz namalowany przez dozorcę. Musiało podobać się dzieciakom udającym buntowników, które na całego korzystały z forsy rodziców. Kostek był jednym z nich, choć już dawno powinien był dojrzeć. Ale mieszkanie należało do Sabiny. Młody Bednarek zamieszkał w nim rok temu. Hubert był ciekaw, jak dawno się wprowadzili, bo nazbyt pachniało tu nowością.

Trzecie piętro, lokal narożny. Jedyne mieszkanie z pustym stolikiem przed drzwiami. Na każdym z pozostałych stały gwiazdy betlejemskie, choinki, kadzidełka zapachowe albo tematyczne figurki. Klucz dopasował za drugim razem. Drzwi solidne, antywłamaniowe. W lewym rogu miały naklejkę z informacją, że obiekt jest monitorowany. Wnętrze schludne, bezosobowe. Hubert poczuł się jak w hotelu. Za to niezłym. Nie kwaterowano go na delegacjach w podobnych placówkach.

Wyjął rękawiczki i ochraniacze na buty. Ostrożnie zwinął swoje rzeczy do worka na śmieci, który przyniósł ze sobą. Ułożył pakunek przy drzwiach.

Salon był przestronny, połączony z aneksem kuchennym. Na ścianie głównej uwagę przyciągał wielki ekran bez obudowy. Obok równie imponujący sprzęt grający. Głośniki, wzmacniacze, alternatory, gramofon i mnóstwo drobnicy, na którą Huberta nigdy nie będzie stać. Obejrzał się. Kuchnia, choć zaprojektowana nowocześnie, nie była tak dobrze wyposażona. Na płycie stała zwykła kawiarka. Czajnik też był przedpotopowy. Meyer domyślił się, że w tym domu się nie gotuje. Otworzył kilka szafek. Były prawie puste. Tylko w dolnej, obok zmywarki, znajdowała się bateria alkoholi. Wszystkie pełne, z banderolami. Same drogie sztuki. A więc w tym domu słucha się muzyki, ogląda filmy oraz pije.

Rozejrzał się za książkami i rzeczami osobistymi. Nie było ich. Żadnego zdjęcia nowożeńców. Na ścianie prostopadłej do „sali telewizyjnej" wisiał ogromny obraz utrzymany w czarnej tonacji. Z daleka wyglądał jak fotos ze starego horroru.

Poszedł dalej. Nacisnął klamkę pierwszych drzwi z brzegu. Zamknięte, ale klucz był w zamku, więc go przekręcił. Zajrzał tylko po to, by upewnić się, że i tam wypolerowano każdy załom angielskiej boazerii. Książki, rzędy pudeł z papierami oraz półeczka na nagrody. Wszedł, podniósł jedną z licznych statuetek. Przyznana Sabinie Neliszer za dokonania naukowe ledwie rok temu. Sentencja po duńsku, więc nic nie zrozumiał. Sprawdził jedynie, że szkło było wypucowane. Na podłodze stał kubeł na śmieci. Rzecz jasna, opróżniony. A zatem bezwzględna czyścicielka dotarła także i tutaj. Nie widział sensu dalszego otwierania opróżnionych szuflad, więc spacerował, zastanawiając się, jak wyglądało ich życie. Tylko gdzieniegdzie walały się pojedyncze sztuki damskich ubrań. Wreszcie dotarł do sypialni.

Ogromne łóżko, rząd zmarniałych kwiatów na parapetach i jedna szafka nocna, na której nareszcie dostrzegł coś osobistego. Zdjęcie ślubne z Vegas oraz bransoletka. Odsunął szufladę.

Dwie obrączki. Paczka cynamonowych papierosów. W rogu szuflady kilka ciemnozielonych okruchów. Roztarł je w dłoni i zdecydował włożyć do opakowania na dowody. Nie sądził, by to była herbata. Odsunął się, obrzucił spojrzeniem pokój. Pościel była zmieniona. Dotknął tkaniny – prosto z magla. Poduszki przepisowo ułożone, tak jakby za chwilę miał przyjechać do apartamentu nowy gość. Miał wrażenie, że ten dom opuszczono dawno temu. Czy kiedykolwiek było w nim prawdziwe życie?

Wyjął z paczki cynamonowego papierosa i zapalił. Dopiero potem otworzył balkon i poszedł po jakiś kubek na popiół. Chodził w tę i we w tę jakiś czas, aż wreszcie walnął się na łóżko, oparł o poduszki. Przymknął oczy.

– Coś tu nie gra – powiedział do siebie.

Zerwał się. Zdjął z łóżka pokrowiec, kołdrę i prześcieradło. Na materacu po lewej stronie odznaczała się ciemniejsza plama. Zapalił wszystkie światła. Nie, nie zdawało mu się.

– Mieszkałaś sama – zwrócił się do roześmianej Sabiny ze zdjęcia z Vegas. – O co tu chodzi?

Ruszył w głąb sypialni. Minął łazienkę i dotarł do wejścia do garderoby, sądząc po liczbie wieszaków na drążkach. Nacisnął klamkę. Drzwi nie puściły. Przeszukał swój pęk kluczy. Jeden z nich pasował. W malutkiej wnęce znać było już ślady ognia. Kolejne drzwi śluzy były doszczętnie zwęglone, ale kiedy je pchnął, stawiły opór. Pojął, że i do nich musi mieć klucz. Wyszukał go, nacisnął klamkę. W tym momencie w jego kierunku strzelił monstrualny wąż.

Hubert w ostatniej chwili wycofał się pod ścianę. Patrzył na wiszący na niej osprzęt. Kawałek pręta zagięty na czubku i jakieś grabki. Złapał jeden z chwytaków, ale ostatecznie rzucił go na ziemię. Zdołał jedynie zarejestrować, że wnętrze jest splądrowane, kuwety poprzewracane, wszystko brudne od sadzy, a w lodówce, która musiała być kiedyś zamykana na kłódkę, znajdują się poprzewracane próbówki. Spojrzał na pojemniki z wodą dla gadów. Były puste. Zerknął na kran, mógł nalać im wody i podać, a potem wyjść, ale był zbyt przerażony i nieprzygotowany na kolejny atak. Podjął decyzję o ucieczce, zanim do jego stóp doczołgał się drugi, znacznie większy osobnik. Hubert widział jego ogromne zęby jadowe i nieruchome oczy. W jednej chwili pojął, o czym mówiła Sabina. Gdyby ten potwór ukąsił go teraz, to nawet gdyby znalazł w sobie siłę, by sięgnąć po telefon, niekoniecznie dożyłby do przyjazdu karetki.

– Zdychajcie z głodu – mruczał pod nosem, zamykając obie śluzy.

***

Wyszedł z bloku szybkim krokiem i kiedy tylko minął budkę strażnika, zadzwonił do Sabiny. Nie odebrała. Spróbował jeszcze parę razy, a wreszcie napisał wiadomość: „Twoje węże rozpierdoliły swój pokoik. Zajmij się tym albo zleć to komuś, kto się na tym zna, bo o ile dom wypucowałaś, o tyle w puszce Pandory się dymi".

Po namyśle jednak skasował to i wysłał inną wiadomość: „Byłem. Zajmij się wężami. Stwarzają niebezpieczeństwo".

Czekał, aż zadzwoni, ale telefon był głuchy. Nie zamierzał próbować ponownie. Ruszył marszowym krokiem, zdecydowany więcej do Dębowych Tarasów nie wracać. Żałował teraz, że zaparkował aż pod Silesią, ale nie miał wyjścia, znów czekał go spacer. Nagle w oddali, przy kiosku, dostrzegł znajomą niedźwiedzią sylwetę. Był pewien, że Doman też go zobaczył, ale nie rozpromienił się i nie wyszedł mu na powitanie, lecz odwrócił się plecami i przyśpieszył kroku. Chwilę potem zniknął między uliczkami. Hubert natychmiast ruszył za nim. Dogonił go w galerii, przed wejściem do apteki.

– Co jest? – huknął. – Udajesz, że cię nie ma?

Przyjaciel spłoszył się. Rozejrzał zaniepokojony. Poza nimi w alejce nie było nikogo.

– Spotkamy się później.

– Gdzie później?

Doman wykonał ruch podbródkiem, a potem wszedł do środka i pociągnął za sobą Huberta. Stali za regałem z płynami dezynfekującymi, ale kiedy tylko psycholog próbował coś powiedzieć, Doman ciaśniej zaciskał pięść na jego ramieniu. Wreszcie Meyer odpuścił, umilkł i czekał. Poczuł znów uścisk, kiedy przed wystawą minął ich niewysoki facet w polarze i bojówkach. Na twarzy miał czarną maskę. Hubert zerknął na Domana. Był przerażony.

– To on – syknął zza zaciśniętych warg.

– Kto?

– Nasz człowiek.

Doman pokazał gest liczenia pieniędzy.

– Pojebało cię? – najeżył się Meyer. – Nie tak ustalaliśmy!

– A miałem wyjście?

Hubert natychmiast wypadł ze sklepu. Udał, że podchodzi do bankomatu, a potem obrał lewą stronę i przyśpieszył, by zrównać się z facetem, który spokojnie szedł prawą stroną. Kiedy tamten zorientował się, że Meyer go śledzi, zatrzymał się, a potem nagle zaczął uciekać. Hubert skoczył mu na plecy i powalił na ziemię. Przydusił do gleby, przytrzymał za gardło, ale to było zwycięstwo pozorne. Tamten obrócił Huberta w dwóch ruchach. Choć niski, okazał się niezwykle silny. Meyer ledwie łapał dech. Z bocznych alejek biegło już dwóch strażników. Nie zbliżali się jednak do walczących. Krzyczeli ostrzeżenia i grozili policją. Podczas tych zapasów Meyerowi udało się ściągnąć facetowi maskę. Kiedy zobaczył twarz przeciwnika – oniemiał. Sławomir Sroka wykorzystał ten moment i skoczył z pozycji leżącej do stania, jakby był jakimś cholernym Johnem Wickiem, a po chwili zniknął w wyjściu ewakuacyjnym. Ochroniarze tymczasem chwycili Huberta pod ramiona i siłą zaciągnęli go do swojego kantorka.

– Będziesz miał do czynienia z psiarnią, bratku.

– Ja jestem psiarnią, szczylu niedorobiony! – awanturował się Hubert. – Łapcie go! Poszukujemy tego faceta.

– To się okaże. Wyjaśnisz swoje zachowanie na komendzie.

Drugi ochroniarz, starszy i wyższy zapewne stażem, wcale nie słuchał.

– Poczekasz na sukę policyjną u nas.

– Dobra, pójdę – zgodził się Hubert, próbując wyrwać się strażnikom. – Ale bądź pewien, że wrócę z kolegami i skopię ci dupę.

Wtedy młodszy zamachnął się i walnął Meyera pięścią w głowę.

– Zamknij się, mordo!

Zamiast odpowiedzi Hubert zdzielił młodziaka prosto w nos, aż buchnęła krew, a starszego kopnął w przyrodzenie. Skulili się obaj. Hubert był wolny. Ruszył więc do tych samych drzwi, w których zniknął Sroka.

Dostał zadyszki już na drugiej kondygnacji. Na trzeciej – zawahał się. Po prawej były drzwi na parking. Szarpnął za klamkę, rozejrzał się. Samochodów było niewiele. Nagle w oddali usłyszał pisk dartych gum. Zrozumiał, że Sroka zaparkował niżej. Miał nadzieję, że pomylił się tylko o jedno piętro. Zawrócił do schodów, zbiegł do wyjścia. Był pewien, że wypluje własne płuca, ale opłaciło się. Zobaczył tył samochodu i zapamiętał część numeru rejestracyjnego.

***

– Sosnowiec i trzy cyfry. Trzy zera. Biały range rover. Duży jak czołg. Wyglądał jak nówka sztuka – powtarzał trzeci raz w kanciapie ochroniarzy Hubert, bo poza Weroniką pofatygował się też do Silesii podkomisarz Połeć. Ale zaraz wyszedł, by wydać rozkazy swoim ludziom.

Pierwszy raz tę frazę usłyszeli rozwścieczeni ochroniarze, którzy na widok awanturnika dostali piany na ustach. Wcale nie chcieli go słuchać, a tym bardziej mu pomagać i po prostu zakuli go w kajdanki. Wypuścili, dopiero kiedy przyjechała Wera, czyli jakieś dwadzieścia minut temu.

– Sorry, chłopcze, za kinol, ale uniemożliwiłeś mi pościg – mruknął Meyer, choć wiedział, że młody założy mu sprawę z czystej złośliwości. Trzymał na twarzy worek z mrożonym groszkiem i jęczał przesadnie z bólu.

– Niech pan się już tak nie popisuje – obsztorcowała go prokuratorka. – Trzeba było wykonywać swoje obowiązki, a nie iść na łatwiznę. Wali pan po ryju tego, co został? I na dodatek naszego człowieka?

– Skąd miałem wiedzieć? Odznaki nie pokazał. Jasnowidzem nie jestem.

– To może warto się przebranżowić – burknął Meyer i poklepał po plecach starszego ochroniarza, który dla odmiany skupiał się na zadaniu.

Hubert wiedział, że gdyby przyszło do procesu, stary nie stanie po żadnej ze stron. Ta praca była dla niego zbyt ważna. Dlatego pilnie szukał teraz kluczowego nagrania, a obelgi pomagiera ignorował w milczeniu.

– Jest! – zameldował. – Mamy rejestrację.

Wera pochyliła się, spisała numery. Natychmiast posłała je Połciowi.

– Dzięki, panowie. Co złego, to on. – Wskazała Huberta.

Wyszli.

– Nic nie mów – ostrzegła go, kiedy maszerowali alejką. – Nie otwieraj ust, aż opuścimy to miejsce.

Ale Meyer nie zamierzał jej słuchać. Obawiał się, że kiedy znajdą się na zewnątrz, dopadnie ich Połeć z ekipą, by ustalić dalszy plan gry.

– Doman mu zapłacił – syknął.

– Nie wiemy, czy to nie kurier.

– Doman był pewien. Rozpoznał go. Sroka to nasz klient.

– Facet miał na twarzy maskę – burknęła. – A ty zachowałeś się jak debil. Myślisz, że to jakiś film czy co?

– Miałem go zostawić? Dzięki mnie mamy numery.

Zgniotła kartkę i wrzuciła ją do śmieci.

– Blachy na bank są kradzione. Jeśli chłop jest tym, za kogo uważa go Doman, wie, co zrobić, żeby nas zmylić.

– Prowadzi do niego za dużo nitek.

– Zgadzam się.

– Trzeba go przydusić.

– I tutaj nie mam nic przeciw – zgodziła się. – Tylko jak? Nie mam podstaw do wystawienia listu gończego. Nakaz przeszukania? To jakaś kpina! Facet jest ojcem poszkodowanego. Media go kochają! Potrzebuję czegoś twardego. Na podstawie twojej dedukcji żaden sąd go nie skaże. Przecież nie pójdę i nie powiem, że zabił Białego i mam na to świadka. Trzeba czekać.

Hubert zamyślił się.

– A żona? Musi gdzieś pracować. Może ją będzie łatwiej znaleźć.

– To szukaj – prychnęła i wyprostowała się. – Daj fajkę i zacznij coś neutralnego.

Hubert odwrócił się. Szedł do nich przystojny, choć łysiejący blondyn w kurewsko drogim garniturze i rozpiętym płaszczu. Na szyi miał puszczony luźno szalik w krzykliwy wzorek. Był dużo wyższy od Huberta, któremu rzadko zdarzało się spotkać kogoś takiego, więc profiler poczuł irytację, kiedy musiał zadrzeć głowę.

– Szefie – przywitała się z uśmiechem Wera, a Hubert zarejestrował, że głos ma piskliwy. Stara się facetowi przypodobać?

– Cześć, kochanie – rzekł olbrzym i cmoknął prokuratorkę w policzek.

Dopiero wtedy spojrzał na Meyera. W tym jednym rzucie oka zlustrował wszystko: zniszczoną skórzaną kurtkę, przybrudzone dżinsy oraz liczbę wypalonych dzisiejszego dnia papierosów i niedostatek snu. A także to, że byli z Werką w zażyłości bliższej, niż nakazuje relacja prokurator – konsultant.

– Postanowiłem dokonać audytu osobistego – zaczął oficjalnie, choć nikt nie miał złudzeń, że jest przyzwyczajony do władzy i nie oddaje jej bez walki. – Widzę, że była to słuszna decyzja. Sprawa Rejmana i innych nabiera rozpędu.

– Minister Czajkowski. Hubert Meyer – przedstawiła ich prokuratorka.

– A więc to pan. – Minister się uśmiechnął. – Wera sporo mi opowiadała. Uważa pana za geniusza…

– Warto było dziś wstąpić do Silesii – odparł Hubert. – Od niej nigdy bym tego nie usłyszał. Niestety, nie mogę się zrewanżować. Nawet o panu nie pisnęła. Do tej chwili nie wiedziałem, że jesteście po słowie.

– Raczej przed – zaśmiał się uprzejmie minister. – Werce pasuje status wdowy, choć obaj wiemy, co to było za małżeństwo.

Hubert nie wiedział, jak się zachować.

Byli w tym samym wieku, a może Czajkowski był trochę młodszy, ale Hubert czuł się przy nim jak dzieciak. Kiedy to sobie uświadomił, postanowił trzymać gębę na kłódkę, bo wiedział, że polityk spróbuje go zdominować.

– Danych w tej materii również nie posiadam – wyłgał się Meyer.

– To o czym rozmawiacie wieczorami?

– Ostatnio nie ma czasu, żeby spać – weszła im w słowo Wera. – A wieczory każdy organizuje sobie sam.

– Jeśli nie macie czasu, by spać, to ja się tylko cieszę – rzekł minister z przyklejonym uśmiechem, lecz lodem w oczach. – Jest pan przystojniejszy na żywo niż na antenie. Choć sądziłem, że wyższy. Werka lubi nosić szpilki.

Zmilczeli tę chamską prowokację, przy czym Hubert z trudem.

– Ale ja nie w tej sprawie.

Minister obejrzał się za siebie, jakby czekał na kogoś jeszcze, zanim zacznie przemówienie. Parking był jednak pusty.

– Mamy nowe dane. Sądzę, że was zainteresują.

– I po to jechałeś taki kawał? – zadrwiła kobieta. – Są telefony.

– To nie jest sprawa na telefon, skarbie.

Hubert widział, że Werka się żachnęła, ale nie odpysknęła partnerowi.

– Kula, z której zastrzelono kobietę utopioną w Brynicy, może pochodzić z broni, z której postrzelono dilera zwanego Białym – ciągnął Czajkowski. – To ćpun i członek grupy przestępczej, który znalazł się w nieodpowiednim czasie i miejscu. Zginął tuż po Japie albo przed nim.

– Znamy sprawę Rejmana – uciął Meyer.

– Świetnie, bo niniejszym oboje zostajecie do niej oddelegowani. Od tej chwili zajmujecie się tylko Japą. Reszta was nie obchodzi.

– Zanim wprowadzimy w temat nowych ludzi, sprawca może się ukryć i nigdy go nie zamkniemy – zaoponowała bojowo Wera.

– Nie przerywaj mi, skarbie – upomniał ją minister i perorował dalej. – Tak jak wspominałem, w P-sześćdziesiąt cztery wyposażeni byli nasi żołnierze w Afganistanie. Może ten konkretny pistolet, który nas interesuje, trafił na czarny rynek albo ktoś zgubił egzemplarz?

– Swego czasu dużo tych modeli wypływało wśród gangsterskiej braci – odważył się odezwać Meyer. – Ale to było dawno. Jakieś dwadzieścia lat temu.

Ministra to nie obchodziło.

– Dowiedzcie się. Tak czy owak, mamy jeszcze drugą giwerę. Jakimś cudem wypadła z archiwum dowodów. Nie przejąłbym się, gdyby nie detal, że to broń policyjna. Ukradziona niejakiemu Domańskiemu Tomaszowi zwanemu Domanem, kiedy był jeszcze na stażu. Potem dobry był z niego gliniarz, dowodził kryminalnymi na Podlasiu. Od roku na emeryturze. Dziś rano moi ludzie byli u niego w domu i żona powiedziała, że wyjechał na wczasy.

Wera i Hubert zamarli w napięciu. Żadne nie odważyło się mrugnąć.

– Wiem, że się znacie – podkreślił minister. – Znajdziecie Domana i doprowadzicie na oficjalne przesłuchanie. Zostanie ono prawidłowo zarejestrowane i wyniknie z niego tyle, że polska policja jest czysta.

– Mamy go uprzedzić? – upewnił się Hubert.

– Powiedziałem, że ma być zrobione tak, żeby nie padł choćby cień podejrzenia, że sprawców było dwóch. Bo było ich dwóch. A powinien być jeden. Nie z firmy. Zrozumiałe?

– Tak jest – wydusił Meyer.

– Chcę mieć na talerzu jeden obiad z dwóch dań i sam zdecydować, którym się posilę – podkreślił minister. – Feralnego glocka już mamy. Teraz znajdźcie mi tego wanada.

– To może być trudne. Strzelec pewnie dobrze go zakopał. W częściach.

– Więc go odkopcie – polecił minister. – Albo zróbcie replikę? To bardzo popularny model. Nie będę wiązał wam rąk.

– Chcesz, żebyśmy sfabrykowali dowód? – Wera nie dowierzała. – Oszalałeś?

Czajkowski spojrzał na nią pobłażliwie.

– Widzę, że dobrze się dogadujecie. Powinniście sobie poradzić.

– Jest wręcz przeciwnie – oświadczyła hardo, ale na Huberta spojrzała z nadzieją. – Możesz odmówić. Nie jesteś już z nikim i niczym powiązany. Odmów. Zawsze będziesz miał co robić.

Ale ku jej wielkiemu zdziwieniu Meyer wyciągnął dłoń do Czajkowskiego.

– Może pan na mnie liczyć.

– Dobra decyzja, inspektorze.

Minister wykręcił numer. Hubert poczuł wibrowanie swojej komórki.

– Teraz mamy już naszą prywatną linię. Proszę nie dzwonić bez powodu. Jeśli natomiast takowy się pojawi, pora nie ma znaczenia. Ten numer zna tylko garstka polityków i nieliczni komendanci w tym kraju. Z prokuratorów tylko Wera, ale rzadko korzysta.

– Mam cię na co dzień – burknęła.

W tej jednej chwili Hubert pojął, że ten związek dobre czasy ma już za sobą. Sam nie wiedział, z jakiej przyczyny, ale bardzo poprawiło mu to humor.

– Nie tęskni pan za mundurem? – zapytał Czajkowski.

– Jestem średnio sentymentalny – odparł Hubert. – Dobrze mi tak, jak jest. Ale nie pogniewałbym się za dozgonne potwierdzenie, że mogę bywać na miejscach zdarzeń, w prosektoriach i podczas czynności operacyjnych.

– Czy nie to właśnie robi pan obecnie?

– Nielegalnie i pod nadzorem – przyznał Hubert. – Jest to okupione sporym stresem, a nieraz i pyskówkami.

– Słyszałem, że dość szybko wyciąga pan pięści.

– Im jestem starszy, tym gorzej. – Meyer westchnął. – Choć dzisiaj liczyłem na inne zakończenie tej spontanicznej operacji. Jeśli zaś chodzi o cenny dokument, zależy mi na tym pozwoleniu szczególnie. Chcę pracować dokładnie tak jak wtedy, kiedy byłem w służbie.

– I nikomu nie podlegać?

– Właśnie.

– Teraz rozumiem, dlaczego to kwit tak trudny do zdobycia.

– Minister się zmarszczył. – Podkomisarz Połeć nie może tego wystawić? Albo jego zwierzchnik? Zadzwonię do komendanta.

– Nie są samobójcami, a zależy im na firmie bardziej niż mnie. Chyba że zmieni pan ustawę o policji. – Odchrząknął. – Albo znajdzie inny sposób, żebym jako cywil nie musiał się tłumaczyć na każdym komisariacie, że moja opinia może być pomocna. Podeślę panu swoje wyniki. Osiemdziesiąt procent skuteczności.

– Dlaczego nie sto? – uśmiechnął się Czajkowski.

– W Stanach mają programy komputerowe, a i tak setka się nie zdarza. Ledwie dociągają do siedemdziesięciu. To tylko psychologia behawioralna.

– Pogadamy po wykonaniu zadania.

– Potrzebuję tego od ręki, ministrze. Bo jeśli w sprawie Rejmana i innych zrobi się gorąco, nie będę mógł działać. Wywalą mnie z komendy na zbity ryj.

– Jak się zrobi gorąco, znajdziemy rozwiązanie – zapewnił Czajkowski. I zwrócił się do prokuratorki: – Załatw to szybko, skarbie, bo będę tęsknił.

Cmoknął Werę w policzek. Ona zaś poklepała go niedbale po plecach.

– Widziałem bardziej romantyczne pary – skwitował Hubert, kiedy minister wsiadał do swojego jaguara.

Weronika westchnęła ciężko w odpowiedzi, a potem spojrzała na Huberta przeciągle, aż przestraszył się, że chce go pocałować.

– Masz gumę do żucia?

Pogrzebał w kieszeni. Wyciągnął tabletki na gardło.

– Arbuzowe. Mogą być?

– Dawaj. – Włożyła cukierka do ust. – Właśnie zrozumiałam, że jednak się rozwiodę. I jak przystało na prawników, będzie to kurewsko długa batalia. Przyrzekam ci, że nigdy więcej za nikogo nie wyjdę. Nie próbuj prosić.

Uśmiechnął się.

– Nie pobraliście się.

– Jest gorzej. Mamy umowę cywilno-prawną. Zajebiście dobrą. Negocjowaliśmy ją trzy miesiące.

– Na kredyt?

Machnęła ręką.

– Na dzieci.

– Masz jakieś nowe dzieci?

– Jego. Nie moje. I będę za nimi tęskniła.

A potem spojrzała na swoje dłonie i z niemałym trudem ściągnęła z serdecznego palca obie obrączki. Włożyła je do opakowania na dowody, dokładnie zacisnęła zapięcie strunowe i wrzuciła do torebki.

– Postanawiam od tej chwili nie być już wdową. To co? – zwróciła się do Huberta. – Stawiasz kolację?

***

Sławomirowi burczało w brzuchu z głodu, ale nie zatrzymywał się i krążył po mieście, by upewnić się, że nie ma ogona. Zanim dojechał do domu, który już niedługo miał należeć do niego, zatrzymał się i wybrał numer.

– Mam nadzieję, że nie narobiłaś żadnych głupot.

Obejrzał się w lusterku. Mańka z pewnością spyta o te zadrapania i siniak pod okiem. Trzasnął osłoną słoneczną i zaraz pogładził skórzaną perforowaną tapicerkę, jakby pieścił narowiste zwierzę, które osobiście ujarzmił.

– Nie wychodziłam. O to pytasz?

– Jak się uspokoi, przyjadę i pogadamy. Nic się nie martw.

– Jestem głodna. On ma tylko śliwki i jakieś kiełki. Żywi się głównie praną.

– Czym?

– Powietrzem.

– To tak jak ja – skłamał. – I też nie wiem, kiedy będę znów jadł. Pewnie dopiero jak ostatecznie pozałatwiam sprawy.

294

– Coś się stało?

– Nie wychodź.

– Znalazłeś Adelę?

– Tak.

– Jak zareagowała?

– Nie była zadowolona.

– Domyślam się. Bardzo się boję.

– Stary się pytał?

– Tylko o to, czy mam jakąś kasę. Bo jeśli trzeba mnie utrzymywać, to on się na to nie pisze. Chce budować jakąś ziemiankę z butelek i gliny. Będzie hodował kaczki i uprawiał ogród ze swoimi kobietami. Zakłada komunę. Nawet teraz przyszły do niego na masaż trzy ryczące czterdziestki. Wydaje mi się, że ze sobą sypiają.

– Podejrzewa coś? Nie wystawi cię?

– Chyba się zmienił. Jest teraz hipisem. Ale twój haszysz go uspokaja.

– Zadbam, żeby nie zbrakło. Oczywiście dopóki tatuś jest nam potrzebny.

– Oczywiście.

– Musisz przetrwać. Jak ucichnie, wprowadzisz się tutaj.

– A Mania?

– Cieszy się sokowirówką i robi weki.

– Musisz to załatwić, Boku. Niedługo zacznę robić się gruba.

– Muszę już lecieć. Wyrzuć tę kartę i załóż nową.

– Wiem, nie musisz za każdym razem powtarzać.

Dzień dziewiąty
8 stycznia 2021 – piątek

Zbliżała się siedemnasta, kiedy zadzwoniła do drzwi, więc Hubert ustawił na stole krakersy i poszedł otworzyć. Zapobiegliwie spojrzał przez judasz, czy otwiera właściwej kobiecie.

– Bez munduru? – zdziwił się, kiedy weszła w dżinsach i krótkiej kurteczce. Na głowie miała wzorzystą czapkę. Na płaskim obcasie zdała mu się bardzo niska. Wyglądała jak nastolatka. – Gdzie twoja służbowa garsonka?

– Ze świecami? – odpowiedziała pytaniem na pytanie, nie kryjąc zadowolenia na widok gromnic, które Hubert trzymał w dłoniach.

– Zostały po jakimś śledztwie z księdzem w tle. Kupiłem wyłącznie z poczucia winy.

Ustawił je na talerzu i zapalił.

– Szkoda, że nie posiliłam się przed kolacją. – Wskazała ciastka. – Przypominam ci, że nie wychodzimy, a ja nie zamierzam dziś gotować.

– To tylko przegryzka – odparł, z trudem zachowując powagę. Sięgnął do szafki. Postawił na stole wino. – Bardzo rzadki szczep. Właściwie ekskluzywny. Na pierwsze danie.

Wera sięgnęła po butelkę, obejrzała etykietę.

– Bonda – odczytała. – Nie znam.

Hubert dostawił drugą butelkę.

– I carlo rossi z Orlenu na drugie. Zakładam, że po tym pierwszym będzie nam wszystko jedno, jaki to bukiet.

Wskazał pedantycznie uporządkowane akta. Zajmowały podłogę wokół kawowego stolika i część sofy.

– A to na deser.

– Dbasz, widzę, o moją linię – mruknęła i wzdrygnęła się, kiedy rozległ się dzwonek. – Mamy kompanię? Doman, Szerszeń czy Bożena? A może wszyscy, bo boisz się zostać ze mną sam na sam?

– To ostatnie jest bliskie prawdy – odparł i ruszył do drzwi.

Kiedy przeciskał się między stołem a sofą, niemal otarli się o siebie. Hubert zatrzymał się, spojrzał jej w oczy. Uśmiechnął się.

– Ale chciałbym kiedyś podjąć to ryzyko.

Zdawało mu się, że się zarumieniła. Wiedział, że patrzy za nim, nawet gdy zniknął w korytarzu, i nasłuchuje. Niewiele się pomylił.

Werka zajęła miejsce przy stole i udawała, że sprawdza pocztę w telefonie. Starała się usłyszeć, o czym szeptał z kimś mrukliwie, a kiedy sięgnął do kieszeni kurtki, wychyliła się, ale nic nie mogła dostrzec. Kiedy wrócił z kilkoma pachnącymi niebiańsko pakunkami, wybuchnęła śmiechem.

– Wiedziałam, że na darmo nie paliłbyś tych kościelnych świeczek.

– Byłaś w Korei? – spytał, jakby takie wieczorki robili sobie codziennie. – Ja nie. Zresztą prawie nigdzie nie byłem. Ale odkąd zamawiam kimbap z Misone, dla samego żarcia bym poleciał.

Pomogła mu przełożyć jedzenie na talerze.

– Nieźle to rozegrałaś – skomentował, kiedy wstępnie pokonali ramen, gyozę i bulgogi bibimbap.

– Mam nadzieję – przytaknęła i pogładziła się po brzuchu. – Za szybko zjadłam, ale było pyszne.

– Na początku miałem to samo. Pożerałem. – Wzniósł kieliszek do toastu. – Za twój spryt życiowy. Nie tylko weszliśmy na ścieżkę formalną, ale mamy na to środki i jeszcze odcięliśmy ogony.

– To twoja zasługa. – Podniosła swój kieliszek. – Kazałeś chłopakom wrzucić lufę do rzeki. Tak się tego bałam, a zadziałało jak kod do bramy.

Stuknęli się i upili po łyku.

– Jak to zrobimy? – spoważniała.

– Odwrotnie – odparł. – Napiszę to, co chcą mieć w profilu, a do niego dopasujemy resztę. Zapewniam cię, że to prostsze niż to, jak działamy normalnie.

– Wygląda faktycznie na łatwiznę. – Ziewnęła.

– Nudzę cię?

– Nażarłam się jak bąk, a jestem cholernie zmęczona. Dziś pierwszy dzień, kiedy zeszło ze mnie napięcie.

– Bo nie musisz już kłamać.

– Szkoda tylko, że się nie opaliłam.

Uśmiechnęła się i umilkła. A potem nagle upiła duży łyk, jakby na odwagę, i znów się odezwała.

– Wiesz, dziś nie chcę mówić o Sroce, Adeli Krac, Trudce ani Japie.

Podniósł głowę.

– To po co ja odkurzałem?

– Nie zauważyłam.

Wskazał rozłożone na podłodze akta.

– Każdy dokument jest na swoim miejscu. Znam te kartony na pamięć.

Pokazała mu wzniesiony kciuk.

– Powiedz lepiej, co u ciebie słychać.

– U mnie? – zdziwił się. – Mieszkałaś parę dni, uporządkowałaś mi dom, odkryłaś, że mam faks, i pewnie znasz do niego numer. Śmiem twierdzić, że orientujesz się w moim losie znacznie lepiej niż ja.

– Może tak być – przytaknęła.

Klasnął w dłonie.

– Zabawmy się. Zrobisz mój aktualny profil.

– To może nie być sprawiedliwe, a jeszcze trochę koreańskiego sushi zostało. Tak szybko się mnie nie pozbędziesz.

– Dostaniesz ramen na drogę.

Przekomarzali się jeszcze chwilę. Wera skapitulowała pierwsza.

– Wyprowadziła się niedawno jak na twoje standardy. Jakiś rok, półtora.

– Dwa. – Przyjrzał się jej. – Skąd wiesz?

– W łazience jest flakon Jeana Patou. Rzadko kto ich dziś używa.

Nie odpowiedział.

– Tęsknisz?

– Już nie.

– A za mną tęskniłeś?

– Nie pamiętam.

Wstał. Sięgnął po popielniczkę i otworzył nową paczkę. Zrozumiała, że nie podoba mu się tok tej rozmowy.

– Lepiej już pójdę. – Odłożyła serwetkę. – Mógłbyś napisać to, co masz do napisania, i od jutra zabralibyśmy się do gromadzenia materiału.

Zawahał się, ale jej nie zatrzymywał.

– Znasz odpowiedź – powiedział, kiedy była już przy drzwiach. – Ale to było tak dawno temu, Wero...

– Dziesięć lat.

– Jedenaście – skorygował. – Nie wchodzi się dwa razy do tej samej rzeki.

– Nigdy nie jest ta sama. – Okręcała już szalik na szyi, włożyła czapkę. – Cześć.

Chwycił ją za ramię.

– A ty? Co przez ten czas robiłaś? Dlaczego udajesz wdowę? Kim jest ten cwany maminsynek z przerostem ego, który nadrabia garniakiem i jaguarem? Wcale do ciebie nie pasuje.

Spojrzała na jego dłoń na swoim ramieniu.

– Masz rację. Nie powinnam była zbliżać się do tej rzeki. Już raz w niej tonęłam. Przepraszam. Chyba się wstawiłam. A wdową jestem naprawdę. Kiedyś ci opowiem.

Wyszła.

Hubert przeklął kilka razy, a potem poszedł do łazienki i wyjął perfumy, które zauważyła. Chciał rzucić nimi o podłogę, ale nie potrafił. Schował butelkę na miejsce i delikatnie zamknął szafkę. Usiadł na sedesie, ukrył twarz w dłoniach.

Kiedy zadzwonił telefon, zerwał się i pobiegł uskrzydlony nadzieją, że to Weronika. Chciał ją przeprosić i powiedzieć jej, że ucieszy się, jeśli będzie miał szansę znów ją zobaczyć.

– Meyer? – Głos był skrzekliwy i w pierwszej chwili Hubert nie mógł się domyślić, do kogo należy. – To ja, Marek. Fotograf trupów od Waldka.

– Zastanowiłeś się?

– Pięć tysięcy.

– Piątkę za taśmy, które już raz opyliłeś? Chyba cię pogięło.

– Pożar dorzucę w gratisie. Mam coś znacznie lepszego.

– Trzęsę się z ochoty jak panna na dyskotece.

– Kojarzysz lalę z zamku w Mosznej, której poszukuje cały Śląsk? Gertruda Karlik-Urbaś – odczytał. – Piszą o niej na wszystkich portalach. Kumpel udostępnił mi jej foty.

– Jakie foty?

– No nasze. Z nadzoru. Poszła po mleko. I coś mocniejszego, sądząc po dzwonieniu siatek.

– Kiedy?

– Dziś, jedenasta trzynaście – odparł ochroniarz. – Piątka dla mnie i dwójka dla niego. Jak zapłacisz od razu, podam ci numer lokalu, w którym ten świr przetrzymuje dziewczynę.

– Coś musisz opuścić.

– Taśmy kasujemy pod koniec tygodnia. Masz czas. Ale jakby zmieniła kwadrat, to za free nie dam ci cyny.

– Czekaj. Muszę się skonsultować. Jesteś u siebie?

– Nigdzie się nie wybieram. Co do niej, to nie wiem.

– Wiesz, że mogę napuścić na ciebie naszych? Przeszukają osiedle i zawloką cię na dołek za utrudnianie śledztwa.

– Nie radzę. Spłoszysz gostka, a dziewczyna czmychnie. Na twoim miejscu zainwestowałbym tę kasę. Wiem od naszych starych kamratów, że jest dla was cenna i Połeć zapłaci chętnie.

– Więc dzwoń do niego.

– To twoje ostateczne stanowisko?

Hubert zawahał się.

– Nie ja decyduję. Wstrzymaj się godzinę. Zanim zadzwonię do świętych, muszę to zobaczyć. Przyjadę.

– Też bym tak zrobił.

***

– Piłeś?

Pierwszy telefon Meyer wykonał do Domana, ale sądząc po bełkotliwej mowie kumpla, był to czas stracony.

– Jutro po mnie przyjdą. Wera mnie uprzedziła. Myślałem, że inaczej to rozegracie.

– Nie płacz, Doman. Jest bardzo dobrze – pocieszył przyjaciela Meyer. – Mamy mocne plecy. Wyjdziesz z tego cało.

Pod warunkiem że nie będziesz zionął wódą, pomyślał.

– Daj mi Waldka.

– Nie ma go.

– Zośkę.

Usłyszał stukot odkładanej słuchawki.

– Cześć, Hubercie, co słychać? – Małżonka Szerszenia była rozbrajająco urocza. – Dużo pracy?

– Jak zwykle. Położysz go?

– Od trzech godzin próbuję.

– To bardzo ważne. Jutro musi być w miarę przytomny.

– Nie bardzo to widzę. – Zniżyła głos. – Jest coraz gorzej. Dziś w domu Domana biwakowali wewnętrzni. Żona jest poważnie zaniepokojona. I wściekła, bo okazuje się, że wybył z domu bez pożegnania, a ona została sama z noworodkiem. Przez cały czas kłamał jej, że pracuje.

Hubert nie miał czasu na terapię.

– Połóż go siłą. Umiesz Waldka ustawić, to z Domanem pestka.

– Już nie te lata.

– Zadzwońcie, jak wróci Waldek. Mam z nim do pogadania.

– Bądź zdrów, mój drogi.

Podziękował jej i rozłączył się.

Następny telefon wykonał do Werki. Nie odebrała. Wysłał jej wiadomość, żeby oddzwoniła. Łączył się już z Połciem, kiedy pojawiła się na drugiej linii.

– Wiem, gdzie jest Trudka – oświadczył bez wstępów. – Cieć chce siódemkę za nagranie z monitoringu. A raczej za informację o numerze lokalu.

– Drogo. Jest pewny?

– Zanim zrobimy oblężenie, wypadałoby to sprawdzić. Szkoda by było dziewczynę spłoszyć.

– Nad czym więc dumasz?

– Po pijaku nie jeżdżę.

– Bierz ubera i dawaj mi adres. Też pojadę.

– Nie – zaprotestował. – Lepiej, żebyś w razie draki wezwała posiłki.

– Gdzie jest przetrzymywana?

– Dębowe Tarasy.

– Luks więzienie.

– Myślę, że jest tam z własnej woli. Chodziła po zakupy, dlatego ochroniarz ją zauważył.

– Jestem w uberze. Zaraz zmienię sobie trasę. Widzimy się na miejscu i ustalimy, czy potrzebujemy wsparcia. W międzyczasie dowiem się, jaki jest fundusz dla ciecia.

***

Kiedy Meyer dojechał, Weronika wesoło konwersowała już z Gemzą.

– Fajną masz koleżankę, panie Meyer.

– Wiem, dzięki. Masz towar?

– A kasa?

Hubert spojrzał na prokuratorkę. Skinęła głową.

– Pan Marek był tak miły i zszedł do piątki. Obiecałam, że rozważę, czy jeszcze nam się nie przyda.

– Pewnie, weź jeszcze kabla pod swoje skrzydła.

– Pan się nie przejmuje, to poczciwy człowiek.

– Wiem, inaczej bym nie zadzwonił – zapewnił Gemza. – Nie tylko dla pieniędzy robi się pewne przysługi.

– Ty? – prychnął Hubert. – Wątpię.

Werka stanęła między nimi.

– To będzie tak: ja zostanę tutaj, a ty z nią pogadasz. – Wyciągnęła swój stylowy termos. – Napiłabym się jeszcze tej niebieskiej herbatki, jeśli została.

Ochroniarz był zawiedziony.

– Nie będzie obławy?

– Niech się pan nie boi – pocieszyła go. – Zabłyśnie pan w telewizorach.

Hubert pojął, z czego wynikała promocja danych.

– Numer lokalu – burknął.

Wera stanęła przy mapce i pokazała najszybsze dojście.

– Klatka dwudziesta trzecia, lokal trzysta trzy. Będziemy z tobą wirtualnie cały czas. – Wskazała monitor. – Ale telefon miej włączony.

Zawahał się, czy dopytać o zawiadomienie Polcia, ale przy Marku nie chciał rozwijać tematu. Postawił kołnierz, zapiął kurtkę pod szyję i ruszył. W ostatniej chwili Marek podał mu pałkę i gaz pieprzowy.

– Strzeżonego Pan Bóg...

Hubert wcisnął aerozol do kieszeni, pałkę oddał.

– Bez żartów. To tylko szesnastolatka.

Szedł szybkim krokiem. Czuł, jak chłód szczypie go w policzki. Znów marmury, winda, kadziełka i wreszcie znalazł się pod właściwym numerem. Nacisnął dzwonek. Otworzyła mu szczupła kobieta z papużką na ramieniu i czubkiem zrobionym z włosów jak u ptaka. Na sobie miała jedynie powłóczysty tęczowy chałat z wzorem niezliczonych oczu. Była bosa. Stopy miała umalowane henną. Na kostkach zaś mnóstwo paciorków.

– Hubert Meyer, Komenda Wojewódzka Policji – przedstawił się i nie czekając na odpowiedź, przestąpił próg mieszkania.

Wewnątrz były jeszcze dwie półnagie niewiasty, podobne do siebie niczym siostry. Na podłodze zaś, otoczony świeczkami, leżał nieprawdopodobnie chudy łysol. Oczy miał zamknięte, jakby spał. Cały jego strój to była przepaska na przyrodzeniu w jakieś hinduskie mazaje.

Kobieta, która otworzyła Meyerowi, położyła palec na ustach i zbeształa go spojrzeniem, jakby psycholog wlazł w buciorach do świątyni i przeszkodził w odprawianiu magicznego rytuału. A potem na palcach opuściła pomieszczenie, zamykając za sobą cichutko drzwi. Po chwili dołączyły do niej dwie pozostałe kobiety i otoczyły profilera wianuszkiem.

– Czym możemy służyć? – chichotały.

Nie musiał sprawdzać ich źrenic latarką, by wiedzieć, że są na haju. Najtrzeźwiejsza była ta z papużką.

– Gertruda Karlikówna – zaczął i zezłościł się, bo zanosiły się śmiechem, jakby opowiedział pieprzny dowcip.

– To ty? A może ty? – przekomarzały się między sobą.

– Wiem, że to nie żadna z was – warknął.

Rozejrzał się po mieszkaniu. Nie było duże. Łazienka, kuchnia, salon, w którym widział lokalnego Śiwę. Jego wzrok zatrzymał się na drzwiach w końcu ciemnego korytarza. Otworzył je. Lampa zwrócona żarówką do drzwi, oślepiła go na moment. Przysłonił oczy dłonią.

Siedziała przy biurku w ogromnych słuchawkach i podrygiwała w rytm muzyki. Obok biurka stały butelki po piwie, winie i puszki po napojach energetycznych.

– Trudka?

Dotknął jej ramienia.

Odwróciła się gwałtownie. Światło padało pod takim kątem, że nie od razu rozpoznał jej twarz.

– Pani Polheimer?

– Pan Meyer?

Była równie zdziwiona jak on.

Dzień dziesiąty
9 stycznia 2021 – sobota

Następnego dnia rano w mało uczęszczanym przejściu kolejowym, którym pracownicy dworca w Sosnowcu chodzili na skróty, znaleziono ciało poszukiwanej szesnastolatki. Tym razem sprawca użył do okręcenia głowy taśmy izolacyjnej, a worek miał nadruk małego sklepiku w kompleksie Dębowych Tarasów.

– Odbyła przed śmiercią stosunek płciowy – relacjonował patolog, kiedy Meyer i Weronika stawili się w prosektorium. – Poza śliwkami i suszem nie jadła nic od kilku dni. W momencie śmierci była pod wpływem clonazepamu i najprawdopodobniej paliła haszysz. Walczyła o życie. Są siniaki, wybroczyny, zadrapania i otarcia. Zginęła od strzału w twarz. Kula nie została zabezpieczona, ale kaliber pasuje do sprawy sprzed kilku dni. Mamy wyskrobiny spod paznokci. Tym razem żadnego palucha ani spermy nieżyjącej osoby. Podczas stosunku sprawca musiał używać prezerwatywy, w każdym razie materiału genetycznego nie zabezpieczono. Gertruda Karlik była w trzecim miesiącu ciąży – zakończył.

Kiedy wyszli z budynku i skierowali się do samochodu, żadne się nie odezwało. Dopiero kiedy Meyer włączył się do ruchu, Wera spytała:

– Dlaczego tutaj?

Nie od razu odpowiedział.

– Zatacza kręgi. Moszna, Katowice, Sosnowiec. Wciąż nie wiemy, gdzie jest punkt centralny.

– Nie zostawił śladów. Użył taśmy. Tym razem strzelił w twarz. To coś symbolizuje?

– Rozwija się. Będzie coraz trudniej. Interwał jest naprawdę niewielki.

– Zamierza wymordować wszystkie kobiety z zamku?

– Nie wiem.

– Dlaczego zakłada im te worki i strzela w głowę?

– Nie spełniły jego fantazji. Chciał zniszczyć ich wspomnienie. Choć tak naprawdę chodzi o matkę albo żonę.

– Nadal uważasz, że to się łączy z tajemnicą dzieciaków z zamku?

– Dopiero teraz jestem o tym przekonany – powiedział Hubert. – Eliminuje świadków. Musimy się dowiedzieć, co to za sekret, bo błądzimy po omacku. Nawet się do niego nie zbliżyliśmy. Za to on się doskonali.

– Trudno się nie zgodzić. Ale pamiętasz, że mamy się nie mieszać? Mamy swoje zadanie. Równie pilne.

– Chcesz to tak zostawić?

Wzruszyła ramionami.

– Swoje zrobiłeś. Została praca operacyjna. Niech Połeć i Dudek się tym zajmują. Mają listę ludzi i wszystkie dane. Nic więcej nie wskórasz.

Hubert westchnął ciężko. Jeśli powie, że podejrzewa Dudka o kręcenie w sprawie, Wera straci do niego zaufanie. Wolał nie wyskakiwać z tak ryzykowną hipotezą, dopóki nie będzie miał w ręku twardego dowodu.

– Poświęćmy jeden dzień i zostańmy chociaż za lustrem weneckim – zaproponował i mimo protestów Wery pojechał wprost do komendy.

– To będzie kilka dni, Meyer – nie przestawała narzekać. – Do ponownego przesłuchania wezwali prawie wszystkich.

– Sławomira Srokę też?

– Sam się zgłosił.

***

Przesłuchanie Sylwii Polheimer z dnia 9 styczeń, godzina 10.10
Prowadzący: podkomisarz Antoni Połeć, przy współudziale Huberta Meyera, młodszego inspektora w stanie spoczynku, za zgodą przełożonych (dokument w aktach)

Nadzoruje i uczestniczy: prokurator Weronika Rudy
Protokół: sierżant Rudolf Fizyta

– Co pani robiła w mieszkaniu Bartosza Urbasia w dniu 8 stycznia około godziny dwudziestej drugiej?

– Słuchałam muzyki. I piłam.

– Dużo pani pije?

– Staram się nie bywać trzeźwa.

– Dlaczego?

– Muszę odpowiadać na to pytanie?

Świadek została pouczona o obowiązku mówienia prawdy i karze za składanie fałszywych zeznań.

– Nie mogę mieć dzieci. Nie mam celu w życiu. Jest mi smutno. Małżeństwo mi się nie udało. Wystarczy? Chcę o wszystkim zapomnieć.

– Co panią łączy z Urbasiem? I dlaczego znajdowała się pani w jego lokalu?

– Przyjaźnię się z jego byłą żoną, Margot. Kiedy przyjechała do zamku, mówiła, że to potwór, i okazał się niezłym świrusem, ale niegroźnym. To ona zostawiła rodzinę i uciekła z księdzem. Potem wróciła, odebrała mu dziecko i ukryła się u nas. Oszukiwała nas jedenaście lat. Trudka dowiedziała się o tym, a ja pomogłam jej uciec do ojca. Pilnowałam jej. Chociaż to bardziej ona mnie...

– Tego dnia wysłała ją pani po alkohol do sklepu?

– I mleko do malibu.

– Ma pani świadomość, że była niepełnoletnia?

– Zawsze jej sprzedawali. Wyglądała poważnie. Nie pomyślałam o tym. Źle się czuję, możemy już skończyć?

– Co łączyło panią z Arturem Sroką?

– Nic, zupełnie. Widywałam go, jak ścinał gałęzie albo kosił trawę. Przyglądałam mu się czasem, bo miał ładny tors. A jak strasznie się nawaliłam, marzyłam, że zdradzę z nim męża i zajdę w ciążę.

– Wykonała pani ten plan?

– Niestety nie.

– Czy wie pani coś o konfliktach między Arturem a pani mężem?

– Wszyscy wiedzą.

– Proszę opowiedzieć.

– Opowiadałam już wiele razy. Artur pobił Klemensa.

– Dlaczego?

– Nie wiem. Mąż mi nie wyjaśnił. Prawie ze mną nie rozmawia. Z Arturem nie byłam w takiej zażyłości. Myślałam, że chodzi o to, że Klemens wyrzucił Sroki z domku myśliwskiego.

– Czy sugerowała pani matce Gertrudy, że Klemens molestował jej córkę?

– Nie przypominam sobie.

– Posiadała pani taką wiedzę? Była pani świadkiem takich zachowań męża?

– Nie.

– Znała pani Adelę Krac?

– Nigdy jej nie spotkałam.

– Jak pani myśli, co łączy tę trójkę zamordowanych dzieci?

– To nie były dzieci.

– Co pani ma na myśli?

– Nie wiem. Strasznie źle się czuję.

Do końca przesłuchania świadek nie odpowiedziała na żadne pytanie.

***

Przesłuchanie Sławomira Sroki z dnia 9 styczeń, godzina 13.00
Prowadzący: podkomisarz Antoni Połeć, przy współudziale Huberta Meyera, młodszego inspektora w stanie spoczynku, za zgodą przełożonych (dokument w aktach)
Nadzoruje i uczestniczy: prokurator Weronika Rudy
Protokół: sierżant Rudolf Fizyta

– Co pana łączyło z Gertrudą Karlik?

– Korzystam z mojego prawa i odmawiam składania zeznań.

– Może pan skorzystać z tego prawa jedynie w aspekcie pytań dotyczących śmierci syna. Nie jest pan spokrewniony z Gertrudą Karlik.

– Troszczyłem się o nią.

– W jakim sensie?

– Zaszła w ciążę z moim synem. Kiedy zmarł, została na lodzie. Czułem się odpowiedzialny za nią, bo miała urodzić mojego wnuka.

– Proszę powiedzieć, co robił pan w dniu wczorajszym w godzinach 22.00–2 nad ranem.

– Byłem w domu, z żoną.

– Potwierdzi to?

– Czeka na korytarzu. Możecie spytać.

– Czy ma pan alibi także na noc zabójstwa Adeli?

– Jestem podejrzany? Żądam adwokata.

– Zeznaje pan jako świadek i został pan pouczony o swoich prawach. Czy życzy pan sobie ponownego ich odczytania?

Świadek przeklina.

– Nie mam. Zresztą spotkałem się z Adelą. A jeśli chce pan wiedzieć, co nas łączyło, to mieliśmy romans. Sukienkę, którą mi pokazywaliście, dostała ode mnie. Buty też.

Prowadzący okazuje pierścionek z wizerunkiem Matki Boskiej, zabezpieczony w mieszkaniu Sławomira Sroki.

– Rozpoznaje pan ten przedmiot?

Świadek potwierdza.

– Skąd pan go ma?

– Adela mi go oddała.

– Kiedy?

– W dniu, w którym zginęła. Jak tylko się poznaliśmy, kupiłem jej ten sygnet dla żartu. Zwróciła mi go, bo uznała, że nie dotrzymałem umowy.

– Jakiej umowy?

– Obiecałem, że się rozwiodę.

– Mimo to odbyliście tego wieczoru stosunek seksualny?

– Tak, kilka razy. Ale nie wieczorem. Musiałem być w domu około piętnastej. I byłem. Nie zabiłem jej.

– Czy posiada pan pistolet P-83 kaliber 9 mm Makarowa?

– Nie posiadam.

– Czy posiada pan pozwolenie na broń?

– Tak.

– Jakie jednostki broni pan posiada?

– Obecnie jedynie myśliwską. Sztucer i dwie dubeltówki. Zostały w zamku, w szafie pancernej.

– Czy był pan na misjach w Afganistanie? Jeśli tak, proszę podać lata i gdzie pan służył.

– To naprawdę konieczne? Byłem na misji w 2002 roku i po trzech miesiącach zostałem wydalony.

– Dlaczego?

– Za dezercję. Odebrano mi broń i odesłano do domu.

Prowadzący odczytuje raport bezprawnego użycia broni przez świadka w mieście Bagram w prowincji Parwan (śmierć m.in. poniosła dwójka cywili: matka i dziecko – szczegóły w aktach).

– Potwierdza pan te dane?

– Sąd wojskowy uniewinnił mnie od tych zarzutów.

– Ale strzelił pan do tej kobiety z dzieckiem.

– Nie wiedziałem, że tam są. Było ciemno. Mam zdiagnozowany stres posttraumatyczny i do tej pory jestem pod opieką terapeuty.

– Bożydar Teper, zgadza się?

– Tak.

– Pan Teper zeznał, że od siedmiu lat nie stawił się pan na terapię. Nie figuruje też pan na liście jego pacjentów.

– Nie wiem, gdzie teraz przyjmuje. Chodziłem do innych psychiatrów.

– Proszę podać nazwiska i nazwy placówek.

– W tej chwili nie pamiętam. Mogę sprawdzić i przynieść spis nazwisk.

– Gdzie pan był w dniu 16 lipca ubiegłego roku?

– Człowieku, to było tak dawno! Nie pamiętam.

– Czy zna pan Rajmunda Rejmana zwanego Japą?

– Nie kojarzę.

– A Białego?

– W wojsku było wielu Białych. Na osiedlu, gdzie mieszkałem jako dzieciak, też ich nie brakowało. To popularna ksywa.

– Ten handlował narkotykami.

– Nie popieram takich używek.

Prowadzący okazuje woreczek z marihuaną i etui zawierające kokainę.

- Zabezpieczone w pana samochodzie.
- Ja nie mam samochodu.
- A biały range rover evoque?

Prowadzący podaje numery rejestracyjne.

- Kolega pożyczył mi ten wóz, bo współczuł mi po śmierci syna. Nie wiem, do kogo należy.
- Jak nazywa się ten kolega?
- Wolałbym nie mówić.
- Dlaczego?
- Bo obiecałem.
- Komu i kiedy?
- Mówiłem już. Zaraz po tym, jak zmarł mój syn.
- Auto jest własnością banku i jest regularnie spłacane. Tak się składa, że na dokumencie dostarczonym przez firmę leasingową widnieje nazwisko Rajmunda Rejmana. Nadal twierdzi pan, że nie zna pan Japy?

W tym momencie przesłuchanie przerwano, ponieważ świadek rzucił się na prowadzącego i wymagał obezwładnienia.

***

Przesłuchanie Bożydara Tepera z dnia 9 styczeń, godzina 17.10
Prowadzący: podkomisarz Antoni Połeć, przy współudziale Huberta Meyera, młodszego inspektora w stanie spoczynku, za zgodą przełożonych (dokument w aktach)
Nadzoruje i uczestniczy: prokurator Weronika Rudy
Protokół: sierżant Rudolf Fizyta

- Wie pan, do jakiej sprawy został pan wezwany?
- Niezbyt.
- Czy zna pan Sławomira Srokę?
- To mój pacjent?
- Nie wiemy.
- Wczoraj na prośbę policji asystentka przesłała listę wszystkich moich dotychczasowych pacjentów. Dziś dostałem wezwanie. Czy to ma związek?
- Możliwe. Proszę odpowiadać na pytania, nie główkować.

– Ma pan zdjęcie? Pracuję w branży od ponad czterdziestu lat, więc parę osób przez mój gabinet się przewinęło. A jeszcze szpitale, przychodnie, wolontariaty... Nie mam pamięci do nazwisk, ale do historii ludzkich i twarzy – tak. Zdjęcie bardzo by pomogło.

Prowadzący okazuje zdjęcie Sławomira Sroki.

– Coś mi się kołata. Czy to nie ten facet, któremu zabito syna w zamku?

– Zna pan tego człowieka?

– Jeśli to ten wojskowy, to kojarzę, ale obawiam się, że nie będę przydatny. Był u mnie raz czy dwa. Miał straszliwą historię do przepracowania. Zabił na wojnie kobietę z dzieckiem, a potem zdezerterował. Wydalili go z wojska, nie miał gdzie się podziać.

– Kiedy odbyły się te sesje?

– Przed laty. Rejestruję wszystkie i z pewnością zostały zarchiwizowane. Mogę je dostarczyć. Powtarzam raz jeszcze: nie wiem, czy będą pomocne.

– Ocena należy do nas.

– Chodzi o to, że podczas pierwszej sesji nie udało się nam nawiązać kontaktu. Pacjent w kółko płakał. Zdziwiłem się, że wrócił. Ta druga sesja odbyła się trzy miesiące później i trwała kilka minut. Rzucił się na mnie, był agresywny... Musiałem wezwać ochronę, żeby go wyprowadzili. Na trzecią nie przyszedł.

– Jak pan sądzi, dlaczego?

– Podczas drugiej wykrzyczał, że jest zły i się z tym pogodził. Inaczej musiałby ze sobą skończyć.

– Miał na myśli samobójstwo?

– Tak to zinterpretowałem. Wtedy dopiero zaczęto mówić publicznie o PTSD i innych zaburzeniach posttraumatycznych.

– Nie myślał pan o nim? Nie próbował mu pomóc? Nie obawiał się pan, że będzie go pan miał na sumieniu, jeśli dokona zamachu na swoje życie?

– Gdybym za każdym razem przejmował się takimi groźbami, sam dawno trafiłbym do czubków. Muszę dbać o higienę pracy. Pamiętam, że byłem z tym dylematem u superwizora. Polecił mi zapisać się do klubu myśliwskiego. I tak zrobiłem.

– Pomogło?

– Nadal pomaga.

– Za każdym razem odwiedza pan swojego superwizora?

– Raz na kwartał. Ale często poluję.

– Ten pacjent był tylko dwa razy. Co pana skłoniło do przyśpieszenia własnej terapii?

– Nie każdy pacjent wymachuje mi przed nosem bronią.

– Groził panu?

– Mówiłem już. Płakał. Z lufą w ustach. Nie miałem pewności, czy nie wymierzy do mnie.

– Nie zgłosił pan tego?

– Nie. Zdecydowałem trzymać się od niego z daleka.

– Często boi się pan swoich pacjentów?

– To był jedyny taki przypadek w mojej karierze. A jestem również biegłym sądowym.

– Jak to możliwe, że nie zapamiętał pan jego nazwiska?

Świadek odmówił odpowiedzi na to pytanie.

***

Przesłuchanie Margot Karlikowej z dnia 9 styczeń, godzina 18.30
Prowadzący: podkomisarz Antoni Połeć, przy współudziale Huberta Meyera, młodszego inspektora w stanie spoczynku, za zgodą przełożonych (dokument w aktach)
Nadzoruje i uczestniczy: prokurator Weronika Rudy
Protokół: sierżant Rudolf Fizyta

Świadek została pouczona o przysługującym jej prawie do odmowy zeznań.

– Korzystam z tego prawa i nie będę odpowiadać.

Na tym protokół zakończono.

***

Przesłuchanie Tomasza Domańskiego z dnia 9 styczeń, godzina 21.30
Prowadzący: podkomisarz Antoni Połeć, przy współudziale Huberta Meyera, młodszego inspektora w stanie spoczynku, za zgodą przełożonych (dokument w aktach)

Nadzoruje i uczestniczy: prokurator Weronika Rudy
Protokół: sierżant Rudolf Fizyta

– Kiedy i w jakich okolicznościach utracił pan pistolet służbowy Glock kaliber 9 mm, własność białostockiej komendy Policji?
– To był rok 1999 albo 2000. Zaraz po sylwestrze. Byliśmy na szkoleniu z kryminalistyki w Pile. Był ze mną wtedy mój szef. W koszarach kilku kadetów rozkręciło bibkę. Był alkohol i zapiekanki z Misia. To taki bar na placu pod Szkołą Policji. Każdy zaczął się chwalić, przy czym pracował. Bandyci mieli mniej więcej tyle lat co my. To była nasza mała wojenka. Wiedziałem, że wśród nas jest kret. Oficer wyższy ode mnie rangą donosił brygadzie z Wołomina, ale nie miałem dowodów. To on rzucił pomysł, żeby iść postrzelać. Wszyscy temu przyklasnęli. Jak powiedziałem, byliśmy zdrowo wypici. Żeby uniknąć rozlewu krwi, schowałem giwery w zamrażalniku.
– Zgodzili się?
– Udałem, że idę po wódkę.
– Co było dalej?
– Poszliśmy do parku. Chłopaki zorientowali się, że nie ma broni, dopiero na miejscu. Trochę się poszarpaliśmy, wróciliśmy do koszar i znów wypiliśmy. Kiedy rano wytrzeźwiałem, mojego glocka nie było. Wróciłem do domu i powiedziałem, jak było. Jeden z moich zwierzchników poszedł mi na rękę i żeby nie robić bagna w papierach, wpisał, że broń została skradziona, a sprawców nie znaleziono. Przez lata sprawa była martwa.
– Nazwisko zwierzchnika.
– Wolałbym nie podawać.
– Nazwiska uczestników libacji?
Świadek odmówił udzielenia odpowiedzi.
– Czy donosicielowi udowodniono winę?
– Do dziś są chłopcy, którzy zbierają dowody.
– Pan do nich należy?
– Jeszcze nie oszalałem. Facet jest obecnie wysoko na stanowisku. To nie ma prawa wyjść.
– Ilu was było na tej libacji?

– Sześciu ze mną.

– Potwierdzą pana słowa?

– Nie sądzę, bo nie zamierzam ich wydać.

– Zdaje pan sobie sprawę, że z tej broni zastrzelono człowieka?

– A tak się stało?

– Jeszcze rok temu pracował pan w policji. Z pewnością służbowe kontakty jeszcze nie wygasły.

– Cieszę się emeryturą i odpoczywam. Teraz najważniejsza jest dla mnie rodzina.

– Pracował pan nad sprawą niejakiego Rajmunda Rejmana?

– Kojarzę nazwisko z mediów. Nie prowadziłem żadnego śledztwa, w które byłby zamieszany.

– Ale zajmował się pan przestępczością zorganizowaną?

– Byłem szefem kryminalnego. Nigdy nie pracowałem w PZ.

– W swojej karierze był pan oddelegowywany do spraw spoza swojego regionu?

– Czasami zdarzały się odpryski. Wtedy pomagaliśmy. Głównie w stolicy.

– W Katowicach też?

– Tak.

– Co pan robił w dniu 16 lipca ubiegłego roku?

– Byłem z żoną na działce. Jak przystało na emeryta, kopałem grządki i intensywnie odbudowywałem swoje małżeństwo nadszarpnięte przez pracę w policji.

– Tak dobrze pamięta pan ten dzień?

– Nie różnił się od innych z tego okresu. Wyjechaliśmy z miasta po zakończeniu roku szkolnego i wróciliśmy 26 sierpnia.

– Był pan sam?

– Z żoną i dziećmi.

– Nie opuszczał pan działki?

– Wyjeżdżałem tylko po zakupy. Sklep znajduje się w tej samej miejscowości, więc to tak, jakbym był na miejscu. Możecie przesłuchać ludzi z naszej wioski. Z pewnością chętnie opowiedzą, jakim jestem mistrzem w podwiązywaniu pomidorów.

***

Wybiła piąta nad ranem, a pokój Polcia spowijały smugi dymu. Weronika miała podkrążone oczy, podtrzymywała podbródek dłonią, żeby nie zasnąć na siedząco. Hubert po raz kolejny odtwarzał fragmenty przesłuchań, przekładał kartki.

– Zostaw. Tutaj nie ma żadnej łamigłówki – powiedział Połeć. – Straciliśmy kupę czasu.

Wstał, zaczął się zbierać do domu.

– Nie uważam tak – zaoponował Hubert. – Mamy masę nowych danych.

– To sobie główkuj. Ja idę. – Spojrzał na prokuratorkę. – Tobie też radzę, prześpij się. Od jutra zaczynamy od nowa. Chyba że zmieniłaś zdanie.

Podniosła się.

– Będę. Na którą?

– Dziesiąta. Po odprawie. Nie powinnaś sama prowadzić. Powiem dyżurnemu, żeby cię odwiózł. Jeśli nie będzie gorączki, zgarnie cię też rano.

– Już jest rano – odparła, ziewając. – Wezmę taksówkę. Albo Hubert mnie podrzuci. – Spojrzała na Meyera.

Miał minę, jakby wybili go z głębokiego snu. Z ociąganiem odłożył protokół.

– Mnie jutro nie będzie.

– O, to jakaś nowość. – Wera ożywiła się. – Najpierw walczysz jak ranny lew o dopuszczenie cię do przesłuchań, a teraz cofka?

– Zbiorę to, co jest, i popracuję po swojemu.

– Jak chcesz – zgodził się Połeć. A potem spojrzał na Weronikę. – Postawisz mu zarzuty?

– Sroce?

– Nikogo innego nie mamy.

– Żona dała mu alibi. Siedziała pół nocy na korytarzu – zaczęła i przerwała. – Adeli mu nie udowodnię, ale z Trudką i synem można spróbować poszlakowo. Choć też ostra gimnastyka. Boję się, że to padnie, zanim siądę do aktu oskarżenia. Chyba że jutro coś z niego wyciśniesz. Na przykład przyznanie do winy.

– Nie wyciśniecie go – wtrącił się Meyer. – To nie on.

– Pasuje do profilu – zaoponował Połeć. – Militaria, wiek, organizacja, doświadczenie w zabijaniu. Ma motyw. Mógł być we wszystkich tych miejscach. I ta historia z zakonnicą z poprawczaka... Klient spina wszystkie sprawy. Wystarczy, żeby się przyznał. Resztę dopasujemy.

– Nie radziłbym – ostrzegł go Meyer. – Będzie tylko dużo hałasu, a jeśli dojdzie do procesu, jeszcze większa kompromitacja.

Nikt go nie słuchał.

– Mamy jeszcze dobę – powiedziała Wera. – Postarajmy się coś znaleźć.

– Puściłem ludzi w miasto. Zbierają dane o Sroce. Może coś wypłynie.

Połeć podszedł do komputera, wylogował się. Zgasił lampkę na biurku.

– Chciałbym jutro dać coś Pierwszemu. Bardzo na to czeka. Biuro prasowe na niego naciska.

– Nie bardzo mamy co.

– Myślałem o Japie.

Wera włożyła kurtkę, czapkę. Zapakowała swoje papiery do aktówki.

– To wygląda już lepiej – odparła. – Chociaż wolałabym nie mieć w protokole tej hucpy z giwerą w zamrażalniku.

– Po co to powiedział? – zdziwił się Połeć. – Pojebało go?

– Żeby się uwiarygodnić – mruknął Meyer. Też był już gotowy do wyjścia. – Klasyk gatunku. Wszyscy po pijaku chowaliśmy broń do zamrażarki. Ty nie?

– Nie – żachnął się Połeć. – I czy cały kraj musi od razu wiedzieć, jak bawiliście się za młodu z gangusami?

– To nie ujawniaj tego przed krajem – prychnął Meyer i spojrzał na rozbawioną Weronikę.

– Od tego wszystkiego zachciało mi się browara. Zimny porter w ciężkim kuflu... – westchnął Połeć i pstryknął światło.

Za oknem było całkiem jasno.

Część 3
Dziecko Polheimerów

Dzień jedenasty
10 stycznia 2021 – niedziela

Dzień był szary i ponury. Hubert spał tylko kilka godzin, ale obudził się z jasnym umysłem. Wziął zimny prysznic i z jeszcze wilgotnymi włosami zszedł do auta. Na stacji kupił kawę, kanapkę, a potem pojechał nad Brynicę.

Zatrzymał się jak najbliżej miejsca, w którym znaleziono torebkę Adeli, i zapatrzył się w toń. Przymknął oczy, by lepiej wczuć się w sytuację ofiary. Już wiedzieli, że nad rzekę siedemnastolatka poszła ze Sroką. To miał być zwykły spacer. Może nawet w jej mniemaniu zdarzenie romantyczne. Wcześniej kilka razy uprawiali seks w aucie. Dlaczego Sroka odjechał i zostawił dziewczynę nad Brynicą? Pokłócili się? Z pewnością, skoro oddała mu pierścionek. Sróka zaprzeczał, ale jest porywczy i łatwo wpada w złość. To, jak potraktował Polheimera, ukazywało dobitnie, że jest zdolny do agresji z błahego powodu. Żonę tłukł od lat. Bała się go. Możliwe, że alibi zapewniła mu ze strachu. Kłamał, że był po wielu misjach. Tak naprawdę na wojnie spędził dwa miesiące i wrócił jako morderca. Sprawę zatuszowano, ale był to jeden z głównych punktów profilu: poszukiwany sprawca ma doświadczenie kryminalne.

Z pozoru wszystko do siebie pasowało. Hubert był pewien, że Połeć będzie naciskał na Werę, by postawiła Sroce zarzuty dokonania wszystkich trzech zbrodni. Fakt, że wypłynęła też sprawa Japy, sytuacji byłego żołnierza nie poprawiał. A jednak Meyer nie wierzył, że to on. Ślad daktyloskopijny, który zabezpieczyli na końcówce kabla telekomunikacyjnego, nie należał do ojca, lecz do syna. Drugiego palca jeszcze nie zidentyfikowano. Nikt nie rozumiał obecności spermy trupa w pochwie Adeli. Dlaczego sprawca zawijał dziewczynom głowy i strzelał z przyłożenia? Jedną zaatakował od tyłu, drugiej strzelił w twarz. To wskazywało na odmienne emocje wobec obu kobiet. I jedną, i drugą wykorzystał seksualnie, ale tylko z Trudką użył prezerwatywy? Rozwija się czy wyjaśnienie jest inne? Jakie? Dlaczego ojciec miałby zabijać syna i pozorować wypadek?

Meyer był jednak przekonany, że wszystkich zbrodni dokonał jeden człowiek. Mężczyzna, który ma powiązanie z zamkiem w Mosznej. Pomagała mu kobieta. Może nawet obie: Adela i Trudka. Zabił je, by go nie ujawniły. Najpierw jednak wszedł w konflikt z Arturem. To dlatego chłopak zginął jako pierwszy. I ta sprawa, zdaniem Meyera, była kluczem do rozwiązania zagadki.

– Kim jesteś? – powiedział na głos. – W jakiej sytuacji lub sprawie braliście udział wszyscy? Co ukrywasz? Czego się boisz? Kogo chronisz? I kto jeszcze ci zagraża?

– Wiedziałam, że cię tu znajdę – usłyszał i odwrócił się zaskoczony.

Weronika stąpała ostrożnie. Na nogach miała zamszowe kozaki na szpilce. W dłoniach papierowe kubki z kawą.

– Widzisz, jeśli komuś zależy, gotów jest poświęcić obuwie. Uśmiechnął się. Pośpieszył jej na powitanie.

– Nie musisz się tak poświęcać. – Upił łyk. – Pamiętałaś, że nie słodzę?

Wyjęła garść cukru z kieszeni.

– Nie byłam pewna, więc się zabezpieczyłam.

– Sprytnie.

Wrócili do aut. Zaparkowała zaraz za nim. Nie wsiedli jednak do samochodów. Stali oparci o bmw Wery, gdyż był czyściejszy, i palili.

– Nie skorzystałaś z oferty dyżurnego?

– Zanim tu przyjechałam, byłam już w komendzie.

– Coś nowego?

– Liczyłam, że Trudka była w ciąży z tym Sroką, który nas interesuje. Z seniorem. Wpadło mi to w nocy i nie mogłam zasnąć. Te kilka plemników wiele by ułatwiło.

– Niestety nie?

– Widać to młody miał materiału genetycznego w nadmiarze.

– Rozmawiałaś z kimś mądrym o tej spermie?

– Trupa?

– Pierwszy raz słyszę o czymś takim.

– Wszystkie koncepcje są absurdalne – zgodziła się Wera.

– Włącznie z domowym in vitro. Albo że Trudka była płatnym brzuchem.

Hubert podniósł brew, jednocześnie się krzywiąc.

– Oho, znów wracamy do Polheimera.

– Nie tylko Sylwia z Klemensem chcieliby mieć dzieci, a nie mogą. Na przykład moje znajome lesbijki.

– Zabiły kogoś dla słoiczka spermy?

– Czasami wystarczy poprosić.

– Albo zapłacić.

– One akurat mają najlepszego kumpla geja. Nie miał żadnych oporów. Zrobił im prezent na Gwiazdkę.

Werka dopiła swoją kawę i sięgnęła do auta po bułeczki z makiem, na których widok Hubert wybuchnął śmiechem.

– Zawinęłaś z koszyczkiem?

– Trochę sczerstwiały, ale wciąż trzymają fason. Częstuj się.

Hubert wziął od razu dwie.

– I zaszły?

Werka nie odpowiedziała natychmiast, bo usta miała wypełnione pieczywem.

– Za którymś tam razem. Chyba przy siódmym słoiczku.

– Sławomir Sroka jest raczej płodny. Poza Arturem zostało mu jeszcze czworo dzieci.

– A jeśli nie zakochał się w Adeli, jak zeznaje, tylko roztoczył nad nią tak zwaną opiekę? Jak alfons nad dziwką. Ukraińskie surogatki za urodzenie dziecka biorą po czterdzieści tysięcy euro. Te bez rekomendacji po trzydzieści. Całkiem niezły biznes dla bezrobotnego wojaka mordercy.

– Może dziecko jest kluczem?

– Rudolf Fizyta na zlecenie Polcia przeszukuje teraz agencje surogatek. Moim zdaniem to zbyt fantastyczne, ale i tak cisną, żebym postawiła zarzuty Sroce. Wszystkie cztery.

– I postanowiłaś przejechać się nad rzekę, żeby to przemyśleć? Skinęła głową.

– Waham się. To będzie medialna bomba.

– Nadal nie wiemy, co łączyło tych troje – powiedział Hubert. – Może właśnie dziecko? Ale czyje?

– Czy to takie ważne? Wszystko przez Trudkę. Helenę Trojańską z Mosznej.

– Z tym się zgodzę – przyznał Hubert. – Choć nie wiem, czy to opowieść o niej.

– A o kim? Adela nie bywała nawet w zamku. Poza seniorem Sroką nikt jej nie znał. I tylko on pasuje do twojego profilu. W woju miał ksywę Boku. Nie bez przyczyny tak go nazywali. Pokazał wiele razy, że jest agresywny, nieobliczalny. Poza tym to doświadczony morderca.

– Nie widział, do kogo strzela. To przede wszystkim żołnierz.

– Były. Właśnie z tej przyczyny.

– Zapytaj o wspomnienia z misji pierwszego z brzegu najemnika, a opowie ci o takich rozkazach, że nasza robota wyda ci się bajką. Sadzą trupy warstwami. Działają na rozkaz. Nie ma w tym nic osobistego.

– Litujesz się nad nim? – oburzyła się Wera. – Czy popierasz romanse żonatych zgredów z nastolatkami? Kiedy się spiknęli, Adela miała siedemnaście lat. To czyn zabroniony. Była tylko rok starsza od małej Karlikówny.

– Nie twierdzę, że tych kilka cech nie pasuje. Ale mogą też pasować do kogoś innego. Po prostu zwracam uwagę, że reszta śladów się nie zgrywa, a wy nie chcecie tego widzieć. Jak zamierzasz mu udowodnić resztę?

– Jeśli dobrze to ustawię, łańcuch poszlak sam się domknie.

– To jak to, według ciebie, wyglądało?

– Młody Sroka uwodzi Trudkę. Nie jest to trudne. Nastolatka nie ma kontaktu z rówieśnikami, a dojrzewa, rozpaczliwie chce mieć chłopaka. Ćpają, robią ten żenujący włam, zwiewają.

– Nie wiemy, czy uciekli ze strachu – wtrącił Hubert. – Polheimer sprawy kradzieży nie zgłosił. Nie było żadnego śledztwa. Poza ludźmi z zamku nikt nic nie wiedział. A może opowiedziała mu o swoim ojcu i razem go szukali? Byli zakochani i mieli tylko siebie? W tym wieku ludzie są jeszcze romantyczni. Może nie było żadnego gwałtu, a tylko matka Trudki chciałaby to tak przedstawiać? Pamiętaj, że Margot była kiedyś wierząca. Tak bardzo, że zwiała na drugi koniec kraju z wikarym. Może wygodniej jej wejść w martyrologię ofiary, niż przyznać, że młodociana córka uprawia satysfakcjonujący seks z ubogim kolegą. Nie znosiła starego Sroki. Nie chciała go na teścia.

– Może masz rację – przerwała mu Wera. – Ale wszystko, co powiedziałeś, jest hipotetyczne. Ja mówię ci, co mam na papierze, w zeznaniach i dowodach. A to mi się składa na kompletny łańcuch. Więc matka dziewczyny wścieka się, zmusza ją do zgłoszenia gwałtu. Wyciąga z poprawczaka. Stary Sroka nachodzi dziewczynę, żeby zeznanie wycofała. Gertruda jest pod silnym wpływem matki. Boi się albo nie chce znów się jej sprzeciwiać. Unika faceta, wysyła na rozmowy koleżankę. To Adela. Tych dwoje jest z jednej gliny. Nawiązują romans. Adela nie może go ujawnić, bo gra dobrą koleżankę, a Sroka jest ojcem gwałciciela.

– A jeśli tylko przed matką udawała, że zerwała z chłopakiem? A tak naprawdę rozstanie wzmocniło ich więź?

– Nawet bardzo, skoro zaszła w ciążę.

– Przypominam ci, że w poprawczaku była jeszcze dziewicą.

– Ale już załatwiała sobie antykoncepcję. I to by się zgadzało z wiekiem płodu. – Wera trzymała się swojej wersji. – Tak czy owak, młodzi byli ze sobą w kontakcie intymnym. Kiedy ginie Artur, Trudka jest w połowie trzeciego miesiąca. Mogła się dopiero zorientować. Powiedziała mu, dochodzi do afery. Może to jest właśnie ta tajemnica, która ich łączy. Dziecko.

– Wtedy to Margot miałaby motyw, żeby zabić Artura.

– No nie wiem. Nasz wojak mógł zareagować gwałtownie. Może to nie była premedytacja? Wiesz, dopiero co były z Arturem kłopoty, ledwie ojciec go z nich wyciągnął. Już myślał, że wszystko się uspokoiło, a tutaj nagle ciąża. Może to właśnie z tego powodu Polheimer wypowiada im pracę i każe się wynosić. Ojcował Trudce, mógł chcieć pozbyć się ojca bękarta, a małą wysłać do Czech na skrobankę. Zamierzamy go na tę okoliczność jeszcze raz przesłuchać. Artur ginie, ale Trudka podstępem zawiadamia Długosza, żeby kochasia ratował. Ten go przejeżdża. Masz swój sekret. Dziewczyny nie chcą milczeć, ale się boją. Po piętach depczemy im my, więc jak pękają, Sroka je po kolei usuwa. Pozoruje przestępcę seksualnego, żeby wrzucić śledztwo na lewe tory. Pech chciał, że z tej samej broni zastrzelił kiedyś Białego.

– Gdzie jest ta broń? Przeszukanie było ostre. Znaleźli nawet pierścionek Adeli. I marychę.

– Facet wyleciał z zamku z hukiem. W jeden dzień musiał zabrać cały dobytek. Jego dubeltówki są nadal w szafie pancernej Polheimera. Wanada mógł ukryć gdzieś w Mosznej. Myślę, że tam jest od cholery kryjówek. Przecież nie trzymałby broni, z której strzelił Białego, a może i innych, na widoku?

– Dlaczego zgwałcił Trudkę?

Weronika się zawahała.

– Inscenizacja.

– Wystarczająco się napracował z workiem i taśmą. Mógł zrobić to reprezentantem.

– Może zrobił? Wiemy tylko, że użył prezerwatywy.

– Biegli to wykluczyli. Została zgwałcona. To przestępca działający z motywu seksualnego.

Przyjrzała mu się.

– Nie mówiłeś tego wcześniej.

– Teraz mnie naprowadziłaś. Ale to nie gwałt daje mu satysfakcję, tylko masakrowanie twarzy. Dlatego zmienił modus operandi.

Oddalił się, obszedł samochody. Kiedy wrócił, mówił szybko, lecz spokojnie.

– Pierwsza zbrodnia to był afekt. Wypadek przy pracy. Katalizator. Motyw był osobisty i, masz rację, związany z Trudką. A raczej z jej nienarodzonym dzieckiem. To ono jest tutaj Heleną Trojańską.

***

Erwin Długosz z trudem wypakowywał z samochodu narzędzia, które przed chwilą przywiózł z zamku, a orteza na nodze nie pomagała. Pochylił się, by wyciągnąć ostatnie skrzynki, kiedy zobaczył czubki znoszonych sztybletów, a potem usłyszał głos:

– Pokażę panu jedno zdjęcie. Niech pan nie zastanawia się nad odpowiedzią.

Meyer podsunął mu pod nos telefon.

– Ta goła kobieta z parku, o której pan opowiadał na konfrontacji, to ona?

Erwin pochylił się. Przyjrzał się dokładnie, a potem powoli skinął głową.

– To ją wyłowili z rzeki? – zainteresował się.

– Niech pan o nic nie pyta – upomniał go Hubert. – Jest pan absolutnie pewien?

– Rzadko zdarza mi się oglądać półnagie dziewczęta w parkach. Może trudno w to uwierzyć, że starałem się patrzeć na jej twarz...

– Powtórzy to pan w sądzie? To bardzo ważne.

– Tak, powtórzę. To ona była wtedy z Arturem Sroką – potwierdził inżynier. – Biedna dziewczyna... Czytałem, że mają już sprawę. To ten wojskowy, który mi groził... Dziś postawiono mu zarzuty.

Rozległ się pisk opon i Długosz pojął, że ostatnią frazę wypowiedział do siebie. Natychmiast wszedł na pierwszy lepszy portal informacyjny i poszukał wiadomości o sprawie Sławomira Sroki zwanego Boku. Z satysfakcją przeglądał materiały, bo ci sami internauci, którzy jeszcze kilka dni temu stali murem za dzielnym wojakiem i zbolałym ojcem, teraz odsądzali go od czci i wiary. Żółć trolli wylewała się z każdego komentarza. Dla społeczności wirtualnej dowody w sprawach zabitych nastolatek nie miały znaczenia. Wystarczyła pogłoska, że Sroka należał do gangu niejakiego Japy, którego osobiście zastrzelił.

Długosz od dawna nie czuł się tak lekko i postanowił, że na dzisiejszej sesji u Tepera pierwszy raz nie będzie milczał.

***

Kancelaria Żakowska & Winckler i Wspólnicy mieściła się przy ulicy Andrzeja, kilka minut piechotą od sądu okręgowego. Była to jedyna nowoczesna plomba wśród zabytkowych kamienic w Katowicach. Meyer zaparkował na zakazie. Na desce rozdzielczej położył plakietkę z napisem „Policja", choć wątpił, by powstrzymało to strażników miejskich przed wlepieniem mu mandatu, ale nie miał czasu szukać parkometru. U wejścia zderzył się z zamaskowaną matroną, która podsunęła mu do podpisania oświadczenie covidowe, a potem skrupulatnie wpisała jego dane do komputera.

– Ma pan nakaz?

– Sądzi pani, że gdyby tak było, ukrywałbym tę wiedzę przed panią?

Niczego nie zdołał wyczytać z jej oczu. Okulary miała całkiem zaparowane. Nie wierzył, że cokolwiek przez nie widzi, choć jego nazwisko spisała prawidłowo.

– Jeśli nie był pan umówiony, słabo to widzę.

Uśmiechnął się i podał jej chusteczkę. Spojrzała na niego jak na wariata.

– Mecenasi pracują głównie zdalnie – kontynuowała jednostajnym tonem. – Rzadko kto pojawia się w firmie. A szefowa wcale. Wszyscy pracują zdalnie.

– Nie oczekuję cudu. Starczy, że zostawi pani wiadomość komu trzeba.

Przesunął zaklejoną pękatą kopertę i usiadł na skórzanej sofie przed wejściem. Wzięła pakunek do rąk, nie okazując zaciekawienia, ale widział, że po drodze obmacała paczkę, starając się odgadnąć zawartość.

– Proszę uważać, by się nie pokaleczyć.

– Gdybym nie znała pana nazwiska z telewizji, wcale bym tego nie zaniosła.

Na chwilę wyszła z roli bezdusznej maszyny i zdało mu się, że uśmiechnęła się pod maską.

– To znaczy, że mogę liczyć na kawę?

Parsknęła w odpowiedzi i wskazała automat Nescafé.

– Nie mam drobnych.

– Woda w dystrybutorze jest darmowa – rzuciła na odchodne, zanim z ciężkim sapaniem powlokła się na górę.

Hubert zastanawiał się, jaki sens w dzisiejszych czasach ma anons bezpośredni, skoro są telefony i mejle, ale udał potulnego petenta. Odczekał kilka sekund, zanim kroki kobiety przestały być słyszalne, i stanął za jej kontuarem. Za komputerem dostrzegł przyklejoną karteczkę z telefonami wewnętrznymi oraz listą nazwisk pracowników. Nie było ich wiele. Niestety nie podawano piętra ani numerów pokoi. Przeleciał wzrokiem te kilkanaście nazwisk, lecz nie odnalazł tego, którego poszukiwał. Sprawdził inne karteczki poprzyklejane do blatu. Wiedział, że sekretarka zaraz wróci i jeśli go tutaj zastanie, mimo całej sympatii, jaką mu okazała, poradzi mu, by jak najszybciej opuścił budynek. Chwycił więc słuchawkę i wykręcił pierwszy z brzegu wewnętrzny. Nikt nie odebrał, więc spróbował z następnym. Tym razem w słuchawce usłyszał głos osoby wiekowej.

– Mecenas Żytkiewicz, słucham.

– Przesyłka dla Aleksandra Gradziego.

– Znowu? – Mężczyzna po drugiej stronie wyraźnie się zirytował. – Proszę zostawić w recepcji.

– Nikogo tu nie ma.

– Więc kto ci to zabierze, człowieku? Od marca ubiegłego roku poza wami nie wpuszczamy ludzi. Sekretarka Olkowi przekaże. Nie mam czasu.

– Wymagany jest podpis – wciął się Meyer, czując, że stary adwokat zaraz odłoży słuchawkę. – Pan mi pomoże, bo przyjeżdżam już trzeci raz i przestaje mi się to opłacać.

– Dzwoń pan pod trzysta dwadzieścia dwa albo sam go szukaj. Nie zawracaj mi głowy.

Hubert skierował się do wind i dopiero pojął, dlaczego sekretarka nie wybrała tej drogi. Były nieczynne. Pewnie ze względu na oszczędności. Wahał się, bo nadal nie wiedział, na które piętro powinien się wspiąć. Jeśli zderzy się z wracającą sekretarką, jego plan zaskoczenia Gradziego runie, a nie widział innych schodów. Poza tym niepokoił go fakt, że Olka nie ma na liście pracowników kancelarii. Czyżby kłamał?

Wreszcie w kilku susach pokonał pierwsze i drugie piętro. Na trzecim, w głębi korytarza, dostrzegł dwie osoby. Jedną z nich była sekretarka z dołu. Ukrył się więc w pierwszych lepszych drzwiach, które się otwierały. Jak się okazało, była to damska toaleta. Na wannie leżały sole kąpielowe, a na stoliku obok bidetu pysznił się wielki rozłożysty kwiat. Hubert z konieczności kontemplował chwilę różnice między łazienkami w komendach i w kancelariach prawnych, gdy usłyszał kroki. W ostatnim odruchu zdołał przekręcić zamek. Ktoś szarpnął kilka razy za klamkę, a potem odszedł. Nie mogła to być wiekowa sekretarka z dołu, bo ta osoba chód miała lekki i energiczny. Meyer poczekał, aż wszystko ucichnie, a potem wyjął komórkę, zmienił ustawienia prywatności i zastrzegł wyświetlanie własnego numeru. Wykręcił telefon Gradziego z wizytówki. Rozległa się habanera Carmen w wykonaniu Conchity Wurst. Zaraz jednak muzyka umilkła, a Hubert dostał powiadomienie, że połączenie zostało odrzucone. To wystarczyło profilerowi, by odnaleźć właściwe drzwi.

– Wiedziałem, że wrócisz – powitał go w progu Gradzi.

Był dziś w brązowym sweterku i kraciastych spodniach. Na stopach miał lakierowane mokasyny bez skarpetek. Wyciągnął w kierunku Meyera przesyłkę, którą dostarczyła sekretarka.

– Po co tyle kombinacji?

Hubert się skrzywił.

– Od kiedy to jesteś Zuzanną Żakowską?

– To miało być sprytne?

Olek wrzucił otwarty pakunek do kosza.

– Żadnej notki, połamana płyta. Liczyłeś na jakiś profit za ten anonim?

– Coś sprawdzałem.

– I jak poszło?

– Bardzo dobrze. – Meyer nie zdołał powstrzymać uśmiechu. – Myślisz, że masz tutaj własny folwark?

– Jeśli potrzebujesz nowego nagrania, to muszę cię zmartwić. Już nie istnieje. Niektóre pociągi odjeżdżają bezpowrotnie.

– Skasowaliście nagranie, bo Sroka siedzi w areszcie i mógłby być niewygodny, gdyby na jaw wyszło, że pracował dla was?

– A niby w jakim charakterze?

Gradzi tak dobrze udał zdziwienie, że gdyby Meyer nie rozmawiał z nim osobiście, byłby skłonny mu uwierzyć.

– To nic by nam nie dało. – Wskazał śmietnik. – Napastnik jest zamaskowany, a kurtkę ciecia każdy mógł wciągnąć na grzbiet. Także ty.

– Bardzo zabawne. – Prawnik wydął wargi. – Czy to miała być groźba? Jeśli tak, nie wyszło.

– Lubisz przebieranki?

Gradzi skrzywił się z pogardą.

– Oglądałeś *Psychozę*? – Meyer dopiero zaczynał się bawić. – Ten gość też miał pokoik martwej mamusi. Trzymał mumię na fotelu i bardzo o nią dbał. Sorry, spaliłem zakończenie, ale nadal warto zobaczyć dla sceny z prysznicem.

– Jesteś zdrowo pojebany, wiesz?

Hubert w odpowiedzi rozsiadł się na kanapie.

– Dlaczego nie ma cię na liście u groźnej pani na dole? Tak się właśnie zastanawiałem…

– Radziłbym się zatrzymać na tym zdaniu, bo dalsze wyznania mogą podlegać karze grzywny.

– Ty mi się spowiadasz, więc pomyślałem, że się odwdzięczę.

– Nie interesują mnie twoje grzeszki.

– A mnie twoje.

To zaskoczyło Gradziego.

– Więc co tutaj robisz?

– Przyjmuję twoje wyzwanie – odparł Hubert. – Chciałeś, żebym poszedł śladem Sroki. Nie musisz zaprzeczać ani podawać przyczyny. Na razie.

– To ty do mnie przyszedłeś. Nie zapraszałem cię.

– Karlikowa nie była twoją kochanką. Jesteś gejem.

Gradzi zaśmiał się nerwowo.

– Bo kąpię się częściej od ciebie i używam perfum?

– Nie poczułem – zapewnił zgodnie z prawdą Hubert. – I lubisz starszych, ale mężczyzn.

Zgodnie z oczekiwaniem Huberta spojrzenie Gradziego było zjadliwe.

– Polheimer – rzekł z satysfakcją Meyer. – To w nim jesteś zakochany.

– Liczysz, że się wścieknę? Zawołam ochronę? Na to liczysz?

– Wiem, że tego nie zrobisz. – Hubert wstał, włożył ręce do kieszeni. – I obstawiam, że nie masz nic wspólnego z zabójstwami. Chciałeś tylko chronić Klemensa.

– To bzdura – oświadczył Olek bardzo spokojnie. A po namyśle dodał: – Nic między nami nie ma.

– Też tak myślę, bo Klemens jest zatwardziałym heterykiem. Skrzętnie jednak żerował na twojej atencji, by załatwiać interesy. Wykorzystywał cię. Wiedziałeś o tym?

– Wykonywałem tylko rzetelnie swoją pracę.

– Oczywiście. By zostać wspólnikiem w kancelarii. Co niedługo się stanie, prawda?

– Na decyzję zwierzchników nie mam wpływu.

– Nie wydam cię – zapewnił Hubert.

– Nie masz niczego, co mogłoby mi zagrozić. Pomówienie o homoseksualizm też nie zadziała. Nie te czasy.

– Nie wydam cię – powtórzył Hubert. – Jeśli rzeczywiście nie masz z zabójstwami Artura, Trudki i Adeli nic wspólnego.

– Czy wyglądam na dewianta?

Hubert przyjrzał się wychuchanemu prawnikowi.

– Żaden z nich nie wygląda jak monstrum. Wręcz przeciwnie. A twoje wręcz przeciwnie jest imponujące.

– Do rzeczy.

– Miałeś oko na Sławomira Srokę i go pilnowałeś. Obiecałeś to Klemensowi. Zanim jeszcze jego syn go pobił. To dlatego zadbałeś o dodatkowe kamery w zamku. By w razie czego mieć ten film. Nie wierzę, że go skasowałeś. Zbyt wiele zachodu cię to kosztowało.

Gradzi tylko prychnął w odpowiedzi.

– Wiem też, że przyjaźniłeś się z Margot i ją pocieszałeś.

– Skoro wiesz już wszystko, po co mnie nękasz?

– Zadawanie pytań to moja praca. Jeśli chciałbym cię nękać, przyjechałbym z odpowiednią ekipą.

– Gdybyś miał na mnie coś konkretnego, już dawno by tu była.

– ...I kajdankami. – Hubert sięgnął do kieszeni. – W tej materii jestem przygotowany.

– Już raz to przerabialiśmy – uśmiechnął się prawnik. – Zadaj swoje pytania i wynoś się. Szkoda mi czasu na pogaduszki z tobą.

– Coś taki w gorącej wodzie kąpany? – przystopował go Hubert. – Na czyje polecenie woziłeś Sławomira Srokę do poprawczaka w Zawierciu? Margot czy Klemensa? A może był ktoś trzeci?

– Nigdy nikogo nie woziłem po poprawczakach. – Gradzi zmarszczył brwi. – W Zawierciu byłem tylko przejazdem. Zajmujemy się majątkiem intelektualnym, ochroną środowiska i sprawami gospodarczymi. Nie mamy spraw związanych z przestępczością nieletnich.

– Przysięgasz na pamięć swojej ciotki Jadwigi?

Olek przyjrzał się poważnemu jak sędzia Meyerowi.

– Moje słowo ci wystarczy? – zdziwił się.

– Przejrzałem akta tej sprawy. To ty zawiadomiłeś policję. Ciotka schowała cię do szafy. Dzięki niej uratowałeś życie. Widziałeś twarz zabójcy. Przeżyłeś piekło przesłuchań, a sprawę i tak umorzono. Tak naprawdę Jadwiga była dla ciebie kimś więcej niż ciotką. Wychowała cię. Masz w sobie wielką siłę, że się po tym pozbierałeś. Dlatego zajmujesz się własnością intelektualną, a nie prawem karnym.

Gradzi strzepnął niewidoczne pyłki ze swojego kaszmirowego swetra.

– Nigdy nikogo nie woziłem po poprawczakach – powtórzył dobitnie. – Mogę to zeznać przed sądem.

– Nie sądzę, by zaszła taka konieczność – odparł Meyer. – Ale gdybyś mógł, nie kasuj jeszcze tego filmu. Chciałbym mieć asa w rękawie, gdyby coś poszło równie źle jak w sprawie twojej ciotki. Ośmiolatka adwokaci mogli zmanipulować, ale wartości nagrania nie podważą. Choćby powstało z zupełnie inną intencją, może być ostatnim ogniwem łańcucha poszlak.

Hubert skierował się do wyjścia.

– Fajne buty. Jak będę chciał kupić ładne pantofle, pomożesz mi wybrać?

– Nie jestem gejem – odezwał się wojowniczo Gradzi.

– To nie grzech – zauważył Hubert. – I dopóki nie płoszysz koni, nikogo to nie obchodzi.

***

– Sprawa rozwiązana?

Sylwia Polheimer postawiła przed Meyerem tacę z porcelanową zastawą i ciasteczkami, a potem usiadła obok męża. Klemens schudł, twarz miał zszarzałą.

– Mamy podejrzanego. Do aktu oskarżenia jeszcze daleko.

– Nie mogę w to uwierzyć – zaczął dyrektor, przesuwając gazety na bok. – Dlaczego on to robił? I jeszcze ten gangster? Kiedy zatrudniałem Sławusia, sprawiał wrażenie skrzywdzonego. Zawsze bardzo mu współczułem.

– Ludzie zranieni są niebezpieczni, bo wiedzą, że potrafią przetrwać – odparł wymijająco Hubert. – A jak państwo sobie radzą?

Spojrzeli po sobie i synchronicznie nabrali powietrza w usta.

– No cóż, ja już cztery dni nie piję. – Sylwia zaczęła pierwsza. – Rozpoczęłam terapię.

– Oboje chodzimy do psychologa – dodał Klemens. – Postanowiłem wspierać żonę i również nie tykam alkoholu. Chcemy zawalczyć o nasze małżeństwo.

– Piękna postawa. – Hubert sięgnął po filiżankę. Upił łyk. – Mogę zadać osobiste pytanie?

Sylwia spięła się, ale Klemens to wyczuł i objął ją ciaśniej ramieniem.

– Chyba wie pan o nas więcej niż my o sobie, więc jedna informacja w tę czy w tę nie zrobi różnicy – oświadczył.

– Badaliście się oboje? Na okoliczność posiadania potomstwa.

Skinęli głowami.

– To moje plemniki są zbyt wolne – odezwał się znów Klemens. – Gdyby Sylwia miała innego męża, piastowałaby już gromadę dzieciaków.

– A jednak pana nie zdradziła?

Hubert świadomie zadał to pytanie dyrektorowi.

– Z tego, co wiem, nie.

– Nie – podkreśliła Sylwia wrogo. Nie podobała się jej ta rozmowa. Była blada na twarzy. Ręce zaciskała na oparciu bankietki, jakby znajdowała się na karuzeli. – Byłam wierna. Choć wiele razy o tym myślałam. Wybacz...

Klemens w odpowiedzi ucałował ją w czubek głowy.

– Sylwia pochodzi z tradycyjnej śląskiej rodziny. Familia jest najważniejsza. Nawet przeprowadzkę do Mosznej traktowali jak wyjazd za granicę. Posiadanie dzieci to obowiązek. W kółko nas dręczyli. Kiedy będziemy mieli wnuki, ile zamierzacie zwlekać, macie już wszystko, brakuje tylko bajtla...

– Wiem dokładnie, o co chodzi. – Meyer pokiwał głową. – A in vitro?

– Próbowaliśmy. Dwa razy. Bez skutku. Nie chodziło o pieniądze. Musiałby być obcy dawca.

– Na to się pan nie zgadzał?

– Już wolałbym adoptować – przyznał Klemens.

– I wtedy przyjechała Margot z Trudką?

– A my zaczęliśmy się od siebie oddalać. – Sylwia spojrzała z wyrzutem na męża. – Jest w tym dużo mojej winy. Piłam tak dużo, że sama nie wiem, czy wykrzesałabym cieplejsze uczucia do jakiegoś obcego dziecka. Przepraszam, że tak mówię...

– Doceniam szczerość – podziękował Meyer. – Pani chciała być w ciąży.

– Można tak powiedzieć.

– Nadal może pani zajść w ciążę?

Spojrzeli na siebie.

– Teoretycznie tak.

– A co by pan zrobił, gdyby dowiedział się pan, że żona jest w ciąży?

– Z kimś innym?

– Tak.

– Nie wiem.

– Nie rozmawialiście o tym?

Zapadła cisza.

Hubert odstawił herbatę, odsunął stolik. Wyciągnął dłoń do Sylwii. Podała mu swoją z wahaniem. Poprowadził ją do okna. Ustawił w pozycji, w jakiej tydzień temu opowiadała o gonitwie na dziedzińcu. Teraz spowijała go mgła.

– Pani była w ciąży.

Sylwia natychmiast wyrwała rękę. Ale nie zaprotestowała.

– Pamięta pani, zapytałem, czyje to okulary. Leżały na sekretarzyku.

Popatrzyła na niego z przestrachem. Klemens był zaciekawiony.

– Obok stał krem na rozstępy. I leżał listek żelaza. – Urwał. – Mam dwójkę dzieci. – Znów się zatrzymał. – Przynajmniej tych, o których wiem. Moja żona też miała niedobór żelaza i praktycznie od początku wcierała w brzuch mustelę.

– O co panu chodzi? – Klemens przyjął obronną pozę. – Nawet jeśli tak było, to nasza prywatna sprawa. Nie sądzi pan?

– Oczywiście – zgodził się Meyer. – Jeśli jednak dawca spermy zmarł w niewyjaśnionych okolicznościach, zmienia to postać rzeczy.

– Co pan sugeruje?

– Mieliście z Arturem układ. – Hubert podszedł do sekretarzyka. Był zarzucony papierami, ale pudełka do badań laboratoryjnych wciąż tam stały. – Ile pełnych pudełeczek wam dostarczył?

– Niech pan stąd idzie!

– Nie zamierzam. – Hubert rozsiadł się. – Dopóki nie dowiem się prawdy.

Sylwia pękła pierwsza. Ukryła twarz w dłoniach.

– Powiedz mu, bo on nie odpuści. Mam już dosyć kłamstw. To nie było nic złego. Po prostu chcieliśmy mieć dziecko.

Klemens wahał się. Był wściekły.

– W końcu się udało – ciągnął Meyer. – Ale pani piła i straciła ciążę.

Sylwia bezgłośnie płakała.

– Wiedziała pani od przyjaciółki, że Trudka jest brzemienna. Margot zwróciła się do pani o pomoc w znalezieniu lekarza, który może wykonać aborcję. Odwiodła ją pani od tego i złożyła propozycję: dziewczyna urodzi, a dziecko wychowacie wy. Tak było?

Sylwia zaczęła szlochać. Klemens ją uspokajał.

– To jeszcze nie dowodzi, że zabiliśmy tego chłopca.

– Nic takiego nie powiedziałem – zdziwił się Hubert. – Staram się tylko ustalić faktyczny stan rzeczy. Tak było?

– Tak! I co z tego?! – ryknął Klemens.

– Młody Sroka nie chciał oddać dziecka. Nie chciał też opuszczać zamku z ciężarną dziewczyną. Już raz uciekli z Trudką i sobie nie poradzili. Wtedy pani Sylwia wpadła na pomysł ze sztucznym zapłodnieniem. Sławomir dostał ultimatum: zostaną w zamku i jeszcze im dopłacicie, jeśli Artur dostarczy odpowiednią partię spermy. Kiedy to zrobił, wyrzucił pan rodzinę Sroków z zamku. Pieniędzy nie zobaczyli wcale. Dla Artura znaczyło to nie tylko tułaczkę, ale też rozdzielenie z dziewczyną. Wtedy pana pobił. Tego też pan nie zgłosił.

W pomieszczeniu zapadła cisza. Sylwia już nie płakała. Siedziała teraz zmartwiała i wyłamywała ręce.

– Jedna rzecz się nie zgadza – odezwała się mimo protestów małżonka. – To była całkowicie moja inicjatywa. Klemens nic nie wiedział.

– Doprawdy?

Hubert jej nie uwierzył.

– Czym zamierzała pani wytłumaczyć mężowi swój stan? Cudem?

Sylwia rozpłakała się.

– Po tych wszystkich zdarzeniach poddałam się. Piłam tyle, że nie byłabym w stanie dojechać do kliniki o własnych siłach. A kiedy zginął Artur, przestraszyłam się nie na żarty. Pomówiłam męża, bo byłam przekonana, że zabił chłopaka, by zapewnić sobie jego milczenie.

Spojrzała na męża.

– Myślałam, że zrobiłeś to dla mnie.

Teraz po twarzy Klemensa płynęły łzy. Kobieta podeszła i wtuliła jego głowę w swoją szczupłą pierś.

– Przepraszam, kochanie.

– To pani zadzwoniła, żeby Długosz przyjechał?

– Byłam w takim stanie upojenia, że nie pamiętam, gdzie i jak zasnęłam. Równie dobrze mógłby mi pan wmówić, że wzięłam nóż i zaszlachtowałam nim Artura. Uwierzyłabym panu. Niestety, Trudki ani tej drugiej dziewczyny nie zastrzeliłam. Nie wiedziałabym nawet, jak nacisnąć spust.

– To dziecinnie proste, ale oboje wiemy, że pani tego nie zrobiła – oświadczył Meyer. – Co się stało z pojemnikiem, którego pani nie zużyła?

– Zniknął – odparła Sylwia. – Działo się tyle, że o nim zapomniałam. Czy to naprawdę ma jakieś znaczenie?

***

Przesłuchanie Bartosza Urbasia z dnia 10 styczeń, godzina 16.10
Prowadzący: podkomisarz Antoni Połeć
Nadzoruje i uczestniczy: prokurator Weronika Rudy
Protokół: sierżant Rudolf Fizyta

– W jakich okolicznościach trafiła do pana domu Sylwia Polheimer?

– Przyjechała z Trudką. Powiedziała, że córka jest w ciąży i musi u mnie pomieszkać do czasu porodu. Obiecała, że pokryje wszelkie wydatki. Zgodziłem się.

– Zażądał pan zaliczki?

– Tak.

– Ile?

– Dziesięć tysięcy.

– Otrzymał pan?

Świadek potwierdza.

– Co było dalej?

– Oddałem im najmniejszy pokój. Nie sprawiały kłopotu. Sylwia, choć była przyjaciółką od serca mojej byłej żony, która mnie nienawidzi, była równą babą. Polubiliśmy się.

– Co pan ma na myśli?

– Lubiła wypić i się zabawić. Dobrze się dogadywała z moimi koleżankami.

– Spaliście ze sobą?

– Nie była w moim typie. Ale dużo rozmawialiśmy. Jestem osobą oświeconą, z niejednego pieca chleb jadłem, więc wyjaśniałem jej, jak działa świat. Karma i te sprawy.

– Z czego pan żyje?

– Z apki „Rodzice w separacji". Może pan sobie ściągnąć, jeśli używa pan produktów z logotypem jabłka.

– Jeszcze się nie rozwiodłem.

– Są jeszcze tacy ludzie?

– Na to wygląda. Do czego służy pana aplikacja?

– Pozwala uniknąć konfliktów o widzenia, pilnowanie lekcji, opłaty. W razie toczących się procesów ma pan pełną dokumentację wydatków w jednym pliku. Wystarczy wydrukować i dać adwokatowi. Ludzie chwalą zwłaszcza tę opcję, ponieważ matki najczęściej wkręcają ojców w zawyżone alimenty.

– Żyje pan z jednej aplikacji?

– Chyba nie sądzi pan, że masaż powięzi pozwoliłby mi na zakup apartamentu w Dębowych Tarasach?

– Jakie dokładnie ma pan dochody?

– Gdyby korzystał pan z mojej apki, na konto wpłynęłoby mi z pana karty dwadzieścia sześć złotych miesięcznie. W tej chwili mam trzy i pół tysiąca subskrybentów. Niektórzy mają wersję premium, czyli płacą sto trzydzieści sześć złotych. Tydzień temu sprzedał się pierwszy tysiąc premium.

– To niewiele.

– Może, ale jak na razie to jedyna tego typu aplikacja, choć jest już kilka podróbek. Napisałem ją, kiedy opuściła mnie żona. W Indiach. Pojechałem się odrodzić i Śiwa mnie odmienił.

– Jasne.

– I na pana przyjdzie pora. Przebudzenie czeka każdego. Chociaż niekoniecznie w tym życiu. Moja dusza jest bardzo stara i długo błądziłem.

– Bił pan Margot Karlikową?

Świadek nie odpowiada. Prowadzący odczytał fragmenty z akt (w załączeniu numery sygnatur).

– Znęcał się pan nad rodziną. Potwierdza pan?

– To było w starym życiu.

– Mieliście niebieską kartę. Zgłoszeń tylko w 2005 roku było siedemnaście.

– Byłem gniewny, fakt. Czy pan by nie był, gdyby żona uciekła z księdzem? Na dodatek moim najlepszym kumplem? Tak swoją drogą, jest teraz strażnikiem miejskim i niezły z niego ruchacz.

– Dlaczego zgodził się pan na rozwód i odebranie praw rodzicielskich, skoro to z jej winy małżeństwo się rozpadło?

– Wróciłem z Indii odmieniony. Uznałem, że jestem jej to winien. Jeśli chce mnie ukarać, niech się stanie. To była forma odpustu.

– Tęsknił pan za dzieckiem? Szukał Gertrudy?

– Zamknąłem ten rozdział. Opatrzność dała mi jeszcze czwórkę.

– Z innymi kobietami?

– Ten policjant, który był u nas tego wieczoru, miał okazję je poznać. Budujemy dom, w którym będziemy razem mieszkać.

– Rozumiem, że one są oświecone.

– Tylko z takimi ludźmi staram się teraz przebywać.

– Sylwia Polheimer była oświecona?

– Zbliża się do tego momentu. Jest zaciekawiona, ale jeszcze nie gotowa.

– To ona kazała panu rozpoznać Adelę Krac jako własną córkę?

– No cóż, tutaj muszę przyznać, że się pomyliłem. Facet zapytał mnie, czy to moja dziołcha, podsunął jakieś legitymacje, to potwierdziłem. Wiedziałem, że jak przypniecie mi się do dupy, to zaraz wyjmiecie te stare sprawy. Niewiele się pomyliłem.

– Kłamie pan. Trudka była już wtedy w pańskim mieszkaniu.

– Przyjechały dopiero następnego dnia! Odkąd się odrodziłem, nie kłamię. Nie opłaca się. Zbyt wiele dobrego musiałbym robić dla innych, żeby odpracować karmę.

Świadek prosi o przerwę na medytację. Prowadzący odmawia.

– Gdzie był pan w noc poprzedzającą przyjazd Gertrudy i Sylwii Polheimer?

– W domu, z moimi kobietami. Nie sądzi pan chyba, że zabiłem tę dziewczynę? Brzydzę się przemocą.

– Za przemoc domową tylko cudem nie poszedł pan siedzieć!

– Już to odpracowałem.

– Jak?

– Często obdarowuję ludzi masażem. Pracuję też nad nową apką. Nazywa się „ProjektCzłowiek". To połączenie horoskopu i fizjologii człowieka. Matematyczna astrologia.

– Z tej starej niewiele pan wyciąga.

– Nie mogę narzekać. Wielu programistów marzy o certyfikacie od Jobsa.

– Wróćmy do naszych spraw.

– Jak sobie pani życzy.

– Skoro wiedział pan, że błędnie rozpoznał pan ofiarę morderstwa, bo powiedział pan prowadzącemu, że to Gertruda, a ona sama stawia się u pana następnego dnia, dlaczego nie zgłosił się pan, by sprostować zeznanie?

– Zapomniałem. Nie używam mediów, nie mam telewizora. Nie bardzo zajmuje mnie wasz materialny świat.

– Liczba subskrybentów jakoś pana obchodzi.

– To co innego. Mam do zapłaty alimenty na czworo dzieci. Jedno z nich jest dorosłe i nadal muszę je finansować.

– Podał pan do sądu własne dziecko. To prawda?

– Dopóki będę je chronił przed dotkliwością świata, nie dojrzeje.

– Podanie do sądu własnej córki nazywa pan ochroną?

– Robię to dla jej dobra. By zawróciła z błędnej ścieżki.

– Pan wie, która droga jest właściwa. Ma się pan za Boga?

– Nie, ale jestem kapłanem słońca. Miewam iluminacje. I dzielę się tym z innymi.

– Z kobietami?

– Też. Seks to wymiana energii. To, z kim się wymieniamy, nas zmienia. Sam decyduję, jakiego rodzaju mocy potrzebuję.

– Jak wycenia pan swoją moc, biorąc łapówki za ukrywanie dowodów i mataczenie w śledztwie?

– Nie wiem, o czym pani mówi.

– O pieniądzach Polheimerów za przechowanie ciężarnej córki.

– Miałem odmówić? Sylwia błagała mnie, żebym wziął te dziesięć patoli, a potem jeszcze pięć za milczenie. Nie lubię płaczących kobiet. Tak było w starym życiu i w nowym się nie zmieniło.

– Czy wie pan, gdzie spędziła noc pana córka Gertruda przed przyjściem do pana mieszkania?

– Nie mam bladego pojęcia.

– Nie zapytał pan?

– Po co? To jej sprawa.

– Ile pan ma lat?

– Czterdzieści dziewięć.

– A ona?

Świadek nie potrafi odpowiedzieć.

– Co pan czuje po stracie dziecka?

– Smutek. To chyba naturalne? Staram się go zgłębić, poddać mu i nie stawiać oporu.

– Nie widać.

– Żałoba w naszym zachodnim rozumieniu to błąd. Przesadnie niskie wibracje. Dlatego planuję wyjechać na jakiś czas do ciepłego kraju. Naładować baterie, oczyścić się słońcem. Czy mógłbym liczyć na zgodę, bo uprzedzono mnie, że mam nie opuszczać kraju przez jakiś czas?

– Nie.

– Nie dała mi pani dokończyć.

– Nie, kurwa. Zostajesz w kraju. Ciesz się, że jeszcze cię nie zamknęłam.

Świadek zaczyna się modlić.

– Co pan robi?

– Modlę się o pani spokój ducha. By gniew i lęk panią opuściły.

– Czy w pokoju udostępnionym Gertrudzie i Sylwii Polheimer widział pan pistolet?

– Możliwe.

– Jaki to był model?

– Nie wiem.

– Nie znaleziono go podczas przeszukania.

– Nic nie poradzę.

Świadkowi okazano kilka zdjęć poglądowych. Na zdjęciu numer 1 jest glock, nr 2 – beretta, nr 3 – P-83, nr 4 – CZ 75, nr 5 – walther.

– Chyba ten.

Świadek wskazał zdjęcie numer 3.

– Jest pan pewien?

– Nie. Ale chciałem pani pomóc. Trafiłem?

***

Maleńkie drzwi oznaczono wymyślnymi cyframi 445. Znajdowały się znacznie wyżej niż futryna, ale drabina była obok. Hubert włożył rękawiczki i ochraniacze na buty, a następnie wspiął się na zamkowy strych. Pomieszczenie było rodzajem dobrze zorganizowanego archiwum. W rzędach umieszczono sztychy i płótna w kartonowych tubach. Pod oknem stały meble oraz lustra – opisane i zafoliowane. Dalej były stroje z epoki. W kącie upchnięto kilka kartonowych pudeł. Hubert skierował się właśnie tam. W pierwszym były wycinki z gazet i pozytywny test ciążowy. Drugie zawierało zestaw książek o kryminalistyce, profilowaniu, medycynie sądowej i poligrafach. Na samym dole znajdowały się skrypty z odręcznymi napisami. Wyglądały jak materiały studenckie. Były pokreślone, pofalowane, jakby czytano je w wannie albo przeżyły zalanie. Trzecie pudełko było praktycznie puste. Zawierało złachany mundur polowy, pas z kaburą, stare trepy w rozmiarze 42, odznaczenia wojskowe, kilka książek o Afganistanie oraz przedmioty wyglądające jak pamiątki z dalekich stron: drewnianego mobilnego węża, skorupę żółwia, jakieś kamienie, garstkę piasku w materiałowej saszetce oraz puszkę po czekoladkach wielkości małego laptopa. Meyer uchylił wieko. Wewnątrz znajdowała się fachowo rozłożona broń. Zrobił zdjęcie i chciał wysłać je komendantowi Dudkowi, ale zadzwoniła Werka.

– Mam nadzieję, że to coś ważnego – rzekł zniecierpliwiony.

– Chciałabym, żeby było inaczej.

– Mów.

– Chyba muszę go wypuścić. – Głos jej się łamał.

– Kogo?

– Srokę. Dowody za dzieciaki są liche, a w sprawie Japy... Obawiam się, że przewaliliśmy, Meyer.

Łapczywie łapała hausty powietrza.

– Co się stało?

– Czekaj, schowam się w konferencyjnej. Ktoś może przyjść z jakimś bzdetem.

Słyszał, jak idzie, zamyka i otwiera drzwi, aż wreszcie zapadła głucha cisza, jakby znalazła się w studiu nagrań.

– Chociaż nie wiem, czy tu nie ma podsłuchów albo kamer.

– Przestań bzikować.

– Dziś Doman był na drugim przesłuchaniu. Skończyliśmy z nim i wszystko poszło jak należy. Mamy rozkaz z góry, by utajnić pierwszy protokół, o czym wiedział, więc za drugim razem nie wspominał już o zamrażalnikach. Dureń poczuł się chyba zbyt pewnie, bo żartował, jak to on. Trochę im zeszło z Połciem o dupach i motorach. – Urwała. – Kiedy wychodził, doprowadzali Srokę.

– Spotkali się?

Hubert aż przysiadł z wrażenia i oparł się plecami o ścianę. Nie był pewien, czy chce słuchać dalej.

– Twarzą w twarz. Szkoda, że nie widziałeś uśmiechu tego dziada.

– I co?

– Nic. Zaprzecza, idzie w zaparte, jak do tej pory. Ale zrobił się taki grzeczny, jakby mu ktoś dupę wysmarował miodem. Coś kombinuje. Założę się, że chce ugrać nadzwyczajne złagodzenie. To tylko kwestia czasu. Chwyci się tego. Grozi mu przecież dożywocie.

– Poznał Domana?

– Musiał. Choć udaje, że jest ślepy. Ani słówkiem się nie zająknął.

– Może już wie, że to były glina?

– Nie mam pojęcia. Nie siedzę w jego głowie.

– Złożył propozycję? Sugerował coś?

– Nic.

– Więc go nie poznał.

– To niemożliwe.

– Nie wykorzystałabyś takiej okazji? Innej być nie może. Kiedy sporządzisz akt oskarżenia, wszystko będzie grało na jego niekorzyść. Każdy jest chory, bity podczas przesłuchań i zmuszany do czynności.

– Dlatego nie wiem, co myśleć.

– Przebąkiwał coś o łapówce? Widzieli się przecież dwa razy.

– Mówiłam, że tylko zgrzeczniał. O co tu chodzi?

– Co na to Doman?

– Chyba od tej wódki ma dziury w mózgu.

– Znów coś wywinął?

– Wyobraź sobie, że po tym wszystkim, kiedy ja umieram na zawał, Doman jak gdyby nigdy nic prosi mnie na stronę i zwierza się, że załatwił sprawę Psikupy.

– Jak załatwił? Pojechał do niej? Dogadał się z Dermą?

– Nie było czasu na pogaduszki. Musiałam wracać do Sroki. Zadzwoń i z nim pogadaj. Mówię ci tylko, jak tutaj się dymi. I nie przerywaj więcej, bo zaraz wchodzę z powrotem, a nerwy już mam w strzępach.

– Nie takim łajdakom dawałaś radę – próbował ją pocieszyć, ale ona tylko klęła pod nosem.

– Coś mnie tknęło. Sprawdziłam listę osób wezwanych na jutro. Patrzę, a tam jak byk stoi Ewelina Gloria-Sałacka. Z rana bierzemy ją na warsztat.

– Nowe nazwisko? Nie wiedziałem, że w dobie koronawirusa sądy działają tak szybko.

– Wszystko załatwia się internetowo.

– Wygląda na to, że ślub też. Sałacki to nasz celebryta?

– Zgadza się, inspektorze. Wykonałam kilka telefonów i dowiedziałam się, że Psikupa zgłosiła się sama.

– Może to jest prawdziwy powód nagłej grzeczności Sroki...

– Mam nadzieję, że nie, bo wtedy leżymy – odparła Wera. – Gliniarz, z którym gadała, wyjawił mi w sekrecie, że Psikupa ma zdjęcie człowieka, który zabił Japę.

– I jej uwierzyli?

– Na szczęście nie. Znaleźli w mieście Dermę, który, co łatwo przewidzieć, niczego nie pamięta.

– Cieszy się, że mamy Srokę.

– I modli, żeby ta wersja została. Z Dermą na razie problemu nie będzie. Psikupa natomiast bardzo mnie martwi.

– Niepotrzebnie. Na miejscu jej nie było – zbagatelizował obawy Wery psycholog. – To tylko słowo kobiety ćpuna, który tych rewelacji nie potwierdzi. I na Boga, Wera, przecież nie ma żadnego zdjęcia.

– Owszem, jest. Derma przyznał, że mógł jej coś pokazać. Był wtedy na haju.

– Ona pewnie też.

– To nieważne, Meyer. Nie możemy sobie pozwolić, żeby na Domana padł choć cień podejrzenia. Jeśli to babsko pokaże komuś fotę z jego gębą, choćby dyżurnemu, wszystko się rypnie. A nie daj Bóg Sroka to podchwyci i go definitywnie rozpozna? Leżymy!

– Pogadam z nią. – Hubert zdecydował w jednej chwili.

– Co?

– Dawaj jej adres.

– Nie mam.

– Przyślij, jak tylko znajdziesz.

– Po co? Do jutra siedzisz w Mosznej. Telefonem tego nie załatwisz!

– Nie martw się. Odwiodę ją od jutrzejszych odwiedzin.

– Co jej powiesz?

– Nie wiem, coś wymyślę.

– To strzał do własnej bramki! Kobieta jest cwana. Zorientuje się, że ma coś wartego ludzkie życie. Dopiero zacznie się jazda.

– Myślę, że to zdjęcie jest dokładnie tyle warte. Mam u Domana dług i zamierzam go spłacić. Tylko teraz lepiej pilnuj tego świra! Najlepiej zadzwoń do Zośki, niech da mu wódki i zamknie w domu na klucz. A jak będziesz miała ulicę z numerem, zadzwoń. Nie wysyłaj.

Rozłączył się. Schował telefon do kieszeni, a potem chuchnął w dłonie, jakby szykował się do podnoszenia wielkiego kloca z drewna. Nie miał pojęcia, czy pamięta jeszcze, jak składa się wanada, ale poradził sobie bez trudu. Załadował magazynek i zabrał całą amunicję z pudełka. Po namyśle wrzucił tam garść naboi.

A potem spokojnie zszedł po drabinie, wydzwonił Dudka i zaczekał na przyjazd techników.

Domek był otynkowany na różowo, a spadzisty dach obrastała winorośl. Kiedy Hubert zastukał do drzwi, poczuł, że o kostki ociera mu się kot.

– Pan?

Z drzwi wychyliła się zaspana twarz Julki Prochownik.

– Poznajesz mnie?

Otworzyła szerzej drzwi. Była w piżamie w uśmiechnięte motylki, które zdaniem Meyera bardziej przypominały upiory. Na górze miała kusą koszulkę bez biustonosza i wcale nie okazywała wstydu. Wychyliła się za próg i obejrzała na okoliczne szeregowe domki. Poza Meyerem nie dostrzegła nikogo, co musiało ją uspokoić, bo rozciągnęła twarz w figlarnym uśmiechu.

– Śledztwo zakończone?

– Potrzebujemy dopiąć kilka szczegółów. Mogę?

– Tak, proszę.

Wnętrze domu było również pastelowe. I przytulne. Mnóstwo poduszek, miękkich kocyków, foteli w różyczki oraz kwiatów w miniaturowych wazonikach. O takim mieszkanku marzą wszystkie grzeczne dziewczynki. Do siódmego roku życia, zanim odkryją piękno szarości i czerni. Julka Prochownik dawno temu przekroczyła dwudziestkę.

– Rodzice są w pracy.

– A ty śpisz?

– Uczyłam się do rana.

– Przepraszam, że obudziłem.

– Nie szkodzi. I tak miałam wstawać. Napiłabym się kawy. A pan?

– Chętnie.

– Z mlekiem?

– Bez.

Wahał się, czy zdjąć buty, bo z pewnością zostawią ślady na miętowym dywanie, ale Julka rozwiązała ten problem za niego. Pieczołowicie ułożyła przed nim mokry ręcznik. Postarał się wytrzeć obuwie jak najdokładniej.

– Co pana sprowadza?

– Nieścisłości.

Nie odpowiedziała. Przyglądał się jej twarzy, obserwował, czy zmieni się coś w jej zachowaniu, ale ona dalej spokojnie nasypywała kawę do ekspresu. Sięgnęła do lodówki, wyjęła brytfannę z ciastem.

– Lubi pan tiramisu?

– Nie jestem głodny.

– A ja sobie nałożę. To co, skusi się pan?

– Kawa wystarczy.

Wreszcie usiadła.

– Kiedy ślub?

– Za dwa miesiące. Myślałam, że zmieni się coś z tą pandemią, ale wygląda na to, że będziemy musieli się zadowolić skromną uroczystością w ogrodzie.

– O tej porze roku? To może być dotkliwe.

– Nigdy nie chcieliśmy wydawać pieniędzy na kosztowne sale i hotele dla gości. Zbieramy na mieszkanie.

– Rozumiem – mruknął. – Przesunęliście datę?

Skinęła głową.

– Miał być w lipcu, ale Grzesiowi się śpieszy. Zwróciłam sukienkę, bo była z dekoltem. Dobrze, że chociaż to śledztwo się skończyło.

– Ja właśnie w tej sprawie.

Hubert miał już dosyć jej paplaniny.

– Dlaczego przyszłaś do mnie tamtej nocy?

– Ja? – Spojrzała na niego, jakby nie wiedziała, o czym mowa.

Zaczekał, aż odegra swoją rolę.

– Wiedziałaś, że ta część korytarza i mój pokój nie są monitorowane.

Mrugała jak trzpiotka i poprawiała ramiączka, ale nie dał się zwieść.

– Włóż coś na siebie – nakazał.

Zrobiła minę urażonej królewny, a potem zerwała się i wróciła w błękitnym sweterku. Meyera zaczynało już mdlić od tych kolorków.

– Więc?

– Nie pomogłam panu? – zapiszczała z wyrzutem.

– Nawet nie wiesz, jak bardzo.

– Więc o co chodzi? Znalazł pan spaloną kurtkę i inne rzeczy.

– Skąd wiesz?

Spłoszyła się.

– Grześ mi powiedział. – Wywróciła oczyma. – Nie powinien?

Teatralnie zasłoniła usta.

– Nie powiedziałaś mi prawdy.

– Prawdy o czym?

Sięgnął po telefon i znalazł stronę ich amatorskiego teatrzyku. Wyszukał właściwą relację i powiększył zdjęcie. Przedstawiało ją i Artura Srokę. Byli w kostiumach z epoki i grali parę kochanków. Hubert przesuwał powoli fotografię na ekranie, aż pojawiła się twarz Gertrudy. Była skrzywiona. Po prostu brzydka.

– Nie rozumiem.

Julka się odsunęła.

– Ależ rozumiesz doskonale.

– Co chce pan powiedzieć?

– Następnego dnia w lasku widział was Długosz. Miałaś na sobie nic.

– To pomówienie!

– Oczywiście zrobimy konfrontację, jeśli sobie życzysz, ale nie po to przyszedłem.

– Tak myślę, że moje prywatne sprawy nie powinny pana obchodzić!

– Wiedziałaś, że Trudka jest w ciąży?

Spojrzała na niego chłodno. Nie było już śladu pastelowej trzpiotki.

– Dziś wszyscy to wiedzą. Prasa podała.

– Ale w zamku wiedzieliście wcześniej?

– Może?

– Tak czy nie?

– Poprosiła mnie o test ciążowy. Matka kontrolowała jej wyjścia z zamku. Wiedziałam jako jedna z pierwszych.

– I nikomu nie powiedziałaś.

– Nie. Tak jej obiecałam.

349

– Nawet Sroce?

– Nawet.

– A Grzesiowi?

– Grzesiowi tak. To mój narzeczony! Nie mogę przed nim nic ukrywać. Jak mielibyśmy sobie ufać?

– O tym, że masz romans z Arturem, zapomniałaś wspomnieć.

– To był błąd. Jednorazowa sprawa. Nikt o tym nie wie. I gdyby nie konserwator, nikt by się nie dowiedział.

– Chcesz powiedzieć, że jeden jedyny raz spotkałaś się z Arturem w parku, a na to przypadkowo trafił Długosz? Przyjeżdżał bardzo rzadko do zamku. Wiedziałaś dokładnie, że chodził tamtędy do swojego hotelu.

Kręciła głową jak opętana.

– Nie wyglądasz mi na taką, która zostawia cokolwiek przypadkowi.

– Pan się myli!

– Myślę, że chciałaś, żeby was zobaczył. Wiedziałaś, o której będzie szedł, i akurat o tej porze zwabiłaś Srokę.

– Nie moja wina, że Artur zaczął się do mnie dobierać.

– Tego nie oceniam. A o zmarłych nie warto mówić źle. Chłopak nie może się bronić i jeszcze będzie cię straszył z zaświatów.

Spojrzała na niego wyraźnie zaniepokojona.

– Chyba się nie boisz?

– Ja? Dlaczego miałabym...

– Bo nie udało ci się go uratować. I zapewniam cię, że była to śmierć straszliwa. Pod kołami jeepa, w pełnej świadomości. Ogromne męki.

– Do czego pan zmierza?

– Nie masz nic przeciwko, żebym nagrał próbkę twojego głosu?

Włączył dyktafon w telefonie.

– Po co? – Zacisnęła mocniej ramiona. Zapięła ostatni guzik w sweterku.

– Mogę cię nagrać czy wolisz, żebym przyszedł z ekipą nadkomisarza Dudka? Jeden telefon i będę miał zgodę. Z tym że pewnie musielibyśmy pofatygować się na komendę. Ale może to lepiej, będzie lepsza jakość.

Wstała.

– Nie chcę z panem dłużej rozmawiać. Jest pan do mnie uprzedzony! Proszę przyjść, jak będą rodzice.

– Nie są nam potrzebni. Jesteś pełnoletnia. I chyba lepiej, by nie zobaczyli, jak zakładam ci kajdanki.

Położył je obok. Sięgnął do telefonu i przesunął zdjęcie na ekranie. Obok Trudki siedział oniemiały Brachaczek. Twarz dziewczyny wykrzywiał grymas wściekłości. Szeptała coś do ucha młodemu policjantowi.

– Słuchaj – zaczął łagodniej Meyer. – Masz szczęście, że śpieszę się do Katowic. Dlatego nie zabiorę cię od razu na komendę, tylko dam szansę. Albo opowiadasz mi teraz, co wiesz, i przyznajesz się do tego, co zrobiłaś...

– Albo?

– Pójdziesz siedzieć za współudział. Zapewniam cię, że wtedy ślub nie odbędzie się w ogrodzie, lecz w zakładzie karnym. Najwcześniej jesienią, po zakończeniu procesu. Choć na twoim miejscu nie kupowałbym nowej sukienki.

***

Albert Dudek obserwował Julkę zza weneckiego lustra. Była zaskakująco spokojna, wręcz znudzona. Tylko co jakiś czas spoglądała na przedpotopowy budzik, który za radą Huberta postawił na stoliku. Poza tym przedmiotem w sali przesłuchań nie było innych rekwizytów. Wskazówka nie pokazywała aktualnej godziny, ale czas, jaki dziewczyna spędziła w tym pokoju. Na ten moment była to siódma godzina.

– Myślisz, że jesteś taka twarda? – mruknął pod nosem komendant i potarł piekące ze zmęczenia oczy. Był na nogach kolejną dobę i wiek dawał mu się we znaki. – Zobaczymy, jak będziesz gadała o świcie.

Kiedy zapukano do drzwi, Dudek nie ryknął swoim zwyczajem, tylko uprzejmie zaprosił gościa do środka. Wcześniej kliknął na przysłonę. Okno weneckie momentalnie ściemniało. Przypominało teraz grafitową taflę szkła.

– Przyjechał Meyer – zameldował Grześ Brachaczek.

– Dobrze, chłopcze.

W głosie komendanta młody policjant wyczuł przygnębienie.

– Wszystko w porządku, szefie? – odważył się spytać. – Dochodzi pierwsza w nocy.

– A u ciebie?

Dudek odwrócił się na pięcie i przyjrzał twarzy podopiecznego. Grześ był bystry, oczytany, gromadził wiedzę i w kółko oglądał seriale kryminalne. Czy byłby w stanie dokonać tych zbrodni? – zastanawiał się Albert. Ciosy nożem, owijanie głów młodych dziewcząt workami, strzały w twarz, gwałty, wrzucanie zwłok do rzeki... A jednocześnie sprawca był zorganizowany, nie zostawiał śladów. Miał pojęcie o kryminalistyce, był na bieżąco z ich działaniami. Wyprzedzał ich o krok. Czy mógłby być policjantem? Oczywiście. I był tylko jeden sposób, by to zweryfikować. Odcisk palca na kablu. Zeznanie narzeczonej. I zadanie tego jednego kluczowego pytania. Czy się wyprze? Czy zgodzi się wyjaśniać?

– Wiesz, ile lat przyjaźnię się z twoim ojcem, Grzesiu?

– Tyle, ile ja żyję na świecie?

– Zgadza się. Gdyby twoja matka nie uparła się na swojego brata, podawałbym cię do chrztu.

– Znam tę historię, szefie.

– Wierzysz w Boga?

– Sam pan wie. Ślub z Julką ma być kościelny i zachowujemy czystość do tej chwili.

– To nie może być łatwe. Oboje jesteście piękni, młodzi. Wokół tyle pokus...

– Chcemy, żeby ta noc była wyjątkowa.

Brachaczek odetchnął z ulgą. A więc szykuje się pogadanka. Był na to przygotowany. Komendant mu schlebił.

– Były chwile, kiedy myślałem, że nie wytrzymam, ale dyscyplina to podstawa. W pracy też jest konieczna. Same plusy.

– zaśmiał się nerwowo.

– A ona? – Dudek uniósł podbródek, odruchowo wskazując ciemną szybę. – Mam na myśli twoją narzeczoną.

Młody policjant pochylił głowę.

– Jasne.

Albert nie skomentował, choć dostrzegł zawahanie Grzesia.

– Wiesz, że to ja pierwszy zauważyłem u ciebie ciągoty do kryminalistyki?

– Dzięki panu jestem w tym miejscu i robię to, co robię – odparł z dumą młody policjant.

– Musisz wiedzieć, że ufałem ci bardziej niż własnemu synowi – zaczął Dudek, lecz urwał.

– Szefie, czy coś się stało? Dziwnie pan gada.

Albert spojrzał na mężczyznę i zastanawiał się, jak dobry z niego aktor. Zawsze uważał, że te wygłupy na scenie mogły się podobać wyłącznie rodzinie i seniorom. Liczył, że chłopak z tego wyrośnie, spoważnieje.

– A ty nie chciałeś być policjantem, prawda? To my z twoim tatą zaplanowaliśmy ci życie. O wiele lepiej czułbyś się, policjanta grając... Tę albo inne role... To wolałbyś robić, niż jeździć na miejsca zbrodni i spisywać protokoły, powiedz?

Brachaczek początkowo słuchał z uwagą, ale pod koniec wywodu Alberta zaczął kręcić głową.

– Szef się myli. Może kiedyś, w szkole, jako dzieciak, faktycznie marzyłem o kinie. Jednak odkąd mogę pracować z panem, nie znam większej satysfakcji. Lubię nosić mundur, ludzie nas szanują. Dużo czytam, dokształcam się. Szef wie, że jeżdżę na każde szkolenie.

– Władza, co? – uśmiechnął się krzywo Dudek i zaraz zmarkotniał, słysząc odpowiedź.

– O tak, rajcuje mnie, przyznaję. Ile kobiet się do mnie uśmiecha. To znacznie lepsze niż aktorstwo. Sam pan zresztą wie.

– Zamknij drzwi. Chcę, żebyś czegoś posłuchał.

Nacisnął przycisk w stojącym na blacie magnetofonie.

„Tej nocy, kiedy zginął Artur..." – usłyszeli piskliwy głos.

– Jula? – wyszeptał przestraszony Brachaczek. – Dlaczego pan ją nagrał? Co zrobiła?

– Poznajesz? – upewnił się Dudek. – To słuchaj dalej.

Znów włączył głośnik.

„W noc sylwestrową, kiedy zginął Artur, bardzo pokłóciliśmy się z Grzesiem. Było przed dwudziestą. Tuman na dworze taki, że aż się o niego bałam. Wyszedł tak nagle i nawet trzasnął drzwiami, co nigdy mu się nie zdarzało. Aż mój tata spytał, o co poszło".

Dudek zatrzymał taśmę.

– O co poszło, Grzesiu?

Starszy posterunkowy zacisnął usta, dolna warga mu drżała. Długo nie odpowiadał.

– To był tylko wybryk cielesny. Wybaczyłem jej.

– To był Sroka, prawda? Ten wybryk...

Grześ pochylił głowę.

– Jeden raz. I nawet nie wiem, czy do czegoś konkretnego doszło. Jula wszystko mi opowiedziała. Nie każdy potrafi zachować dyscyplinę, a on ją uwiódł. To nie jej wina.

– Mimo to bierzesz ją za żonę?

– Daliśmy przecież na zapowiedzi, szefie. Cała rodzina zawiadomiona... Mam nadzieję, że pan nas zaszczyci. To ma być kameralna uroczystość, ale chcemy, żeby byli z nami najbliżsi.

– A nie jest przypadkiem tak, że ta, z którą naprawdę chciałeś się ożenić, już nie żyje?

– Co pan?

– Trudka Karlikówna – powiedział Dudek. – Co was łączyło?

– Nic. Zupełnie.

Klik. Wnętrze pokoju znów wypełniał głos Julii Prochownik.

„Krzyczał, że zrywa zaręczyny. Że już od dawna nic do mnie nie czuje. I że jestem szmata, bo Sroka to chłopak Trudki. Mówiłam, że chciałam tylko wzbudzić w nim zazdrość, a to w lasku nic nie znaczy. Mogłam też dodać, że nigdy bym mu nie powiedziała, gdyby nie zobaczył nas inżynier Długosz. Dopiero wtedy się wściekł. Krzyczał, że jest rogaczem i całe miasto będzie miało z niego łacha. I wykrzyczał, że od zawsze kochał się w Trudce, chociaż ona go nie zauważała".

– Tak było, Grzesiu? Kochałeś się w małej dziewczynce?

354

– Nie jestem zboczeńcem, szefie! – oburzył się Grześ. – Lubiłem ją. Nawet bardzo. Ale między nami do niczego nie doszło. Byłem wierny Julce.

– Srokę też lubiłeś?

– Wcale – odparł młody policjant. – A jeszcze mniej, kiedy dowiedziałem się, że zrobił jej dziecko.

– Kiedy się tego dowiedziałeś? Tej nocy, prawda? Od niego? Grześ stał jak skarcony szczeniak. Nic nie odpowiadał.

– Sylwia Polheimer niewiele się myliła. Gonitwa na dziedzińcu to była twoja sprawka, co?

– Wkurzyłem się – szepnął Brachaczek. – Trudka była jeszcze dzieckiem.

– Dlatego go dźgnąłeś? Z nerwów? Z zazdrości? Myślałeś, że grasz rolę jej rycerza? Jak w tym przedstawieniu?

– Szefie, ja tego nie zrobiłem. Naprawdę.

Dudek znów włączył głośnik.

„Przyszedł do mnie nad ranem. Rodzice jeszcze spali. Miał poranione dłonie, był pijany, a Grześ nigdy nie pije. Płakał, że stało się coś bardzo złego. Że musi uciekać. Pytał, czy mam jakieś pieniądze".

Dudek znów nacisnął przycisk stopu.

– To prawda?

Grześ skinął potulnie głową.

– Ale ja go nie zabiłem.

– Będę cię prosił, żebyś zgodził się na dobrowolne pobranie odcisków palców. – Dudek dotknął kajdanek przy pasku. – Mam założyć czy będziesz grzeczny?

– Nie ucieknę, szefie. Jestem niewinny! I wierzę, że pan pojmie, jak bardzo się myli.

– Grzesiu, gdybyś był niewinny, od razu powiedziałbyś mi, jaki masz związek z tą sprawą. Odsunąłbym cię od śledztwa, lecz docenił szczerość. Ty nie mogłeś sobie na to pozwolić. Chciałeś trzymać rękę na pulsie. Wiedzieć, co robimy, mieć wpływ na przebieg dochodzenia. To się nazywa premedytacja.

– To, co ona mówi, niczego nie dowodzi! Ona nic nie wie. Nie widziała zbrodni. Pomawia mnie z zemsty!

– Szybko zmieniasz front. Dopiero co chciałeś się z nią żenić.

„Ja myślę, że to był Grześ".

Z głośnika znów popłynął przesłodzony, nosowy głos Julki i jednocześnie Dudek odsłonił szybę wenecką. Narzeczona Brachaczka siedziała u szczytu stołu, a po drugiej jego stronie Meyer usadzał Erwina Długosza.

„To on zabił Artura Srokę!"

Dudek podkręcił głośnik, aż obecni w pokoju przesłuchań wzdrygnęli się zaskoczeni. Julka spięła się i zaczęła rozglądać na boki. Długosz wyprostował się, patrzył wprost w lustro, jakby wiedział, że po drugiej stronie szyby znajdują się Grześ z komendantem.

– Facet ma u nas fuchę – mruknął z przekąsem Dudek i zatrzymał nagranie. – Nieustannie służy nam do weryfikowania zeznań.

– Szefie, ja nie...

Ale Dudek tylko podniósł dłoń, nakazując mu ciszę. Brachaczek podporządkował się i wpatrywał w okno weneckie, jakby to była scena filmowa.

Meyer uprzedził oboje o eksperymencie, a potem spytał Długosza:

– Czy poznaje pan tę kobietę?

Erwin skinął głową. Julka poruszyła się nerwowo na krześle. Hubert przesunął w kierunku inżyniera rysopis sporządzony wcześniej.

– Czy to o niej mówił pan w swoich poprzednich zeznaniach?

Erwin znów potwierdził gestem.

– Proszę odpowiedzieć. Z tego nagrania zostanie sporządzony protokół.

– To ona była w lesie – potwierdził donośnie.

– Słyszał pan nagranie?

– To mógł być głos tej kobiety, która wezwała mnie w sprawie windy.

– Jest pan pewien?

– Pyta mnie pan, jakbym był dzieckiem. Słuchałem tego ze trzydzieści razy przed wejściem do tego pokoju – zniecierpliwił się nagle Długosz. – Ile razy zamierzacie mnie wzywać? Mam swoją pracę... W kółko mi ktoś przeszkadza. Czy ktoś mi zwróci za stracone zlecenia?

Meyer nie przejął się jego narzekaniami.

– Więc posłuchajmy kolejny raz. Mam nadzieję, że ostatni.

Prawie niezauważalnie kiwnął na Dudka po drugiej stronie szyby. Komendant ponownie położył palec na przycisku „Start".

„Ja myślę, że to Grześ zabił Artura Srokę".

Julka, słysząc własne słowa, wierciła się chwilę na krześle, a wreszcie ukryła twarz w dłoniach i niemal położyła się na blacie stołu. Długosz siedział nieporuszony. Słuchał uważnie.

„Pojechaliśmy do zamku, ale Artura w czarnej sali już nie było. Biegaliśmy i szukaliśmy go. W końcu znalazłam ślady krwi i odkryliśmy, że Sroka doczołgał się na podjazd. Krwi było niedużo, ale on strasznie charczał. Jestem pewna, że wciąż żył. Zrobiło mi się go szkoda. Wróciłam do zamku i z recepcji zadzwoniłam do pana Długosza, żeby przyjechał natychmiast. Skłamałam, że winda działa i trzeba zrobić testy. Liczyliśmy, że Erwin go znajdzie i uratuje. Grześ zmył krew z zamkowej podłogi. To, co wsiąkło w dywany, nie było widoczne. Są bardzo wzorzyste. A potem narzeczony pożegnał się ze mną, jakbyśmy już nigdy więcej nie mieli się zobaczyć. Następnego dnia aresztowano dyrektora, więc Grześ wrócił i udawał, że nie ma z tym nic wspólnego. Tak dobrze grał, że sama zaczęłam w to wierzyć".

– To kłamstwo! – wydarł się Brachaczek. – Nigdy nie uwikłałbym mojej kobiety w coś takiego. Nie kazałem jej dzwonić! To podłe pomówienie! Głupia suka, szmata, kurwa. Mści się na mnie. Nic nie zrobiłem!

Rzucił się do drzwi, ale Dudek i to zachowanie pupila przewidział. Przed pokojem stało już kilku funkcjonariuszy, którzy obezwładnili Brachaczka i odprowadzili go do aresztu. Kiedy na schodach ucichło, do celi trafiła Julka.

– Czystość przed ślubem mają gwarantowaną – powiedział do Meyera Dudek, ale jeszcze bardziej zmarkotniał.

Dzień dwunasty
11 stycznia 2021 – poniedziałek

Weronika jechała prosto z sądu, więc miała na sobie garnitur z krawatem. Szpilki ściągnęła zaraz po wejściu, ale tym razem nie wydała mu się niższa.

– Jesteśmy sami? – Rozejrzała się zaskoczona. – I znów bawiłeś się odkurzaczem.

Akta Rajmunda Rejmana i innych stały przy drzwiach w kartonowych pudłach, w których przyjechały. Hubert nakrywał stół obrusem. Świec nie było.

– To nie jest konieczne – zaoponowała. – Gdzie reszta?

– Przyjdą później.

Spojrzała na zegarek.

– Czyli kiedy? Za dwie godziny muszę być na trasie do Warszawy.

Zdziwił się.

– Jesteś pewna? Specjalnie dla ciebie zrobiłem rozeznanie w chilijskim.

– Nie tym razem. Sprawa Japy jest zakończona. Nie mam już pretekstu, by przedłużać pobyt.

– Pretekstu?

– Mówię o Rajmundzie Rejmanie. Nie o tobie.

– Nigdy bym nie przypuszczał – rzucił jej wyzwanie, ale go nie podjęła.

Usiadła, wyciągnęła papierosy. Nie podał jej popielniczki, więc schowała paczkę. Przyjrzała się mu uważniej. Był blady, włosy miał rozczochrane. Policzyła swoje kartony. Wszystko się zgadzało.

– Te porządki cię wykończyły. Wyglądasz jak śmierć na chorągwi.

– Dzięki. – Odwrócił głowę. – Sprzątanie zdecydowanie nie jest moim hobby – mruknął. – Podobnie jak jazda do Mosznej i z powrotem. Kilka razy dziennie.

– Jesteś jakiś nieswój. Zostałeś szczęśliwie ukoronowany? – próbowała żartować.

– Chybabym wolał – odparł. – Kończy mi się urlop, a jestem bardziej zmęczony niż kiedykolwiek.

Tym razem na jego twarzy pojawił się zwyczajowy ironiczny grymas.

– Zaraz zostawię cię w twojej samotni. Tylko mi powiedz, jak ją przekonałeś?

Odwrócił się zaskoczony.

– Kogo?

– Psikupę. Nie stawiła się na przesłuchanie.

– Ale Sroka wciąż jest w najbezpieczniejszym miejscu na ziemi? – upewnił się.

– Ma areszt na trzy miesiące.

– Przyznał się?

– Sroka czy Brachaczek? Bo pewnie wiesz, że Dudek ma się czym chwalić. Nie zapomina o tobie w wywiadach i przed szefostwem. Udało ci się przeciągnąć wroga na swoją stronę.

– Obaj mnie interesują. Komplementy Dudka mniej. Możesz je pominąć.

– Sroka idzie w zaparte.

– Świetnie – szczerze ucieszył się Meyer. – Nie poda zbędnych szczegółów.

Wera zgodziła się z nim i kontynuowała:

– A nad miłośnikiem Johna Douglasa pracuje Połeć. Grześ twierdzi, że nie znał Adeli i pierwszy raz zobaczył ją martwą. W sprawie Gertrudy powtarza, że nie mógłby jej zgwałcić, bo nigdy nie miał takiej ochoty.

– Alibi?

– Na żadną ze zbrodni. Twój kolega prawnik dostarczył dodatkowe nagranie i wszyscy w komendzie już widzieli, jak gonią się po krużgankach. Z filmu w czarnej sali niewiele widać. Liczyłam, że technicy coś z tego wyciągną, ale szanse są marne. Tak jak mówiłeś, napastnik chronił się przed koronawirusem maseczką i rękawiczkami. Zasadniczo najlepiej widać kurtkę dyrektora Polheimera.

– W dniu, kiedy zginęła Adela, Brachaczek był z Dudkiem – wszedł jej w słowo Meyer. – Jak z tego wyjdziecie?

– Mógł wrócić z Katowic do Mosznej i pojechać z powrotem – odparła pewnie prokuratorka. – Sama widziałam, jaki był zrąbany na naradzie. Kiedy pojawił się z Dudkiem w sali konferencyjnej następnego dnia, wyglądał, jakby zderzył się z pociągiem. Już wtedy trzeba było się nad tym zastanowić. A co do trasy, sam dopiero to ćwiczyłeś. W linii prostej to tylko sto trzydzieści kilometrów. Żaden problem dobrym autem.

– Skoro tak uważasz... – Hubert wzruszył ramionami. – A Trudka? Kiedy miałby ją zabić? Pomagał przy zabezpieczaniu śladów w domu Japy, a potem robił też oględziny samochodu, którym jeździł Sroka.

I na to Weronika miała gotową odpowiedź:

– Technicy mieli kilka przerw. Około północy prowadzący ulitował się nad Brachaczkiem, bo wyglądał jak z krzyża zdjęty, i pozwolił mu iść się zdrzemnąć. Od tamtej pory nie ma alibi.

– Więc teoretycznie mógł to zrobić – stwierdził Hubert, choć zabrzmiało to jak pytanie.

– Teoretycznie? – zirytowała się Wera. – Najpierw wycisnąłeś zeznanie z narzeczonej, a teraz jesteś sceptyczny?

– Taka moja rola.

– Materiał jest dosyć mocny. Wiesz, gdybyś wcześniej zdradził, że bierzesz pod uwagę ślicznego Grzesia, wyśmiałabym cię.

Hubert się zdziwił.

– Brachaczek się przyznał?

– Na razie spowiada się ze swojej miłości do Trudki. Twierdzi, że to było uczucie platoniczne, a nawet braterskie. Co miała w sobie ta dziewczyna?

– Dawała innym to, co chcieli dostać. Dla Grzesia – madonna, dla Sroki – oblubienica, dla Polheimera – córka.

– A dla Julki?

– No cóż, godna rywalka. Ale ona jej raczej nie kochała. Za to miała niezłą jazdę na jej punkcie. Co mówi Grześ?

– Mniej więcej to samo, co pastelowa narzeczona. Że kiedy przystąpił do trupy teatralnej, Trudka była jeszcze dzieckiem i nie przyszło mu do głowy jej tknąć. Potem był zły, że spiknęła się ze Sroką. Oraz że była za młoda na romanse i to nie był chłopiec dla niej. Robi z siebie ostatniego rycerza.

– Powiedział, jak to zrobił?

– Żadnych szczegółów.

Meyer zasępił się. Spojrzał na prokuratorkę.

– Wiesz, co powiem?

– Że nie obronię tego w sądzie?

Nagle się zezłościła i Hubert wiedział, że trafił dokładnie w jej obawy. Niestety nie mógł i nie chciał utrzymywać jej w błędzie.

– A może to ty się mylisz? Profil nie pasuje do sprawcy. Po starej znajomości dałabym ci jakieś dziesięć procent, jeśli idzie o skuteczność. W porywach do piętnastu, jeśli jeszcze coś znajdziemy.

– Skoro opinia nie pasuje, to nie Brachaczek zabijał – oświadczył bez entuzjazmu Meyer. – Naginasz opinię do człowieka, a sprawca powinien się z niej wyłonić. Jakby wychodził z cienia.

– Z cienia? Dość mam tych psychologicznych bredni! – żachnęła się. – Nie jesteś nieomylny, Meyer. Może warto się z tym pogodzić i dokonać autoanalizy. Każdy z nas czasem błądzi.

– To prawda – przyznał. – Ale wbrew temu, co niektórzy o mnie sądzą, nie lekceważę dowodów. Psychologia behawioralna ma na celu jedynie ułatwiać rozumienie danych. Profil jest tylko po to, żebyście mogli sprawniej te nitki splatać. Najpierw jednak musisz mieć je w ręku! Palec z kabelków Adeli nie pasuje. Sperma nie pasuje. Wyskrobiny z paznokci Gertrudy wskazują na kogoś innego. Noża, którym zabito Artura, nie znalazłaś. Co z wojskowymi workami? Skąd wziął pistolet? Nie masz jego przyznania się do winy w żadnej z tych spraw. Chuj tam z profilem! Nie biorę tego osobiście, jestem już na to za stary. Jedyne, co macie, to pomówienie narzeczonej, zresztą zaraz będziesz musiała ją puścić. Nawet jeśli doprowadzisz do procesu, adwokaci zadbają o to, by Prochownik odpowiadała z wolnej stopy. Gdy tylko pastelowa narzeczona wyskoczy na wolność, zeznania odwoła. Co zrobisz? Zebrany materiał powinien potwierdzać winę Brachaczka, a sama wiesz, że tak nie jest.

– Więc przestań pieprzyć i daj nam szansę go zgromadzić! Hubert podniósł ręce w geście poddania się.

– Ostatnim, czego możesz się spodziewać, jest to, że będę przeszkadzał. – Spojrzał na nią. – Chociaż w sprawie Japy właśnie o to prosiłaś.

Weronika wydęła wargi śmiertelnie obrażona. Poprawiła okulary na nosie i powiedziała:

– Ten światłowód z niezidentyfikowanym palcem pochodził z zamku. W garażu Brachaczka znaleźliśmy kilka rolek taśmy identycznej jak ta, której użyto do zaklejenia worka na głowie Trudki. Liczymy, że da się je dopasować. Dobrze, że znalazłeś to pudełko na pistolet i naboje. Kula pochodzi z tej partii. Dziś dostałam potwierdzenie. Na pudełku nie ma odcisków palców. Zapach też się nie utrzymał, bo jest metalowe. Są za to odręczne zapiski Brachaczka i kilka jego paluchów na książkach o oszukiwaniu wariografu oraz procedurach FBI.

– Jak na miłośnika kryminalistyki i policjanta po szkołach popełnił sporo błędów, nie sądzisz? – zauważył, ale umilkł, by jej bardziej nie rozdrażniać.

– Jest młody. Dopiero się rozwijał. A może brakowało mu wiedzy, bo jest plecakiem? – zastanowiła się na głos. – Tak naprawdę marzył o aktorstwie. I dostał swoją scenę, nie powiem.

– Dudek musi być wstrząśnięty. Jeśli okaże się, że masz rację, to będzie dla niego cios.

– Wiedziałeś, że to syn jego przyjaciela?

– Nigdy się o tym nie zająknął.

– Dlatego Grześ był tak dobrze poinformowany. Wiedział na bieżąco, co mamy, co robimy... Był niemal prawą ręką Alberta... Nie mam tylko pojęcia, jak wymknął się do Katowic, kiedy ty szalałeś z Karlikową po lesie, bo musiałby zrobić tę trasę tam i z powrotem, a potem jeszcze raz przejechać ją z Dudkiem...

Hubert zamyślił się.

– Julka zeznała, że nie wywieźli ciała na drogę.

– Jeśli do sprzeczki doszło na dziedzińcu, a zabójstwa dokonano w zamku, brzmi to wiarygodnie. Nie wierzysz jej?

– A ty uważasz, że ciężko ranny Sroka miał siłę uciekać i doczołgał się do drogi samodzielnie?

– Wiemy stuprocentowo, że to Julka zadzwoniła po Długosza. Po co miałaby kłamać? Ryzykuje więzienie.

– Nie podważam tego, że dzwoniła. Zastanawiam się tylko, po co. Żeby Artur przeżył i wszystko wygadał? Pogrążyłby ich oboje.

– Mów jaśniej.

– To, że Prochownik jest powiązana ze sprawą, wydaje się oczywiste. Dlaczego jednak pomówiła narzeczonego – już nie.

– Czyści sumienie? – myślała głośno Wera. – I opinię, bo ludzie będą się nad nią litować. Brachaczek zabił, a ona tylko chciała ratować Artura... W ten sposób robi z siebie ofiarę niegodziwego narzeczonego. I przy okazji walczy o mniejszy wyrok.

– Mogła wcale o tym nie mówić.

– Ale powiedziała.

– Po co? – upierał się Hubert. – Za jej sprawą doszło do zbrodni. To ona była w lesie ze Sroką.

– Tak twierdzi Długosz.

– Ale czy na pewno ze Sroką? – Hubert zamyślił się. – Artura nie możemy spytać, bo już nie żyje. Powiedz mi, czy wyznałabyś narzeczonemu tuż przed ślubem zdradę, której świadków nie było?

– Długosz ich widział.

– Jaka jest szansa, że jakiś inżynier, jeden z wielu najemnych pracowników Polheimera, spotka starszego posterunkowego z lokalnej komendy? Przypominam ci, że konserwator nie mieszka na stałe w Mosznej. Był w zamku tylko kilka razy w życiu.

– I co z tego?

– Może inaczej zadam to pytanie.

– Krócej i treściwie poproszę.

– Co powiesz, gdybyśmy na chwilę zrobili roszadę i do gołej dziewczyny w parku dołożyli innego faceta niż Artur Sroka?

– Kogo? Bo kwalifikujący się kandydaci z Mosznej już nie żyją albo są aresztowani. A pastelowa Julka nie ganiałaby z każdym po lesie bez ubrania.

– Słuszny trop – rzekł Hubert. – Doceniam.

– Więc?

Zanim Hubert odpowiedział, poszedł do kuchni i nalał sobie szklankę wody. Wypił duszkiem. Potem wskazał kran Werze, ale pokręciła głową.

– Możesz mi zrobić herbaty – powiedziała pojednawczo.

Meyer wrzucił do kubków po saszetce. Pstryknął wodę i dopiero wtedy wrócił do stołu. Usiadł.

– Wcześniej skupialiśmy się na Gertrudzie – zaczął. – I to ona wydawała się osią całej sprawy. Natomiast od początku w tle historii Trudki znajdowała się panna Pastelowa.

– Znów zaczynasz z tym cieniem? – zniecierpliwiła się Weronika.

Teraz to ona poszła zalać herbatę.

W tym czasie Hubert mówił:

– Trop z kurtką i paleniem dowodów mamy od Julii Prochownik. Nikt więcej nie miał o tym pojęcia. Tak samo jak nikt nie wiedział, że w stodole ukrywa się Adela, która nawiała z poprawczaka. Kto ją tam ukrył?

– Tego już nie sprawdzimy.

– Założyliśmy, że zrobiła to Gertruda – ciągnął Meyer. – Bo dziewczyny się zaprzyjaźniły. A jeśli to był ktoś inny? Na przykład kochanek? Sławomir Sroka zadurzył się w młodziutkiej byłej zakonnicy. Mógł chcieć mieć ją blisko.

– Klemens się o tym dowiaduje i wyrzuca Sroki na zbity pysk. – Wera zapaliła się do tej koncepcji. Wyjęła telefon i zaczęła wybierać numer. – Jego możemy zapytać.

– Czekaj – powstrzymał ją Meyer. – Dojdźmy z tym rozumowaniem do końca.

Prokuratorka niechętnie odłożyła komórkę na stół.

– Jeśli mi teraz powiesz, że to stary Sroka był w lesie z Julką, nie uwierzę. Nie poleciałaby na ciecia.

– Zgadzam się. To z pewnością nie był on.

– Więc kto?

– Ktoś, komu nie było na rękę być widzianym w takiej sytuacji. Tak samo jak jej. Kto wiele by na tym stracił. Na przykład dobre imię, małżeństwo albo pracę.

– Klemens? Dudek? – strzelała Wera. – Szalony prawnik od Wincklerów?

Ale Hubert milczał, więc podniosła ręce w geście poddania się.

– Odpadam. Idź dalej sam.

– Będę teraz szył – ostrzegł ją. – Potraktujmy to jako gimnastykę umysłową.

– Okay – zgodziła się.

– Adela ukrywa się w stodole. Doglądają jej senior Sroka i Trudka. Dziewczyny przyjaźniły się, więc Trudka musiała wiedzieć. Co za tym idzie, musiał wiedzieć też Artur. Adela była ruchliwa. Nie wysiedziałaby w kryjówce z książką. Pewnie wychodziła. Spotykała się ze Sławomirem na schadzkach, odbywała spacery z Trudką lub Arturem. Może też łazili po lesie razem. Pewnego dnia nakrywają Julkę z absztyfikantem. Najpierw jest to tylko anegdota. Kiedy się orientują, że facet nie jest anonimowym pukaczem, lecz kimś, kogo wszyscy znają, pojawia się szansa na monetyzowanie tej wiedzy.

– Sądzisz, że ich szantażowali? Julkę i tego gościa?

Wera nareszcie się zainteresowała.

– A z kim mamy do czynienia? Po pierwsze, ze Srokami, którzy są biedni jak myszy kościelne i mają przeszłość przestępczą. Po drugie, z byłą zakonnicą z patologicznej rodziny, na gigancie z poprawczaka.

– I ciężarną szesnastolatką, której matka chce zabrać dziecko i rozdzielić ją z chłopakiem, w którym Trudka jest śmiertelnie zakochana – dopowiedziała Wera, a Hubert się z nią zgodził.

– Ustalają stawkę i zaczyna się gra. To dlatego Julka wyznaje Grzesiowi, że była w lesie ze Sroką. W ten sposób przebijają ich asa atutem. Grześ się wścieka, potrząsa rywalem, a kiedy przerażony tym, co zrobił, chce uciec z kraju, jest już za późno. Sroka jest martwy. Facet, który był w lesie z Julką, skorzystał z okazji. Wiedział, że Brachaczek będzie pierwszym podejrzanym. Po śmierci Artura dziewczyny się boją. Nie mogą nikomu nic powiedzieć. Dlatego obie jak najszybciej znikają z Mosznej. Znika też stary Sroka.

Weronika spojrzała na Meyera z podziwem.

– Wszystko pasuje – przyznała. – Brakuje tylko jednego. Nazwiska. Kim jest sekretny adorator Julii Prochownik? Masz pomysł?

– To kolega Sławomira Sroki – odparł Hubert. – Dlatego nie podaje on nowego adresu nawet prokuraturze. Bo on też się boi. Po zabójstwie syna już wie, że kochanek Julii będzie metodycznie eliminował niewygodnych świadków.

Weronika była zaintrygowana.

– Jakiś gangster? Ktoś od Japy? Wiesz czy to tylko teoretyczne gadanie?

Hubert skinął powoli głową.

– Kolega z wojska. A ściślej mówiąc, wróg. Ktoś, kto dokonał tych zbrodni, nosił mundur jak Sroka, ale był śledczym. To dlatego nie ma śladów, a zabójstwa zostały teatralnie zainscenizowane na dzieło przestępcy seksualnego. Poza tym pierwszym, do którego doszło bez przygotowania.

***

Bożydar Teper tym razem niecierpliwie wyczekiwał wizyty Erwina Długosza. Liczył, że między długimi okresami milczenia dowie się, jak rozwiązano sprawę zabójstw dzieciaków z Mosznej. Kiedy rozległ się dzwonek, położył na talerzu adaptera Ellę Fitzgerald, bo ostatnim razem Erwin był rozmowniejszy, kiedy włączał starocie z czarnych płyt.

– Pan doktor jest zajęty! Za chwilę ma pacjenta.

Dzielna asystentka broniła wejścia, ale Meyer na nią nie zważał.

– Proszę pójść na kawę – poradził jej łagodnie i rozsiadł się na fotelu przed zadziwionym Teperem. – Nie będzie go. Wczoraj puściliśmy za nim list gończy.

Teper wstał, by uciszyć Ellę, a Hubert zrobił zawiedzioną minę.

– Muzyka wcale nie przeszkadza mi w słuchaniu. Wręcz przeciwnie.

– Słuchaniu?

– Zamienimy się dziś rolami. Ja będę słuchał, a pan mówił.

– O czym?

– O pułkowniku Erwinie Długoszu i waszej wielkiej przyjaźni. Bo musiała to być poważna przyjaźń, skoro pomógł mu pan w dwóch zabójstwach. Z pierwszym poradził sobie całkiem nieźle samodzielnie.

– Nie wiem, o czym pan mówi.

– Spodziewałem się takiej odpowiedzi – przyznał Meyer. – Podobnie jak następnej: tajemnica lekarska. Albo coś koło tego.

Podał terapeucie pogięty papier.

– Niniejszym pana z niej zwalniam.

Teper w skupieniu przeczytał dokument. Kiedy skończył, chciał oponować, dyskutować, a przy tym wywracał oczyma z oburzenia, ale Hubert nie dał mu dojść do słowa.

– Oczekuję pełnej współpracy, wtedy przyjmie pan następnego klienta – zaznaczył. – Jeśli nie, pojedziemy na komendę.

– Na jakiej niby podstawie?

– Nie mogę panu zagrozić więzieniem, ale jestem w stanie doprowadzić do wykreślenia nazwiska Bożydar Teper z Polskiego Towarzystwa Psychiatrycznego, Europejskiego Stowarzyszenia Psychoterapii i kilku innych organizacji, do których pan należy. Mogę też zniszczyć pana dobre imię w środowisku.

– Jak? – Bożydar uśmiechnął się z politowaniem.

– Wezwaniami, podaniem tej wiadomości do mediów i hałaśliwym procesem o współudział. Kilka postów w mediach społecznościowych wystarczy, by na tym krześle nikt więcej po mnie nie usiadł. – Hubert poklepał miękkie siedzenie. – A ta pani od kawy może już nie wracać.

– Pan mi grozi?

Hubert uśmiechnął się łagodnie.

– Nie jest to groźba, lecz lekkie przypomnienie o istnieniu etyki zawodowej. I zdaje pan sobie z tego doskonale sprawę, gdyż złamał pan nie tylko szereg zasad, w tym sztandarową „pięć a” o unikaniu wykorzystywania zaufania i zależności osób, które potrzebują pomocy, ale też ten fragment o badaniu i terapeutyzowaniu przyjaciół lub bliskich. Skrycie liczę, że za długo siedzi pan w branży, by ryzykować karierę dla jednego przypadku. No chyba że się mylę i jest pan czynnym wspólnikiem Erwina?

– To niesmaczny żart – prychnął terapeuta.

– A więc się rozumiemy?

– W zupełności – zgodził się niechętnie Teper. – Będę współpracował.

Dopiero teraz oddał dokument.

– Co potrzebuje pan wiedzieć?

– W jakich okolicznościach pułkownik Długosz opuścił szeregi żandarmerii?

– Przejechał dowódcę.

– To ten dowódca musiał być straszną łajzą.

– I był – przyznał Teper. – Ale Erwin przejechał go niechcący.

– Tak panu powiedział czy czytał pan akta?

– I to, i to.

– Czy drugi raz to też był zbieg okoliczności?

– Zgadza się. Facet był pijany. Wyskoczył spomiędzy samochodów. Chciał przebiec jezdnię w niedozwolonym miejscu, ale przewrócił się i upadł. Erwin nie zdążył wyhamować.

– Jaki jest interwał między tymi dwoma wydarzeniami?

– Na pewno nie może pan poczytać o tym w jego aktach?

– Chcę usłyszeć od pana – uśmiechnął się Hubert. – A poza tym żandarmeria nie bardzo lubi się z policją. Z wzajemnością. To mogłoby potrwać, a my liczymy, że Erwin jeszcze dziś wróci na ziemię.

– Wyjechał?

– Próbował polecieć. Sterroryzował załogę i krążą nad lotniskiem. Właśnie jedzie tam negocjator. Zagrożenie jest realne.

Bożydar z trudem utrzymał służbową minę.

– To wariat? – spytał profiler. – W sensie zaburzony?

– Nie, w żadnym razie. To bardzo porządny człowiek. Honorowy.

– Prawdziwy dżentelmen. W obronie honoru pewnej panienki zabił trzy osoby. Niespotykanie zorganizowany, sprawny w działaniu, konsekwentny i zmyślny manipulator, co bardzo mnie martwi.

– Czytałem, że zatrzymano jakiegoś policjanta.

Hubert spojrzał na zegarek.

– Paliwa starczy im na jakieś cztery godziny. A muszę jeszcze przekazać negocjatorom dane, które pomogą powstrzymać pana klienta.

– Pacjenta.

– Chciałby pan jechać z nami?

– Na komendę? Wolałbym nie. Mam dziś umówionych jeszcze kilku innych potrzebujących wsparcia.

– Miałem na myśli lotnisko.

– Nie mam kompetencji do prowadzenia takich rozmów.

– Więc skup się pan. Znasz go najlepiej.

– Nie powiedziałbym...

– Od lat razem polujecie – przerwał mu Hubert. – Na forum myśliwskim widziałem wasze wspólne zdjęcia. To dzięki panu Erwin wywinął się z tych dwóch pierwszych wypadków. Kiedy doszło do konfliktu ze Sroką, wpadł na pomysł, by w ten właśnie sposób zatuszować zbrodnię. Uważa się pewno za niezłego szpenia. Niestety, ta inscenizacja zrodziła kolejne kłopoty, a z każdym następnym zabójstwem facet się rozwijał. W bardzo złym kierunku.

Teper był sceptyczny.

– Nadal nie rozumiem, co ja mam z tym wspólnego.

– W sumie nie wiemy jeszcze, co facetowi dolega, bo uprowadzenie samolotu odbiega od jego modus operandi, ale to może być przykrywka dla innego rodzaju zaburzeń. Do tej pory prezentował tylko te podstawowe... Dewiacje, tortury, sadyzm, fantazje. Może liczy, że uda mu się coś ugrać na niepoczytalności? Zapewniam, że jeśli nie wysadzi tych ludzi w powietrze i zejdą cali i zdrowi z lotniska, będzie jeszcze czas na takie badania... A mogą być naprawdę ciekawe. Z perspektywy naukowca to przypadek wyjątkowy...

Teper wreszcie pojął.

– Dopuścicie mnie do niego?

– Jeśli pomoże nam pan ściągnąć go na ziemię, prokurator rozważy, czy zezwolić, by to właśnie pan Erwina badał. Przyda się jako materiał do artykułu naukowego, czyż nie?

– Z tego mogłaby być nawet książka – zgodził się Teper.

– Sam chętnie ją przeczytam – zapewnił Meyer. I zażądał:
– Wskazówki. Coś konkretnego.

Teper zastanawiał się. Hubert nie mógł uwierzyć, że ten facet co roku jest królem strzelców. Miał refleks słonia!

– Córka. Amelka – odezwał się wreszcie. – Erwin kocha to dziecko bardziej od siebie.

– Przecież nie użyję na wabia małej dziewczynki?

– Mówi do niej „rekinku". Dla niej rzucił palenie. Poszedł na studia, zmienił zawód. Najbardziej żałuje, że była świadkiem tego zdarzenia w zamku. Martwi się, że to ją złamie.

Hubert notował, nie patrząc na terapeutę.

– Pański numer telefonu – rzucił i już wstawał. – Nie wiem, jak to pójdzie, ale mam obowiązek przekazać, że ma pan być do dyspozycji, gdyby Erwin chciał rozmawiać.

– Niech pan mu powie o przeczuciu. O znakach. O intuicji. Nie znosi zjawisk, których nie potrafi wyjaśnić. I boi się, że istnieje jakaś siła, nad którą nie może panować.

– Mówi pan o diable?

– O Bogu. Ale najlepiej będzie, jeśli zadzwoni do niego Amelka. To dzielna dziewczynka. Przekona go do powrotu.

– Albo zabije dla niej siedemdziesiąt osób.

Nagle Teper zerwał się i sięgnął po jedną ze starych płyt.

– Niech pan mu to włączy.

Hubert przyjrzał się uśmiechniętej Billie Holiday na okładce.

– Albo Patricka Bruela, Joe Dassina. Coś sprzed lat.

– Romantyczny człek – skwitował Hubert, chowając notes do kieszeni.

– Skoro był w stanie zabijać dla jakiejś dziewczyny? – przyznał Teper. – Sądziłem, że w życiowych przypadkach Erwina nic mnie już nie zaskoczy.

Hubert wstał.

– To nie były przypadki – rzekł. – Dobrze pan o tym wie. Drugi przejechany facet, ten pijany, był kochankiem pana żony. Erwin wiedział o zdradzie i zrobił to, by się panu przypodobać. Tak samo jak pan wie, że to było działanie z rozmysłem. Zabójstwo. A jednak wydał pan opinię, która Erwina oczyściła, dlatego przez całe lata terapii nie wziął pan od Długosza ani złotówki. Znosił go pan i każdego dnia bał się, że jeśli sprawa się wyda, podzieli pan los rywala. Tak, można powiedzieć, że Erwin Długosz jest przestępcą nie tylko romantycznym, lecz nawet sentymentalnym.

Teper nie odpowiedział. Powstał. Podniósł ramię adaptera. Muzyka ucichła.

– To zostanie między nami, jeśli pana wiedza sprowadzi pułkownika na ziemię – dodał Meyer. – Mam nadzieję nie do zobaczenia.

***

W drodze Hubert przekazał dane śledczym i negocjatorom, a potem pojechał na Stawową do swojego mieszkania, by wykorzystać ostatnie chwile urlopu. Pojutrze wraca do regularnej pracy i zaczyna od reoględzin. Jego opinia miała wykluczyć lub potwierdzić sprawcę zabójstwa, więc powinien się przygotować. Otwierał właśnie drzwi, kiedy zadzwoniła Bożena. Była ostatnią osobą, z którą chciał teraz rozmawiać. Zrzucił połączenie, ale jak zwykle niełatwo było ją spławić. Nie minęła chwila, gdy telefon zawibrował ponownie.

„Wczoraj Sabina wróciła do domu – odczytał esemes. – Gosposia znalazła ją martwą. Trwa śledztwo. Kobieta z ubezpieczalni cofnęła wypłatę. Są już dwa trupy, a sprawcy wciąż nie zatrzyma-no. Może wreszcie coś zrobisz?"

„Jak zginęła?" – napisał.

„Ktoś wypuścił jej węże".

Hubert wahał się, czy nie odpowiedzieć „Ty?", ale po namy-śle wystukał:

„Pyton siatkowy? Wykrwawiła się?"

Odesłała mu podniesiony kciuk.

Czas to zamknąć, zdecydował. Wykręcił jej numer, ale kiedy tylko pojawiło się połączenie, poczuł nagły brak sił, by podtrzy-mywać kobietę w jej mrocznej iluzji. Wiedział, że czas na boles-ną prawdę nigdy nie jest właściwy, kłamstwo jednak może do-prowadzić kolejną osobę na skraj przepaści. Nacisnął czerwoną słuchawkę. Nie odebrał, chociaż dzwoniła jeszcze wiele razy.

„Sabina się zabiła – napisał. – Ostrzegała mnie, że to zrobi. To samobójstwo. Uszanuj jej wolę i pochowaj ich razem".

W nocy, gdzieś około drugiej, obudził go dźwięk wiadomości.

„Pogrzeb Kostka jest jutro".

To było wszystko. Tym razem żadnych zwierzeń, oskarżeń czy wymuszania spotkań. Zrozumiał, że Bożena była trzeźwa, kiedy to pisała. Wtedy dotarło do niego, że ostatniego dnia ur-lopu też nie będzie miał wolnego.

Część 4

Dziecko Meyera

Dzień trzynasty
12 stycznia 2021 – wtorek

Wyciągnął z szafy garnitur i dokładnie go wyczyścił. Włożył do niego czarny golf, w którym jeździł po komendach. Kupił średniej wielkości wieniec. Kiedy dotarł do Bytomia, pomyślał, że ten pogrzeb mieszkańcy zapamiętają jako najbardziej efektowny od lat. Trumny nie otworzono, ale była ponadwymiarowa, a na wieku leżały dwa nekrologi. Ludzie szeptali, że to profanacja, by chować małżonków w jednym pudle, ale zbyt liczono się z rodziną Bednarków, by powiedzieć im to w twarz. W gąszczu ludzi Hubert dostrzegł Dagę, która skinęła mu nieznacznie głową i nie odstępowała rodziny Bednarków w kościele ani na cmentarzu. Ucieszyło go, że Bożena nie wypełniła swoich gróźb wobec dziewczyny. Wśród żałobników wyróżniali się raperzy i ludzie w kolorowych ubraniach. Kiedy wszyscy zaczęli się rozchodzić, ktoś włączył muzykę Kostka, a Hubert z trudem ustał w miejscu, bo kompozycja rozrywała mu serce. Zapatrzył się na zdjęcie zmarłego i jego żony.

– Chciałeś. – Bożena wcisnęła mu do rąk zafoliowany plik kartek z plastikowym pudełkiem w środku. Wyglądały na wyniki badań lekarskich.

– Co to jest?

Udał, że drapie się po nosie, choć tak naprawdę chciał ukryć oczy.

– Możesz się upewnić. Próbka została właściwie zabezpieczona.

Nawet na nią nie spojrzał. Podszedł do grobu Kostka i wrzucił pakunek. Po chwili grabarze zasypali go ziemią.

– Miałaś rację. – Spojrzał na Bożenę, doskonale wiedząc, że oczy ma szkliste. – To bez znaczenia. – Uderzył się w pierś. – Żałuję tylko, że tak późno się dowiedziałem. Obiecuję ci, że tak tego nie zostawię. Dowiem się, co się stało i jak zginął Kostek.

– Nie – zaprotestowała Bożena. – Nie musisz.

Hubert objął ją i mocno przytulił. Wiedział, że jej mąż i familia Bednarków przyglądają się temu wrogo, ale to też nie miało dla nich znaczenia.

Opłakiwali swojego syna.

Epilog

Napadało mnóstwo śniegu, a potem wyszło słońce i zaraz cały stopniał, więc Waldek naniósł błota. Z tego tytułu minę miał uradowaną, jakby strzelił w totka. Teczkę postawił przy drzwiach. Z dumą wyjął z niej butelkę wódki. Hubert wziął ją, ale nic nie powiedział. Posadził przyjaciela przy stole nakrytym dla pięciu osób.

Były szef kryminalnego śląskiej komendy bezskutecznie robił miny, by zmusić profilera do wyznania, kto będzie piątym uczestnikiem biesiady.

– Minister nas nie zaszczyci – uciął temat Meyer. – Chciałem, żebyś przyszedł pierwszy, bo mamy do pogadania. Wszyscy będą za kwadrans, więc słuchaj uważnie.

Położył na talerzu Waldka zawiniątko w kraciastej flaneli. Była to stara koszula Meyera, ale poza Szerszeniem nikt nie mógł o tym wiedzieć.

Stary policjant odchylił róg szmaty i spojrzał na Huberta spod oka.

– Co mam z tym zrobić?

– Zwykle się rozkłada i rozrzuca w różnych miejscach. Nie mam doświadczenia, ale tak robią moi klienci.

– To ma być jakiś przekaz?

– Nie, tak tylko się chwalę.

Zapadło milczenie.

– Jako ostatni rozmawiałem z panią Eweliną. Nie nacieszyła się nowym nazwiskiem, ale zdążyła mi pokazać jakże cenną fotografię. Wtedy zrozumiałem, dlaczego Doman się rozpił. Bał się wpadki z glockiem, bo trop prowadził do niego, a to nie on był cynglem. Pojąłem też, jakim cudem Sroka na jego widok strugał dobrego wujka. Doman widział go i może rozpoznać. Wracał z barakowozu pod karuzelą z dwiema zapiekankami. To dlatego nie wyciągnął broni, kiedy podjechał Japa. Miał zajęte ręce. Strzał oddał ktoś inny. Ktoś, kogo mógł widzieć tylko kierowca Białego – nasz przyjaciel Derma. Świadków strzelaniny nie było, ponieważ scenę od ludzkich oczu odgradzał rząd straganów z żarciem.

Szerszeń odchrząknął. Cofnął się o krok. Meyer zbliżył się do niego i pokazał mu screen strony śląskiej komendy.

– Zapomniałem, jakie miałeś wtedy bujne wąsy.

Staruszek nie zaprotestował. Nie okazał właściwie żadnych emocji.

– Co chcesz z tym zrobić?

– Po prostu rozrzuć to jak należy – powtórzył Hubert.

– Dlaczego sam tego nie zrobisz?

– Bo wtedy będziesz miał pewność, że ja znam twój grzech, a ty mój. Jest jeden – jeden.

Szerszeń długo nie mógł powiedzieć ani słowa. Kiedy się odezwał, głos mu się łamał.

– Co zrobiłeś z ciałem?

– Nikt nie musi wiedzieć – odparł Hubert, po czym skasował kompromitujące zdjęcie i usunął je też z kosza. – Posprzątałem za ciebie, może ty kiedyś posprzątasz za mnie – dodał, patrząc na błoto na korytarzu.

Szerszeń wstał i bez słowa poszedł po mopa. Zaczął przecierać podłogę.

– Daj spokój – powstrzymał go Hubert. – Wyschnie.

– Będą ślady.

– Zawsze zostają. – Profiler wzruszył ramionami.

– Chcesz pewnie wiedzieć, dlaczego to zrobiłem?

– Nie chcę.

– To pewnie chcesz wiedzieć, dlaczego Doman wziął to na siebie?

– Kocha cię jak ojca? – zażartował Hubert i nagle spoważniał. – Przy tej wersji zostańmy. Myślisz, że cię testowałem?

Szerszeń był coraz bardziej zdenerwowany.

– Nie musiałeś – wychrypiał. – Powiem ci...

Meyer podniósł dłoń. Szerszeń umilkł.

– Wiem już więcej, niż kiedykolwiek chciałem, Waldek. Także o sobie. – Podszedł do przyjaciela i wcisnął mu broń do ręki.

– Schowaj to do teczki, bo słyszę, że są na klatce i zaraz będą dzwonić.

Wybrzmiał gong przy drzwiach. Spanikowany Szerszeń ukrył zawiniątko i spojrzał na Huberta z wdzięcznością. Profiler skinął mu nieznacznie głową i spróbował się uśmiechnąć, ale jego oczy pozostały smutne. Patrzyli na siebie w milczeniu. Ledwie Waldek zdążył zapiąć aktówkę, goście już wchodzili. Najpierw do korytarza wtoczył się Doman, rumiany od mrozu i szczuplejszy chyba dziesięć kilo niż przed dwoma tygodniami. Za nim szła ledwie widoczna zza jego pleców Wera. W sukience i krótkim futerku w kolorze popiołu wyglądała odświętnie. Na samym końcu maszerował jej syn. Był wyższy od matki i jak na dwudziestoletniego mężczyznę nadzwyczaj urodziwy. W niczym nie przypominał płaczliwego dziecka, które przed laty Hubert widział w samochodzie Wery.

Jeden rzut oka wystarczył gościom do oceny sytuacji, więc każdy po kolei wyciągał z kieszeni po setce i kładł na dłoni Meyera.

– Ile minut? – spytała Wera.

– Trzynaście – odparł Hubert. – Ze zmywaniem podłogi może kwadrans.

Dołożyła kolejne dwie i udała, że narzeka:

– Zbankrutujemy przez ciebie, Waldek.

– Założyliście się? – oburzył się stary policjant i zaśmiał się przez łzy.

– Nie – odparli chórem.

– Nie mam pojęcia, o co chodzi – odezwał się Tomek, syn Wery. – Ale jesteście niezłymi krejzolami.

Warszawa, 13 listopada 2020

Posłowie

Powieść, którą Państwo przeczytali, w założeniu miała być zupełnie inna. Moje plany pokrzyżowała druga fala pandemii. Koronawirus bezpowrotnie odmienił naszą rzeczywistość. Dlaczego nie miałby zrewolucjonizować także mojego autorskiego świata? Pierwszy raz w życiu zostałam pozbawiona możliwości dokumentowania. Łażenia uliczkami, czytania akt, rozmawiania z ludźmi, podglądania ekspertów w ich naturalnym środowisku. Słowem, nie byłam w stanie pracować jak przez ostatnie lata...

Niniejszym oświadczam, że wszystko, o czym przeczytali Państwo w tej książce, jest totalną fikcją. W zamku w Mosznej nie dochodzi do brutalnych mordów, a psychopaci nie grasują nad Brynicą z brezentowymi workami i zrabowanymi z komendy glockami w dłoniach... Wszystko, co do ostatniej literki, jest w *Nikt nie musi wiedzieć* zmyślone i jeśli są jakieś wątpliwości, błędy, niedociągnięcia, to tylko i wyłącznie moja wina. Ewentualna zbieżność personaliów, wydarzeń lub ich okoliczności z rzeczywistymi jest przypadkowa i niezamierzona.

Zanim jednak doszło do zamknięcia świata, próbowałam robić to, co do mnie należy, a więc rozmawiałam z ludźmi i zbierałam rzetelną wiedzę. W tym miejscu kłaniam się: Marii Olesze-Lisieckiej z „Dziennika Zachodniego"; Arkadiuszowi Chęcińskiemu – prezydentowi Sosnowca; Wojciechowi Żegolewskiemu z TVS.PL; Stanisławie Adamek – szefowej biblioteki w Rybniku; Agnieszce Strzemińskiej z Polskiego Radia Katowice; Annie Grabińskiej-Szcześniak z Muzeum Górnośląskiego w Bytomiu; Dorocie Osińskiej w sprawach kolii, pereł oraz głęboko życiowych; dr Sylwii Jędrzejewskiej, cenionej seksuolog;

Wojtkowi Kusiowi z TVP za tropy filmowe i literackie na temat Górnego Śląska; dr. Bogdanowi Lachowi, profilerowi; mł. insp. w stanie spoczynku Robertowi Duchnowskiemu – dzięki, „Duchu", za twe czujne fachowe oko; panu Michałowi z Warszawy, który hoduje węże; Robertowi Kleszczowi – dyrektorowi Zakładu Poprawczego i Schroniska dla Nieletnich w Zawierciu oraz wszystkim wychowankom i pracownikom tej placówki, którzy podzielili się swoimi tajemnicami; dr Aleksandrze Fatimie Wrońskiej, arteterapeutce i performerce, która dostarczyła dawkę wiedzy o zakonnicach odchodzących z klasztorów; dyrekcji i pracownikom zamku w Mosznej – za spotkanie i rozmowy oraz przepyszne bułeczki z makiem (uprzejmie przepraszam, że to właśnie u Was dochodzi do tak drastycznych zdarzeń, i potwierdzam, że wasza kuchnia jest najlepsza w regionie, a gabloty całe); dr. Adamowi Dorobkowi i dr Emilii Pawłowskiej-Krajce z Kliniki Uniwersytetu Medycznego w Warszawie; Adriannie Kowalczyk-Czubak, mistrzyni logistyki i superagentce, oraz Piotrowi Teperowi (nazwisko bohatera, rzecz jasna, w hołdzie). Liczę, że Pan się uśmiechnie, wspominając nasze myśliwskie dyskusje przy roladzie śląskiej ☺.

Z góry przepraszam, że nie wykorzystałam większości waszych cennych danych w takim stopniu, jak należało. Na moim twardym dysku nic nie ginie, więc może uda się to przy następnych książkach...

Na koniec przytulam moją córkę – dzielnie znosi ona obłąkaną matkę, która w zapisie jest nie do wytrzymania, a kiedy nie pisze – smutna ☺ Kochanie, dziękuję Ci za wysłuchiwanie przebiegu fabuły, cenne porady płynące z serca nowego pokolenia czytelników i słowa otuchy, kiedy wymyśliłam coś, na co jeszcze nie wpadli scenarzyści Umbrella Academy (wielki zaszczyt, Jeeej! ☺)

Drodzy, przyjmijcie moje podziękowania i ściskam Was najserdeczniej.

Państwu zaś kłaniam się za tę podróż i do zobaczenia w kolejnej odsłonie przygód Meyera.

Katarzyna Bonda